U0106845

中國本草圖錄

卷七

蓋載之三境者也其三百六十五
百二十種爲君主養命以應天無
老延年之說中藥一百二十種爲
有遏病補虛益損之用下藥一百
可久服故有除寒熱邪氣破積聚
尹湯液之輿本乎神農仲景傷寒

中國本草圖錄

卷七

商務印書館（香港）有限公司
人民衞生出版社
合作出版

中國本草圖錄　卷七
全書主編——蕭培根
本卷主編——鄔家林　鄭漢臣
編寫——《中國本草圖錄》編寫委員會
責任編輯——孫祖基　江先聲
編輯顧問——李甯漢
圖片編輯——嚴麗娟
裝幀設計——王鑑豐
出版——商務印書館（香港）有限公司
香港鰂魚涌芬尼街2號D僑英大廈
人民衛生出版社
北京天壇西里10號
製版——亞洲製版公司
香港柴灣豐業街10號業昌中心7字D座
印刷——中華商務彩色印刷有限公司
香港九龍炮仗街75號
版次——1990年6月第1版第1次印刷

ISBN 962 07 3084 4

All inquiries should be directed to:
The Commercial Press (Hong Kong) Ltd.
Kiu Ying Building, 2D Finnie Street, Quarry Bay, Hong Kong

中國本草圖錄卷七編者名單

編寫單位

四川省中藥學校、上海第二軍醫大學、中國醫學科學院藥用植物資源開發研究所、長春中醫學院、吉林省中醫中藥研究院

主 編

鄔家林 鄭漢臣 吳光第（助理）

編 者

鄔家林 吳光第 祝正銀 楊禎祿
餘明志 張士良 陳時夏 劉曉春
郎楷永 鄭漢臣 張芝玉 邱翠娥
朱友平 蕭培根 馮毓秀 朱兆儀
連文琰 馮瑞芝 林壽全 陳碧珠
顧志平 高士賢 左 壯 李典忠
苗洪範 鄧明魯 嚴仲鎧 徐國經
潘 寧 白雲鵬 翟 躍 趙素雲

圖片攝影

吳光第 鄔家林 郎楷永 鄭漢臣
戴 斌 劉玉秀 高士賢 劉向東
濟一農 高文龍 張效杰 嚴仲鎧
尹力釗 楊 野 彭治章 趙素雲

審閱者

樓之岑 蕭培根 謝宗萬 鄧明魯

輔助人員

劉大丁 劉學英 李顯疛

本卷主編的話

《**中國本草圖錄**》第七卷由四川省中藥學校、上海第二軍醫大學藥學院、中國醫學科學院藥用植物資源開發研究所、長春中醫學院、吉林省中醫中藥研究院等 5 個單位合作編寫而成。本卷主要收錄四川省，特別是峨嵋山民間藥物，兼而反映中國東北、華北、新疆、西藏、秦嶺藥物，及部分海洋藥物，計有低等植物藥 12 種，蕨類植物藥 23 種，裸子植物藥 8 種，被子植物藥 410 種，動物藥 47 種。其中包括如漢中防己、川赤芍、淫羊藿、甘草、佛手、小通草、西南黃芩、竹根七、柴胡、川芎、明黨參、菟絲子、雪膽、瓜蔞、雪蓮花、百部、重樓、黃精、玉竹、藜蘆、海狗腎、蘄蛇、金錢白花蛇等常用藥；也有桫欏、篦子三尖杉、穗花杉、紅豆杉、白苞裸蒴、四川金粟蘭、領春木、明黨參、星果草、盾葉唐松草、串果藤、八角蓮、川八角蓮、凹葉木蘭、峨屏草、銀雀樹、天師栗、珙桐、木瓜紅、蘄蛇、海狗等珍稀物種；還有如峨嵋半邊蓮、峨嵋冷杉、峨嵋栲、峨山草烏、峨嵋賽楠、峨嵋勾兒茶、峨嵋紫金牛、峨山雪蓮花、峨嵋龍膽、峨嵋雙蝴蝶、峨嵋雪膽、峨嵋千里光、峨嵋南星、峨嵋開口箭、峨嵋薑、峨嵋舞花薑、峨嵋藏猴等峨嵋山著名的或特產的藥物。

參加本卷工作的攝影者和部分編者除了到各地藥用植物園和栽培場地外，還深入到人迹罕至的高山密林、懸崖絕壁、沙漠荒原、海濱湖泊，歷盡艱辛，不畏險阻，拍攝到不少珍貴鏡頭，實地記載了該地區民間用藥治病的經驗，收集整理了近年來各地中藥資源普查的新資料，實屬不易。

本書係國家自然科學基金資助項目。本卷編寫過程中得到華西醫科大學藥學院、峨嵋山生物資源試驗站、峨嵋山林業管理所、峨嵋山管理委員會、四川省涼山彝族自治州中藥材公司、四川省涼山彝族自治州藥品檢驗所、四川省鹽源縣中藥材公司、陝西省周至縣草醫學校、新疆維吾爾自治區藥品檢驗所、新疆阿勒泰地區藥品檢驗所、石河子農學院、杭州市藥物研究所等單位和有關人員的協助，在此一併致謝。

由於時間和編者水平所限，不足之處，敬請廣大讀者提出寶貴意見。

鄔家林

1990 年 1 月於峨嵋

編　寫　說　明

1.《**中國本草圖錄**》收載中草藥(包括植物、動物、礦物)五千種，分十冊出版。全書採用彩色照片拍攝中草藥的生態環境、生長狀態(活植物、活動物體態)，礦物則拍攝藥材形狀。

2.每種中草藥附有簡要的文字描述，目的在於彌補彩照的不足，並使讀者對該中草藥有一個概括的認識。

3.本書編排以植物(動物)科爲順序；植物科以恩格勒系統爲編排依據。科屬內的中草藥則按植物(動物)的拉丁學名的字母順序依次排列。

4.書前的目錄備列中草藥所屬的植物(動物)的科及科內各中草藥。書後則分別附有中草藥及所屬植物(動物)的中名索引及拉丁學名索引。

5.正名一般祇採用中草藥的常用名稱。若一種中草藥爲多來源或來自同屬多種植物(或動物)，如黃連、貝母、天南星、前胡等，正名參照基源動植物名取名爲三角葉黃連(黃連)、白花前胡(前胡)等，括號內附常用的中草藥名稱。如此藥爲民間藥，則應採用民間藥名稱。若無中草藥名稱，可採用此藥的植物名或動物名。

6.本書文字描述包括：**來源**、**形態**、**分佈**、**採製**、**成分**、**性能**、**應用**、**文獻**及**附註**等項目。

7.**來源**是記載中草藥所屬的植物(動物)科的中名，植物(動物)名稱及其拉丁學名，藥用部分。礦物藥則記述其礦物來源的名稱或學名。

8.**形態**一項是概述中草藥的原植物(或原動物)的全貌的形態特徵(尤詳於藥用部分)。若爲礦物藥，則祇描述藥材性狀。

9.**分佈**是描述該植物(動物)在野生狀態下的生態環境或栽培狀況，或其棲息環境及習性等。分佈是指野生植物(動物)在中國境內的自然分佈。由於篇幅限制，若分佈的省區太多，可採用大區描述，如東北、華北、華東、中南、西北、西南等，也可寫長江以南等。

10.**採製**是描述該中草藥的採集季節，加工方法(如曬乾、陰乾、鮮用、切片、切段等)，或特殊的炮製加工等方法。

11.**成分**祇記載該中草藥所含的主要成分或有活性成分，對一般次要的化學成分，可不予全部記載，而且也以該中草藥的藥用部位爲主，非藥用部位的成分則或略而不述。

12.**性能**是先描述該中草藥的性味(先寫味，後寫性)，再述其功能。功能祇描述該中草藥的主要作用。對有些有毒的中草藥，按毒性的大小，寫明小毒、有毒、大毒等，以便引起注意。

13.**應用**祇描述該中草藥沿用以治療的主要病症，也可能是與其他藥物配伍的效用。用法一般指內服或外用或其他用法。文中描述"用於"云云即指內服。用量是指成人每日的常用量。

14.**文獻**一項是供進一步查閱該中草藥的詳細資料而編注的；如別名、成分、藥理等內容，可在文獻中查閱。爲節省篇幅，常用文獻多採用簡稱。如《大辭典》上，865，即《中藥大辭典》上冊第865條。各卷所引用的文獻的書目資料，可於每卷後面所附的"參考書目"中找到。

目　　錄

3081. 風藤草根
3082. 晚花繡球藤
3083. 鬚藥鐵線蓮
3084. 新疆木通
3085. 柱果鐵線蓮
3086. 皺葉鐵線蓮
3087. 還亮草
3088. 鐵腳草烏
3089. 峨山草烏
3090. 人字果
3091. 三角海棠
3092. 藍堇草
3093. 鴉跖花
3094. 黃牡丹
3095. 川赤芍(赤芍)
3096. 楊子毛茛
3097. 滇川唐松草
3098. 馬尾連
3099. 崖掃把
3100. 倒水蓮
3101. 深山唐松草
3102. 金蓮花

木通科

3103. 貓屎瓜
3104. 串果藤

小檗科

3105. 粉葉小檗
3106. 黑果小檗
3107. 川滇小檗
3108. 川八角蓮
3109. 八角蓮
3110. 粗毛淫羊藿
3111. 寶興淫羊藿
3112. 柔毛淫羊藿(淫羊藿)
3113. 鬼臼

防己科

3114. 衡州烏藥
3115. 桐葉千金藤

木蘭科

3116. 凹葉木蘭
3117. 朱砂玉蘭
3118. 西康玉蘭
3119. 枝子皮
3120. 四川木蓮
3121. 南五味子(五味子)

樟科

3122. 峨嵋黃肉楠
3123. 樟腦
3124. 大香果
3125. 峨嵋賽楠

罌粟科

3126. 南黃紫堇
3127. 紡錘草
3128. 山香
3129. 小花黃堇
3130. 倒地抽
3131. 大花荷包牡丹
3132. 銀烏

十字花科

3133. 芸苔
3134. 燥原薺
3135. 沙芥
3136. 葶菜

景天科

3137. 豆葉七
3138. 景天三七

虎耳草科

3139. 金毛七
3140. 螞蟥鏽
3141. 金腰草
3142. 掛苦綉球
3143. 東北山梅花
3144. 糖茶藨
3145. 長串茶藨
3146. 狗葡萄
3147. 峨嵋崖雪下
3148. 黃水枝

海桐花科

3149. 山枝仁

薔薇科

3150. 林檎
3151. 金金棒
3152. 黏委陵菜
3153. 華東稠李
3154. 壽星桃花
3155. 櫻桃核
3156. 棠梨
3157. 疏花薔薇
3158. 寬刺薔薇
3159. 茶子藨
3160. 倒生根
3161. 大紅泡
3162. 白花地榆
3163. 深山水榆
3164. 大果花楸
3165. 天山花楸
3166. 單瓣笑靨花
3167. 光葉繡線菊

豆科

3168. 地粟子
3169. 草木犀狀黃芪
3170. 細葉黃芪
3171. 雙腎藤
3172. 華南雲實
3173. 瓜子蓮
3174. 檀根
3175. 圓錐山螞蟥
3176. 餓螞蟥
3177. 龍芽花
3178. 光果甘草(甘草)
3179. 蜜腺甘草
3180. 脹果甘草(甘草)
3181. 馬掃帚
3182. 小雪人參
3183. 百脈根
3184. 貢山雞血藤
3185. 山綠豆
3186. 灰毛槐樹
3187. 牯嶺野豌豆

牻牛兒苗科

3188. 血見愁老鸛草
3189. 青島老鸛草
3190. 老鸛草

芸香科

3191. 佛手
3192. 甜橙(枳實)
3193. 異花吳萸
3194. 臭辣樹
3195. 臭山羊
3196. 花椒
3197. 蚌殼椒

遠志科

3198. 長毛遠志

大戟科

3199. 黑鈎葉

黃楊科

3200. 桃葉黃楊
3201. 三角咪

漆樹科

3202. 紅麩楊

衛矛科

3203. 白花藤

3204. 木螃蟹

3205. 四川衛矛

省沽油科

3206. 膀胱果

3207. 銀鵲樹

茶茱萸科

3208. 馬比木

槭樹科

3209. 房縣槭

3210. 地錦槭

3211. 青楷槭

3212. 三花槭

七葉樹科

3213. 天師栗(娑羅子)

鳳仙花科

3214. 黃金鳳

鼠李科

3215. 勾兒茶

3216. 峨嵋勾兒茶

3217. 女兒紅

3218. 薄葉鼠李

3219. 叫梨木

3220. 鏽毛雀梅藤

葡萄科

3221. 葛藟汁

3222. 葡萄

錦葵科

3223. 樹棉根

3224. 草棉根

3225. 歐錦葵

梧桐科

3226. 梧桐子

3227. 截裂翅子樹

山茶科

3228. 鈍頭茶

藤黃科

3229. 蠱蟲藥

堇菜科

3230. 地黃瓜

3231. 鏵頭草

旌節花科

3232. 倒卵葉旌節花

3233. 凹葉旌節花

3234. 柳葉旌節花

胡頹子科

3235. 砂生沙棗

3236. 黃果沙棗

3237. 胡頹子

石榴科

3238. 白石榴花

珙桐科

3239. 珙桐

野牡丹科

3240. 楮頭紅

柳葉菜科

3241. 水丁香

3242. 待霄草

小二仙草科

3243. 小二仙草

杉葉藻科

3244. 杉葉藻

五加科

3245. 樹五加

3246. 假通草

3247. 柳葉竹根七

傘形科

3248. 南柴胡(柴胡)

3249. 山茴芹

3250. 鴨兒芹

3251. 明黨參

3252. 川芎

3253. 細葉水芹

3254. 卵葉水芹

3255. 山當歸

3256. 膜蕨囊瓣芹

3257. 天藍變豆菜

3258. 肺筋草

3259. 黏黏草

山茱萸科

3260. 西藏珊瑚

3261. 峨嵋珊瑚

3262. 野棗皮

3263. 葉上花

3264. 大接骨丹

乙. 合瓣花亞綱

鹿蹄草科

3265. 松下蘭

3266. 擬水晶蘭

3267. 長白擬水晶蘭

杜鵑花科

3268. 草靈芝

3269. 中華吊鐘花

3270. 狹葉南燭

3271. 黃山杜鵑

3272. 腺果杜鵑

3273. 長蕊杜鵑

3274. 圓葉杜鵑

3275. 皺皮杜鵑

3276. 米飯花

紫金牛科

3277. 紅涼傘

3278. 血黨

3279. 峨嵋紫金牛

3280. 江南紫金牛

3281. 虎舌紅

3282. 酸藤果

3283. 針齒鐵仔

報春花科

3284. 細梗排草

3285. 大過路黃

3286. 豆葉參

3287. 卵葉報春

3288. 峨嵋雪蓮花

藍雪科

3289. 藍花丹

3290. 白花丹

山礬科

3291. 山礬

3292. 白檀

3293. 四川山礬

安息香科

3294. 水冬瓜

3295. 木瓜紅

3296. 野茉莉

木犀科

3297. 雪柳

3298. 大葉梣(秦皮)

3299. 小酒瓶花

馬錢科

3300. 白背風

龍膽科

3301. 粗莖秦艽

3302. 峨嵋龍膽

3303. 深紅龍膽

3304. 龍膽地丁
3305. 纏竹黃

夾竹桃科

3306. 川山橙
3307. 霹靂蘿芙木

蘿藦科

3308. 戟葉牛皮消
3309. 醉魂藤
3310. 烏騷風

旋花科

3311. 田間菟絲子

紫草科

3312. 琉璃草

唇形科

3313. 岩青蘭
3314. 野草香
3315. 四輪香
3316. 神香草
3317. 樟腦草
3318. 白花益母草
3319. 鼻血草
3320. 四稜香
3321. 野香薷
3322. 滇丹參
3323. 滇黃芩
3324. 狹葉黃芩
3325. 筒冠花

茄科

3326. 馬尿泡

玄參科

3327. 毛地黃(洋地黃葉)
3328. 幌菊
3329. 旱田草
3330. 崖白翠
3331. 天目地黃
3332. 水韓信草
3333. 紫萼蝴蝶草
3334. 寬葉溝酸漿
3335. 爬崖紅
3336. 寬葉腹水草

列當科

3337. 黃筒花

苦苣苔科

3338. 大一面鑼
3339. 大石澤蘭

爵床科

3340. 白接骨

茜草科

3341. 假耳草
3342. 東北豬殃殃
3343. 白常山
3344. 蝦子草
3345. 小紅藤
3346. 狹葉茜草

忍冬科

3347. 隴塞忍冬
3348. 馬尿燒
3349. 吊白葉
3350. 心葉莢蒾根
3351. 堅莢樹

敗醬草科

3352. 糙葉敗醬

葫蘆科

3353. 菜瓜
3354. 雪膽
3355. 峨嵋雪膽
3356. 馬瓟兒
3357. 小扁瓜
3358. 王光根
3359. 蛇瓜
3360. 雙邊栝樓(瓜蔞)

桔梗科

3361. 展枝沙參
3362. 袋果草
3363. 藍花參

菊科

3364. 寬翅香青
3365. 菴藺
3366. 牛尾蒿
3367. 小舌紫菀
3368. 菊柴胡
3369. 土柴胡
3370. 鬼針草
3371. 長葉天明精
3372. 紅釣桿
3373. 鵝不食草
3374. 魁薊
3375. 萬丈深
3376. 三七草
3377. 新疆漏蘆
3378. 大花旋覆花
3379. 馬蘭
3380. 萵苣菜
3381. 四川橐吾
3382. 鰭薊
3383. 秋分草
3384. 雪蓮花
3385. 苞葉雪蓮
3386. 傘花鴉葱
3387. 山青菜
3388. 羽葉千里光
3389. 野青菜
3390. 林蔭千里光
3391. 紫毛千里光
3392. 一枝黃花
3393. 續斷菊
3394. 南川斑鳩菊

單子葉植物綱

眼子菜科

3395. 眼子菜

禾本科

3396. 糯稻根
3397. 粟米
3398. 高粱

莎草科

3399. 三楞草
3400. 水蜈蚣

天南星科

3401. 異葉天南星(天南星)
3402. 花南星
3403. 偏葉南星
3404. 峨嵋南星
3405. 水芋
3406. 紫芋
3407. 大半夏
3408. 石氣柑

鴨跖草科

3409. 川杜若

百部科

3410. 大百部(百部)

百合科

3411. 長梗薤
3412. 鹿耳韮
3413. 輝韮
3414. 大趕山鞭
3415. 金邊吊蘭
3416. 竹葉參
3417. 大花萬壽竹

3001　烏靈參

來源　碳角菌科植物地碳棍 Xylaria nigripes (Kl.) Sacc. 的菌核。

形態　菌絲體白色，直徑 8～14µm，交織成網狀。菌核球形或不規則團塊，外表黑褐色，頂端有蒂與菌索相連，菌索圓柱形或扁圓柱形，外表黑色。子座散生或羣生於地面，圓柱形，連柄高 4～18cm；柄長 1～6cm，直徑 2～5mm，外表黑色；子座棍棒狀，灰褐色，直徑 3～7mm，頂端圓鈍，無不孕部分，外表有疣狀突起的子囊蓋。子囊橢圓形，埋於子座外層。孢子類球形，直徑約 4µm，黑褐色。

分佈　生於林下或土梗地下白蟻菌圃內。分佈於江蘇、浙江、江西、四川、雲南、廣東、台灣。

採製　夏、秋採挖，蒸或沸水燙後曬乾或烘乾。

性能　甘，溫。補氣，固腎，安神。

應用　用於脾虛，乳少，產後氣血虛損，心悸不眠。用量 15～30g。

文獻　《成都中醫學院學報》，1984：2，33。

3002　樹頭髮

來源　珊瑚菌科植物黑龍鬚菌 Pterula umbrinella Bres. 的全體。

形態　植物體細絲狀，黑色。擔子果叢生，質韌，基部細圓柱形，向上漸細，分枝極多，小枝細長，線形，乾後髮狀。擔子上有 2～4 個小柄。孢子無色，光滑。

分佈　寄生於樹枝上。分佈於四川、雲南等地。

採製　四季可採，鮮用或曬乾。

性能　苦，寒。有小毒。消腫止痛，潤肺止咳，補氣，接骨。

應用　用於骨折，肺結核。用量 1.5～3g。外用適量。

文獻　《大辭典》下，3208。

3003　阿里紅

來源　多孔菌科植物藥用層孔菌 Fomes officinalis (Vill. ex Fr.) Ames 的子實體。

形態　子實體似馬蹄形，着生面扁平，直徑約 8～30cm；表面白色至淡黃色，初期表面具光滑的薄皮，後漸變粗糙，有時可見同心環帶或有不規則龜裂紋，邊緣鈍；斷面粉白色或淡黃色；菌管白色，圓形多層；擔孢子無色，光滑，卵圓形。

分佈　生於松及落葉松下部的樹幹上。分佈於河北、山西、內蒙古、吉林、黑龍江、雲南、新疆。

採製　夏、秋採取，除去粗皮，曬乾。

成分　含齒孔酸 (eburicoic acid)，去氫齒孔酸 (dehydroeburicoic acid) 及齒孔醇 (eburicol) 等多種三萜和甾體化合物。

性能　微甘、苦，溫。鎮咳祛痰，潤燥軟堅，止血。

應用　用於氣管炎，咯痰困難，老年性便秘，胃腸炎，子宮功能性出血等。用量 2～6g。

文獻　《大辭典》上，2405。

3004 有柄樹舌

來源 多孔菌科植物有柄樹舌 Ganoderma applanatum (Pers.) Pat. var. gibbosum (Bl. et Nees.) Teng 的子實體。

形態 子實體多年生，木質，菌蓋半圓形至扇形，有時邊緣瓣裂或深裂成鹿角狀；蓋面皮殼光滑，革質，有時有疣，常覆有一層孢子粉。菌肉軟木栓質，淺黃色至深褐色。菌管多層；管口面白色，受傷處迅速變為暗褐色；管口圓形。菌柄側生或偏生，粗細及長短不一。孢子卵形，截頭，雙層壁，內壁有小刺，褐色，6.5～9×5～6.5μm。

分佈 生於多種闊葉樹上。分佈於全國各地。

採製 夏、秋季採收，曬乾。

性能 平，微苦。清熱解毒，化痰，止血，抗癌。

應用 用於慢性乙型肝炎，風濕性肺結核。四川民間用於治療食道癌。

文獻 《吉林省有用和有害真菌》，210。

3005 台蘑

來源 牛肝菌科植物厚環黏蓋牛肝菌 Suillus elegans (Fr.) Snell 的子實體。

形態 菌蓋半球形，漸平展，表面黏，黃褐色，栗褐色或紅褐色。菌肉淡黃色，厚。菌柄圓柱形，長 7～10cm，粗 1～2cm，淡褐色，菌環厚，深褐色，後期脫落。菌管直生，金黃色，管口多角形。孢子淡黃色，橢圓形至梭形，7～9×3～4μm。囊狀體棒形，常具銳尖。

分佈 生於針葉林或針闊葉混交林內地上。分佈於黑龍江、吉林、陝西。

採製 夏、秋季採收，洗淨，曬乾。

性能 溫，甘。追風散寒，舒筋活絡。

應用 用於腰腿疼痛，手足麻木，筋骨不適。

文獻 《滙編》下，716；《中國藥用真菌圖鑒》。

3006 擬臭黃菇

來源 紅菇科植物擬臭黃菇 *Russula laurocerasi* Melz. 的子實體。

形態 菌蓋寬 5～9cm，初呈半球形，後平展，米黃色至穀黃色，蓋緣有明顯的條紋。菌肉白色，老後帶黃色。菌褶白色，老後有褐點，較密，有時基部分叉，狹生。菌柄長 6～7cm，粗 1.5～2 cm，近白色，等粗或向下稍細。孢子印乳黃色。孢子球形或近球形，有小刺或翼棱，9～12×8～12μm。囊狀體近梭形至圓柱形，44～82×7.5～11.5μm。

分佈 生於林中地上，羣生。分佈於吉林、河南。

採製 夏、秋季採收，曬乾。

應用 經動物實驗證明，該菌對小白鼠肉瘤 S–180 和艾氏癌的抑制率分別為 90% 和 80%。

文獻 《中國藥用真菌圖鑒》，443。

3007 亮菌

來源 白蘑科植物假蜜環菌 *Armillariella tabescens* (Scop. ex Fr.) Sing. 的菌絲體。

形態 子實體叢生。菌蓋初期呈半球形，漸平展，後下凹，寬 3～8cm；蓋面蜜黃色，有暗褐色毛狀鱗片。菌肉白色。菌褶延生，稍稀，淡肉色。菌柄近圓柱形，長 7～12 cm，粗 0.4～1.2cm，有細毛狀鱗片，後漸光滑。孢子無色，光滑，廣橢圓形，7～10×5～7μm。菌絲體在培養基上初生時白色，在暗處發出淺藍色熒光。

分佈 生於闊葉樹基部、根部或埋伏的腐木上。分佈於吉林、河北、陝西、江蘇、浙江、安徽、四川。

採製 多為人工培養。民間也有挖取生有假蜜環菌的腐朽樹根或樹樁供用。

成分 含有假蜜環菌甲素 (armillarisin A)、丙素及甘露醇。

應用 用於膽囊炎，肝炎，闌尾炎，中耳炎等。用量 15～30g。

文獻 《大辭典》下，3532。

3008 晶粒鬼傘

來源 鬼傘科植物晶粒鬼傘 Coprinus micaceus (Bull.) Fr. 的子實體。

形態 菌蓋幼時卵形，漸呈鐘形至圓錐形，寬 3～5cm，高 2.5～3.5cm；蓋面初期有雲母狀小鱗片，後期漸脱落，邊緣有明顯的隆紋，直達中部附近。蓋面蛋殼色至黃褐色。菌柄圓柱形，長 4～10cm，中空。菌肉薄，淡黃色。菌褶狹生，白色，漸變為黑色，後期融化。孢子暗褐色，橢圓形，7～9.5×4.5～5.5μm。囊狀體短圓柱狀，80～200×40～60μm。

分佈 生於楊、柳、榆等樹的基部及附近地上。分佈於東北。

採製 春、夏、秋季採收，煮後，曬乾。

應用 經動物實驗證明，該菌對小白鼠肉瘤 S–180 和艾氏癌的抑制率分別為 70% 和 80%。

文獻 《中國藥用真菌圖鑒》，313。

3009 山蟹

來源 地星科植物量濕地星 Geastrum hygrometricum Pers. 的子實體及孢子。

形態 子實體初發生時呈球狀，外皮褐色，質厚而強韌，富吸濕性；3 層，外層薄，鬆軟，中層纖維質，內層脆骨質，成熟後，裂成 6～10 餘片，濕潤時舒展而向下反捲，直立地上，星狀，乾燥時向內捲縮，甚剛硬，內側具深裂痕；內皮球形，質薄，直徑 1.2～2.8cm，灰色至褐色，頂端有 1 孔，孢子由此散出。孢子濃茶褐色，球形，表面有微細的疣狀突起。

分佈 夏、秋間生於山野路旁。分佈於吉林、河北、河南、陝西、安徽、江蘇、浙江、江西、四川、雲南、福建。

採製 夏、秋採收，剝去外包的硬皮，曬乾。

性能 辛，平。清熱，活血。

應用 治支氣管炎，肺炎，咽喉炎，音啞，鼻衄。煅存性，治蟹殼疔。孢子治凍瘡和外傷出血。用量 2～3g。

文獻 《大辭典》上，0327。

3010 網肺衣

來源 牛皮葉科植物網肺衣 Lobaria retgera (Ach.) Treris 的葉狀體。

形態 葉狀體扁平，葉狀，長約20cm，凹凸不平，呈網狀，邊緣分裂；裂片多枝，略如鹿角狀，先端平截或微凹，上面濕潤時顯藍綠色，乾燥時黃褐色或褐色，網溝內密生黃褐或黑紫色綿毛，膨起部分無毛。共生藻為念珠藻。子器赤褐色，淺杯狀，直徑1～3mm；子囊孢子梭狀，4室。

分佈 生於樹幹或林下巖石上。分佈於陝西、安徽、浙江、福建、廣西、四川、雲南、台灣。

採製 四季可採，除去雜質，洗淨，曬乾。

成分 含網肺衣酸 (retigeric acid) 等。

性能 微苦、淡，平。健脾利水，祛風止癢。

應用 用於消化不良，小兒疳積，腎炎水腫，腹水，皮膚瘙癢。用量10～15g。

文獻 《中國藥用孢子植物》，127。

3011 石霜

來源 網衣科植物高山黑紅衣 Mycoblastus alpinus (Fr.) Kernst. 的全體。

形態 地衣體灰白色，顆粒狀，緊貼在基質上，外表似沉積物。子器黑色，圓盤狀，直徑1～2mm；子囊下層無色；側絲不分枝，緊密排列；子囊長橢圓形；孢子1，無色，單室，橢圓形，壁厚。

分佈 生於巖石上。分佈於陝西、甘肅。

採製 6～7月雨後採收，去除雜質，曬乾。

性能 苦、微澀，平。止血，消炎，鎮痛，澀精。

應用 用於外傷出血，燒燙傷，夢遺等症。用量3～6g。外用適量。

文獻 《大辭典》，1218。

3012 地梭羅

來源 地錢科植物地錢 Marchantia polymorpha L. 的全體。

形態 原葉體扁平，葉狀，先端2叉分裂，表面綠色，氣孔明顯，下面黃褐色，生有假根，邊緣微波狀。雌雄異體，長大後各生傘狀的雌托和雄托；雌托的傘部邊緣裂成細條，下面具雌器多數，器內各生卵1個；雄托上面着生雄器，內生有纖毛的精子；孢子體基部着生於雌托，一端長成蒴，內生孢子。原葉體近中肋處能發生杯狀體，內生胚芽。

分佈 生於溝邊蔭濕處及崖石上。分佈於全國各地。

採製 四季可採，去除泥沙雜質，曬乾。

成分 含金魚草素 (aureusidin)、木樨草素 (luteolin) 等。

性能 淡，涼。生肌，拔毒，清熱。

應用 用於刀傷，骨折，毒蛇咬傷，瘡癰腫毒，燙傷等。外用適量。

文獻 《大辭典》上，1648；《中國藥用孢子植物》，109。

3013　千層塔

來源　石杉科植物蛇足石杉 *Lycopodium serratum* (Thunb.) Trev. 的全草。

形態　多年生草本，高 10～30 cm。莖直立或斜升，1 至 2 回二叉分枝，枝上部常具芽苞。葉紙質，螺旋狀排列，狹橢圓形至披針形，長 1～3cm，寬 0.3～0.8cm，基部楔形或柄狀，邊緣伸直或稍皺曲，具不整齊的尖齒，中脈兩面突起。孢子葉和營養葉同形，綠色。孢子囊橫生於葉腋，腎形，黃色。孢子同形。

分佈　生於林下及溝谷陰濕處。分佈於東北、華南、西南及長江中下游地區。

採製　9～10 月採收，去除泥沙雜質，曬乾。

性能　辛，平。退熱，除濕，消瘀，止血。

應用　用於肺炎，肺癰，勞傷吐血，痔瘡便血，跌打損傷，無名腫毒，白帶等。用量 15～30g。外用適量。

文獻　《大辭典》上，0444。

附註　石杉科原屬石松科。

3014　兗州卷柏

來源　卷柏科植物兗州卷柏 *Selaginella involvens* (Sw.) Spring 的全草。

形態　多年生草本，高 14～45 cm。下部莖不分枝，鱗狀葉覆瓦狀貼生，卵狀矩圓形，基部心形；上部莖 3 回羽狀分枝，枝上葉異型，排成 4 行；兩側葉不對稱，半卵圓形，基部截形或心形，邊緣具細鋸齒或全緣而有緣毛；中部葉卵形，一側全緣，另一側有鋸齒。孢子囊穗生於枝端，4 稜，長 5～10mm；孢子葉圓形或三角狀卵形。

分佈　生於林緣、路邊或溝谷。分佈於華中、華南、西南各地。

採製　秋季採收，曬乾。

成分　含海藻糖 (mycose) 等。

性能　辛，平。涼血止血，化痰平喘，利水消腫。

應用　用於吐血，衄血，咳嗽，哮喘，水腫，淋病。用量 10～20g。

文獻　《大辭典》上，3009。

3015　峨嵋半邊蓮

來源　蓮座蕨科植物峨嵋蓮座蕨 *Angiopteris omeiensis* Ching 的根莖。

形態　多年生草本，高 1.5～2m。根莖肥大，肉質。葉大型，具長柄，基部膨大，葉枯萎後存留呈蓮座狀；葉片 2 回羽狀分裂，羽片 7～9 對，長 30～45cm，羽軸基部具翅；小羽片約 20 對，線狀披針形，長 7～11cm，先端漸尖，基部不對稱心形，邊緣有圓鋸齒，葉脈單一或二叉分枝；基部的小羽片較短。孢子囊羣長圓形，由 11～15 個孢子囊組成，生於葉背面近邊緣處。

分佈　生於林下或溝邊陰濕處。分佈於四川部分地區。

採製　秋季採挖，洗淨，曬乾。

性能　微苦，涼。除風濕，利小便。

應用　用於風濕骨痛，小便不利。用量 20～30g。

文獻　《大辭典》下，3771。

3016 紫萁

來源 紫萁科植物紫萁 Osmunda japonica Thunb. 的根狀莖。

形態 多年生草本，高 40～100 cm。根狀莖粗壯，橫生或斜升，具多數鬚根。葉二型，幼時密被絨毛，先端拳捲狀，不育葉片三角狀闊卵形，長 30～65cm，頂端以下 2 回羽狀分裂，小羽片長圓形或長圓狀披針形，先端鈍或短尖，基部圓形或圓楔形，邊緣具有細鋸齒，脈明顯。能育葉收縮，小羽片條形，長 1.5～2cm，沿主脈兩側密生孢子囊，成熟後枯死。葉柄長 20～40cm，黃白色。

分佈 生於山坡、溝邊陰濕草叢中。分佈於中國中部及南部。

採製 夏、秋季採挖，洗淨，曬乾。

性能 苦，涼。驅蟲，清熱解毒，涼血止血。

應用 用於蛔蟲病，鈎蟲病，風熱感冒，溫熱斑疹，吐血，衄血，腸風便血，血痢，血崩，帶下等。用量 3～10g。

文獻 《大辭典》上，3092。

3017 豬鬃鳳尾蕨

來源 鳳尾蕨科植物豬鬃鳳尾蕨 Pteris actiniopteroides Christ 的全草。

形態 多年生草本，高 5～40cm。根狀莖短，直立。葉二型，簇生，紙質；葉柄有四稜；能育葉闊三角形，1 回羽狀，或基部間有 2 回羽狀；羽片 1 至 3 叉，條形，長 4～10cm，除不育葉頂部有尖細鋸齒外，全緣；不育葉同形，但遠較短小，邊緣具尖鋸齒。孢子囊羣沿葉緣分佈，僅頂部及基部不育；囊羣蓋條形，寬幾達主脈。

分佈 生於裸露的巖縫或舊牆上。分佈於中國陝西、湖北、廣西和西南地區。

採製 夏、秋季採收，曬乾。

性能 微苦，微寒。清熱，祛痰止咳。

應用 用於胃熱口乾，痰多咳嗽。用量 15～30g。

文獻 《中國高等植物圖鑒》一，149；《貴州省中草藥名錄》，31。

3018 蜈蚣草

來源 鳳尾蕨科植物蜈蚣草 Pteris vittata L. 的全草。

形態 多年生草本，高 0.6～1.2 m。根莖粗短，被線狀披針形的棕色鱗片。葉自基部叢生，柄長 10～20cm，葉柄、葉軸及羽軸均被線狀鱗片；葉片輪廓矩圓形或倒披針形，長 10～80cm，羽狀全裂；羽片線狀披針形，中部羽片長達 20cm，先端漸尖，基部截形或心形，前部邊緣有細鋸齒，脈單一或叉狀分枝。孢子囊羣着生於葉背邊緣，線狀分佈；囊羣蓋狹線形，膜質，黃褐色。

分佈 生於石縫或牆縫中。分佈於陝西、甘肅及中國南方大部分地區。

採製 秋季採收，曬乾或陰乾。

性能 淡，平。解毒，消腫。

應用 用於疥瘡，痢疾，無名腫毒。用量 5～10g。外用適量。

文獻 《大辭典》下，5160。

3019 毛足鐵線蕨

來源 鐵線蕨科植物毛足鐵線蕨 Adiantum bonatianum Brause 的全草。

形態 多年生草本，根狀莖橫走，具卵狀披針形鱗片。葉柄深栗色，基部有紅棕色多細胞的長剛毛；2回羽狀複葉，葉片長10～16cm，背面淺灰綠色，無毛，小羽片扇形，邊緣向下捲，具不規則的鋸齒，鋸齒有長刺頭。囊羣蓋質厚，腎形至圓形。

分佈 生於陰濕的巖石上。分佈於雲南，四川。

採製 四季可採，曬乾。

性能 苦，寒。清熱通淋，涼血止血。

應用 用於淋濁，白帶，小便不利，尿道澀痛，吐血，咯血，衄血，婦女血崩等。用量3～15g。

文獻 《西昌中草藥》上，55。

3020 翅柄鐵線蕨

來源 鐵線蕨科植物團羽鐵線蕨 Adiantum capillus-junosis Rupr. 的全草。

形態 多年生草本，高10～20cm。根莖粗短，頂部有褐色鱗片。葉簇生基部，輪廓披針形，長8～15cm，寬2～3cm，1回羽狀全裂，羽片團扇形；葉軸頂部常延伸，頂端着地生根；葉柄細長，亮栗色，基部有鱗。孢子囊羣生於羽片背面前沿，囊羣蓋近腎形。

分佈 生於潮濕的石灰巖腳或牆縫中。分佈於河北、山東、甘肅、湖南、四川、雲南、貴州、廣東、廣西、台灣。

採製 四季可採，去除泥沙雜質，曬乾。

性能 苦，涼。清熱，活血，利尿，通淋。

應用 用於乳癰，尿閉，血淋，痢疾。用量10～20g。

文獻 《大辭典》下，3742。

3021 鐵骨蓮

來源 鐵角蕨科植物胎生鐵角蕨 Asplenium planicaule Wall. 的全株。

形態 多年生草本，高達40cm。根莖直立，密生線狀披針形的棕色鱗片。葉簇生於基部，柄長10～18cm，腹面扁平有縱溝，幼時具鱗片；葉片長披針形或狹橢圓形，長15～30cm，先端尾尖，1～2回羽狀分裂；羽片12～18對，互生，菱狀卵形，基部偏斜，邊緣羽狀分裂。孢子囊羣線形，沿小脈着生，囊羣蓋線形，全緣，厚膜質，淡棕黃色。

分佈 生於常綠闊葉林下崖壁上。分佈於陝西、甘肅及華東、華南和西南各地。

採製 秋季採集，除去泥沙雜質，曬乾。

性能 苦，涼。清熱，涼血，除濕。

應用 用於咳血，衄血，痔瘡出血，陰囊濕疹。用量5～10g。

文獻 《四川省中藥資源普查名錄》，12。

3022 小鳳尾草

來源 鐵角蕨科植物華中鐵角蕨 Asplenium sarelii Hook. 的全株。

形態 多年生草本，高 12～20 cm。根狀莖短，頂部有披針形鱗片。葉簇生基部，葉柄長 5～8cm，有鱗毛；葉片卵形或狹橢圓形，三回羽狀深裂，羽片 8～10 對，互生，卵形；小羽片 2～4 對，矩圓形或倒卵形，三回羽片線形，先端有尖齒。孢子囊羣短線形，沿小脈着生；囊羣蓋短線形，近全緣，灰白色，厚膜質。

分佈 生於林緣或石縫中。分佈於中國大部分地區。

採製 夏季採挖，洗淨，曬乾。

性能 苦、微辛，微寒。清熱解毒，利濕，止血，生肌。

應用 用於濕熱痢疾，瘡瘍，傷口化膿。用量10～15g。外用適量。

文獻 《四川植物誌》六，377。

3023 莢囊蕨

來源 烏毛蕨科植物莢囊蕨 Struthiopteris eburnea (Christ) Ching 的根狀莖。

形態 多年生草本，高 20～45 cm。根狀莖粗短，密生栗棕色披針形鱗片。葉近簇生，不育葉的葉柄長 3～9cm，禾稈色；葉片披針形，厚革質，長 15～35cm，一回羽裂近達葉軸；裂片向下部逐漸縮小成耳狀，中部約長 1～2.5cm，略呈鐮狀披針形，先端鈍或急尖，全緣。孢子葉同形，通常略長，裂片較短而狹。孢子囊羣條形，外緣着生，幼時緊覆，成熟時開向主脈，邊緣微波狀。

分佈 生於乾旱的巖石縫中。分佈於四川、貴州、廣西、湖南。

採製 夏、秋季採挖，曬乾。

性能 甘、涼。清熱利濕，理氣止痛。

應用 用於痢疾，腹瀉，風濕關節痛，小便黃少，白帶，淋濁，胃痛等。用量 3～10g。

文獻 《貴州中草藥名錄》，48。

3024 莢果蕨

來源 球子蕨科植物莢果蕨 Matteuccia struthiopteris (L.) Todaro 的根莖。

形態 多年生草本，高 50～90 cm。根狀莖及葉柄被鱗片。葉簇生，二型，柄長 10～35cm。不育葉片長圓狀倒披針形，長 40～80cm，二回羽狀深裂，中部羽片寬 1～2cm，邊緣淺波狀或圓齒。能育葉較短，1 回羽狀複葉，羽片向下反捲成有節的莢果狀。孢子囊羣圓形，生於側脈分枝的中間，滙合成條形；囊羣蓋膜質，白色。

分佈 生於荒坡、溝邊草叢中。分佈於東北、華北及陝西、四川、西藏。

採製 夏、秋季採挖，洗淨，曬乾。

成分 含坡那甾酮 A (ponasterone A)、脫皮甾酮 (ecdysterone)、蝶甾酮 (pterosterone) 等。

性能 苦，涼。驅蟲，清熱解毒，涼血止血。

應用 用於蛔蟲病，鈎蟲病，風熱感冒，溫熱瘢疹，吐血，衄血，血痢，血崩等。用量 3～10g。

文獻 《大辭典》上，3092。

3025 桫欏

來源 桫欏科植物桫欏 Cyathea spinulosa Wall. 的莖幹。

形態 大型蕨類，主幹高 2～6m，外皮堅硬，有老葉脱落後留下的殘基。葉叢生於主幹頂端；葉柄和葉軸粗壯，深棕色，有密刺；葉片巨大，長 1～3m，三回羽狀分裂，羽片長矩圓形，長 30～50cm，羽軸上面疏生棕色捲曲節毛，下面具疏刺，小羽片羽裂幾達小羽軸，裂片披針形，有疏鋸齒。葉脈分叉。孢子囊羣生於小脈分叉點上凸起的囊托上，囊羣蓋近圓形，膜質，初時向上包被囊羣，成熟時裂開。

分佈 生於溪邊、林下及灌叢中。分佈於四川、貴州、廣西、廣東、台灣。

採製 秋季採收，削去堅硬的外皮，切段，曬乾。

性能 苦、澀，涼。清肺胃熱，祛風除濕。

應用 用於流感，肺熱咳喘，吐血，風火牙痛，風濕關節痛，腰痛。用量 10～20g。外用適量。

文獻 《大辭典》，0572；《四川珍稀瀕危保護植物》一，7。

3026 半島鱗毛蕨

來源 鱗毛蕨科植物半島鱗毛蕨 Dryopteris peninsulae Kitag. 的根狀莖。

形態 多年生草本，高 25～50 cm。根狀莖粗壯。葉簇生，基部被鱗片，葉片長圓形，二回羽狀分裂；不生孢子的葉 2～5 對，長圓形，稍呈鐮刀狀，小羽片長圓狀披針形，先端圓形，邊緣有微鋸齒或近全緣，基部耳形；生孢子的羽片 11～16 對，佔葉的⅓～⅔，孢子囊羣沿中肋兩旁各 1 行着生，囊羣蓋宿存。

分佈 生於陰濕土壤及石縫中。分佈於河南、陝西、山東、江西、湖北、湖南。

採製 春、秋採挖根莖，洗淨，曬乾或晾乾。

性能 苦，涼。清熱解毒，止血，殺蟲。

應用 用於血崩，吐血，衄血，驅絛蟲、蛔蟲等。用量 6～15g。

文獻 《山東經濟植物》12；《滙編》上，506。

3027 全緣貫眾

來源 鱗毛蕨科植物全緣貫眾 Cyrtomium falcatum Presl 的根狀莖及葉柄殘基。

形態 植株高 35～70cm。根狀莖近直立，連同葉柄基部密生黑褐色大鱗片。葉簇生；葉柄長 20～40cm，呈禾稈色；葉片長圓狀披針形，革質，長 10～30cm，寬 8～15cm，一回羽狀；羽片卵狀鐮刀形或長卵狀披針形，基部圓形或上側多少呈耳形。孢子囊羣生於內藏小脈的中部；囊羣蓋圓盾形。

分佈 生於沿海潮線以上石壁上。分佈於江蘇、浙江、山東、福建、台灣、廣東。

採製 春、秋二季採挖，洗淨泥土，削去鬚根及葉柄(僅留殘基)，曬乾。

性能 苦，涼。清熱解毒，止血，殺蟲。

應用 用於流行性感冒，子宮出血，鈎蟲病，蛔蟲病。用量 6～15g。

文獻 《滙編》上，507；《中國高等植物圖鑒》一，229。

3028 攀援星蕨

來源 水龍骨科植物攀援星蕨 Microsorium buergerianum (Miq.) Ching 的全草。

形態 多年生草本，高 15～35 cm。根狀莖細長，攀援狀，疏生鱗片，鱗片披針形，長漸尖，基部卵圓形，邊緣有疏齒。葉厚紙質，遠生，披針形，長 10～30cm，先端漸尖，基部漸狹，下延成翅狀，全緣或波狀，葉脈網狀，有時不明顯，葉柄長 3～6cm，與根狀莖連接處有關節。孢子囊羣小而密，散生葉片背面，無蓋。

分佈 生於陰濕的溝邊、林下，常攀援於樹幹或巖石上。分佈於浙江、福建、台灣、廣東、廣西、四川、貴州、湖北、湖南、江西。

採製 四季可採，曬乾。

性能 淡、微苦，平。清熱利尿，止血，消腫。

應用 用於痢疾，尿道澀痛，小便黃少，赤白帶下，便血，吐血，外傷出血，無名腫毒等。用量 3～10g。外用適量。

文獻 《四川省中藥資源普查名錄》，17。

3029 光石韋

來源 水龍骨科植物光石韋 Pyrrosia calvata (Bak.) Ching 的全草。

形態 多年生草本，高 30～60 cm。具橫走或斜升的根狀莖，密生鱗片，鱗片披針形，長漸尖，邊緣有鋸齒。葉柄長 5～10cm，基部有關節與根狀莖相連。葉簇生，革質，披針形，長 20～65cm，寬 2～4cm，先端漸尖或鈍，基部楔形，上面具星狀毛及小凹點，下面幼時被星狀毛。孢子囊羣分佈於葉片中部以上，孢子囊圓形，無蓋。

分佈 生於林下、樹上或溝邊巖石上。分佈於廣東、廣西、貴州、雲南、四川、湖北、陝西。

採製 苦、微辛，寒。除濕，瀉肺熱，利小便。

應用 用於肺熱咳嗽，吐血，尿道澀痛，淋症，小便黃少。用量9～20g。

文獻 《大辭典》上，1765。

3030 西南石韋

來源 水龍骨科植物西南石韋 Pyrrosia gralla (Cies.) Ching 的葉。

形態 多年生草本，高 5～13cm。根狀莖橫走，密生鱗片，鱗片披針形，長漸尖，全緣。葉遠生，一型，革質，長 5～17cm，寬 5～20mm，先端漸尖，基部漸狹，上面綠色，具細點，疏生白色星狀毛或無毛，背面密被較長的星狀毛。葉柄長 2～4cm，與根狀莖連接處有關節。孢子囊羣多行，密生於葉背或葉背的上半部，無蓋。

分佈 生於陰濕的巖石上或樹幹上。分佈於湖北、四川、雲南。

採製 四季可採，曬乾。

性能 苦、甘，涼。利水通淋，清肺泄熱。

應用 用於淋症，尿血，尿道結石，腎炎，崩漏，痢疾，肺熱咳嗽，氣管炎，金瘡，癰疽等。用量 3～10g。

文獻 《大辭典》上，1202。

3031 三角風

來源 水龍骨科植物金雞腳 Phymatopsis hastata (Thunb.) Kitag. 的全草。

形態 附生草本。根狀莖橫走，密生鱗片，鱗片膜質，線狀披針形，基部盾形着生。葉疏生，紙質或薄革質，長5～12cm，通常為掌狀3裂，裂片披針形，先端漸尖，邊緣波狀或全緣，上面綠色，背面灰白色或灰綠色，網脈密而明顯；有時葉片不分裂或2裂。葉柄禾稈色，長4～15cm，與根狀莖連接處有關節。孢子囊羣圓形稍近主脈着生。

分佈 生於溝邊巖石上或樹上。分佈於中國西南、中南、華東等地。

成分 含香豆精 (coumarin) 等。

採製 四季可採收，曬乾。

性能 辛、苦，平。清熱解毒，涼血，利濕。

應用 用於傷寒熱病，煩渴，驚風，扁桃體炎，痢疾，肝炎，血淋，便血，癰腫瘡毒，外傷出血等。用量6～15g。外用適量。

文獻 《大辭典》下，5000。

3032 小瓦韋(瓦韋)

來源 水龍骨科植物小瓦韋 Lepisorus macrosphaerus (Bak.) Ching var. asterolepis (Bak.) Ching 的全草。

形態 草本，高5～20cm。根狀莖長圓柱形，橫走，密生黑色鱗片。單葉近生；葉柄細長；葉片革質，窄披針形，乾時黃色，葉脈隱沒；孢子囊羣稍呈斜長圓形，着生於葉邊和主脈之間。

分佈 生於山坡林下的巖石上或闊葉樹的樹幹上。分佈於陝西、寧夏、安徽、浙江、江西、湖北、湖南、廣西、四川、雲南、貴州。

採製 四季可採，除去泥沙，曬乾。

性能 苦，平。清熱解毒，利尿消腫，止血。

應用 用於尿路感染，腎炎，肝炎，眼結膜炎，口腔炎，咽炎，肺熱咳嗽，血尿等。用量9～15g。

文獻 《滙編》下，114；《中國主要植物圖說》，蕨類植物門，213。

3033　絲帶蕨

來源　水龍骨科植物絲帶蕨 Drymotaenium miyoshianum (Makino) Makino 的全草。

形態　多年生附生草本，長 50～80cm，下垂。根莖橫走，密被鱗片，鱗片卵圓形，漸尖或披針形。葉近生，肉質，幾無柄，長線形，30～50cm，寬 0.2～0.3cm，基部有關節，節與根莖相連；上面中脈下凹，網狀脈隱沒於葉肉中，下面沿中脈兩側各有 1 條着生孢子囊的小縱溝。孢子囊長線形，無囊羣蓋。

分佈　附生於樹上或樹根部。分佈於湖北、浙江、廣東及西南各地。

採製　秋季採收，曬乾。

性能　甘，微寒。祛風，鎮驚。

應用　用於小兒驚風等。用量 15～20g。

文獻　《大辭典》，1598。

3034　大金刀

來源　水龍骨科植物盾蕨 Neolepisorus ovatus (Bedd.) Ching 的全草。

形態　多年生草本，高 20～40 cm。根狀莖長而橫走，密被棕褐色的卵形鱗片。葉遠生，葉柄長 10～17cm 或更長，灰黑色，被鱗片；葉片卵狀矩圓形或近三角形，長 13～23cm，寬 7～12cm，先端漸尖，基部寬，亞截形或圓楔形，有時為楔形，全緣或下部多少分裂；葉厚紙質，上面無毛，下面多少被鱗片；側脈明顯。孢子囊羣大型，圓，在中脈兩旁各 1 行或不整齊的多行，幼時被盾形鱗片；孢子兩面形，褐色。

分佈　生於林下石隙或溪邊濕地。廣佈於長江以南各省區和台灣。

採製　全年可採，曬乾。

性能　苦，涼。清熱解毒，散瘀止血。

應用　治吐血，血淋，癰毒，跌打損傷，燙傷，刀傷。

文獻　《大辭典》上，0215。

3035　烏雞騙

來源　水龍骨科植物陝西假密網蕨 Phymatopsis shensiensis (Christ) Ching 的根狀莖。

形態　多年生草本。根狀莖橫走，密生鱗片。鱗片卵狀披針形，漸尖，盾狀着生。葉柄禾稈色，與根狀莖連接處有關節。葉疏生，薄紙質，卵形，長 4～11cm，寬 3.5～7.5cm，頂端急尖，基部心形，上面綠色，背面綠白色，羽狀深裂或近全裂，裂片 3～8 片，長圓形至卵狀披針形，頂端鈍，基部以狹翅相連。兩面網脈明顯。孢子囊羣圓形，近主脈着生。

分佈　生於陰濕的樹上或巖石上。分佈於陝西、山西、四川。

採製　四季可採收，洗淨，曬乾。

性能　辛、鹹、澀，溫。調氣，除濕。

應用　用於小兒冷氣腹痛，風濕腳氣，風濕筋骨痛，關節痛等。用量 3～10g。

文獻　《滙編》下，728。

3036 海松子

來源 松科植物紅松 Pinus koraiensis Sieb. et Zucc. 的種子。

形態 常綠喬木，高達 30m。大枝平展，一年生枝密生黃褐色柔毛；冬芽紅褐色。葉五針一束，直或稍扭轉，橫斷面三角形，樹脂管 3 個，中生；葉鞘早落。花雌雄同株；雄球花圓柱狀；雌球花綠褐色，單生或數個集生枝端。球果圓錐狀長卵形或圓錐狀寬卵形，熟時種鱗張開反曲。種子倒卵狀三角形，無翅。

分佈 生於針闊葉混交林內土壤肥沃處。分佈於東北東部和北部。

採製 秋後果熟時採收，去殼，放置乾燥處。

成分 含脂肪油，其中主要為油酸酯、亞油酸酯。尚含蛋白質、揮發油及生物鹼等。

性能 甘，溫。養陰，熄風，潤肺，滑腸。

應用 用於風痹，頭眩，燥咳，吐血，便秘等。用量 5～15g。

文獻 《大辭典》下，3985。

3037 峨嵋冷杉果

來源 松科植物峨嵋冷杉 Abies fabri (Mast.) Craib 的球果。

形態 常綠喬木，高 20～30m，小枝亮紅褐色。葉線形，長 1～1.5cm，先端微凹，全緣且微反捲，背脈凸起，兩側各具一條氣孔帶。花單性，同株，雄球花短而下垂，生於小枝基部葉腋，花藥朱紅色；雌球花長圓形，直立，生於小枝先端。球果長圓形，長 7～10cm，紫黑色；種子具翅。

分佈 生於高山。分佈於四川。

採製 秋季果熟時採集，曬乾。

性能 辛，溫。理氣散寒。

應用 用於胸腹冷痛、疝氣。用量 8～12g。

文獻 《大辭典》上，2361；《峨嵋山藥用植物研究》一，15。

附註 本種曾誤訂為 Abies delavayi Fr.。

3038 冷杉油

來源 松科植物西伯利亞冷杉 Abies sibirica Ledb. 的揮發油。

形態 常綠喬木。樹皮光滑，灰褐色；一年生枝淡灰黃色。葉狹條形，長2～4cm，寬1.5～2mm，上面中脈凹下，下面有兩條白粉色氣孔帶；營養枝葉先端凹缺；果枝、主枝的葉先端尖或鈍尖。雄球花單生葉腋，下垂。球果直立，圓柱形，長5～9.5cm；種鱗倒卵狀斧形；苞鱗長為種鱗的⅓～½，先端突尖；種子有膜質翅。

分佈 生於海拔1500～2500m山地。分佈於新疆阿爾泰山區。

採製 採收葉、幼枝及樹皮，經水蒸氣蒸餾而得。

成分 含乙酸龍腦酯 (bornyl acetate)、α—蒎烯 (α—pinene)、莰烯 (camphene) 等。

應用 用作合成樟腦的原料。

文獻 《АТЛАС ЛЕКАРСТВЕННЫХ РАСТЕНИЙ СССР》，443。

附註 新疆民間用果實煎湯治感冒。

3039 臭柏

來源 柏科植物沙地柏 Sabina vulgaris Antoine 的嫩枝葉。

形態 常綠匍匐灌木，高1～2 m。莖分枝細，光滑。葉交互對生，鱗形葉相互緊覆，先端鈍或微尖；刺形葉向上斜升，被白粉。雌雄異株，雌球花珠鱗2個。球果漿果狀，腎形，頂端圓平或叉狀，不開裂，紫褐色，被白粉，內有種子1～5粒；種子近卵圓形。

分佈 生於沙地、多石的乾旱荒山和林下。分佈於新疆、青海、甘肅、內蒙古、陝西。

採製 春、夏採割，陰乾，生用或炒炭用。

成分 含揮發油，香燴醇 (sabinol) 及鬼臼毒素 (podophyllotoxin) 等。

性能 微苦，平。利肺，止血，祛風除濕。

應用 用於吐血，衄血，崩漏下血，肺結核，慢性氣管炎及風濕性關節炎等。用量4～6g。

文獻 《大辭典》下，3880。

3040 篦子三尖杉

來源 三尖杉科植物篦子三尖杉 Cephalotaxus oliveri Mast. 的枝葉。

形態 常綠灌木或小喬木，高3～8m。葉條形，螺狀着生，緊密排成2列，質硬，通常中部以上微向上彎曲，長1.5～3.2cm，寬3～4.5mm，先端急尖，基部截形或心形，幾無柄，葉背有2條白色氣孔帶。雄球花6～7，聚生成頭狀，直徑約9mm；雌球花由數對交互對生的苞片組成，有長梗，每苞片腹面生2胚珠。種子倒卵圓形或卵形，長約2.7cm，直徑約2cm。

分佈 生於林中或林緣。分佈於江西、湖北、湖南、四川、貴州、雲南、廣東。

採製 夏、秋季採收，曬乾。

成分 含三尖杉酯碱 (harringtonine)，粗榧碱 (cephalotaxine)，高三尖杉酯碱 (homoharringtoxine) 等。

性能 苦，微寒。抗癌。

應用 用於惡性腫瘤。經提取有效成分使用。

文獻 《新華本草綱要》一，24。

3041 穗花杉

來源　紅豆杉科植物穗花杉 Amentotaxus argotaenia (Hance) Pilger 的種子。

形態　常綠小喬木，高 8～15m。樹皮褐色，鱗片狀裂開。葉交互對生，條狀披針形，厚革質，長 3～11cm，寬 6～12mm，先端銳尖，基部漸窄，邊緣向後反捲，背脈兩側各有 1 條與綠色邊帶等寬的白色氣孔帶。雄球花穗狀，1～3 序生於枝頂；雌球花單生新枝葉腋或苞腋。種子橢圓，下垂，徑約 1.5 cm，頂端有小尖頭，成熟時假種皮鮮紅色。

分佈　生於山地林中。分佈於江西、湖北、湖南、四川、甘肅、西藏、廣東、廣西。

採製　秋季種子成熟時採集，曬乾。

性能　甘，平。消積，殺蟲。

應用　用於蟲積腹痛。用量 5～10g。

文獻　《新華本草綱要》一，26。

3042 紅豆杉

來源　紅豆杉科植物紅豆杉 Taxus chinensis (Pilg.) Rehd. 的種子。

形態　常綠喬木，高 7～10m。小枝互生。葉螺旋狀排列，基部扭轉排成二列，條形或條狀披針形，通常稍微彎曲，長 1～2.5cm，寬 2～2.5mm，邊緣稍反捲，先端漸尖或急尖，下面沿中脈兩旁具灰白色的氣孔帶，綠色邊帶極窄，中脈帶上具微小而均勻的乳頭點。雌雄異株；雄球花單生葉腋；雌球花的胚珠單生於花軸上部側生短軸的頂端，圓盤狀假種皮托於基部。種子卵圓形，基部的假種皮盃狀，紅色，肉質，種臍卵圓形。

分佈　生於山間林中。分佈於甘肅、陝西、湖北、四川。

採製　秋季採收，曬乾。

性能　微苦，平。驅蟲，消積。

應用　用於驅蛔蟲、鈎蟲，食積不消等。用量 10～15g。

文獻　《中國高等植物圖鑒》一，332。

3043 矮麻黃

來源　麻黃科植物矮麻黃 Ephedra geradiana Wall. ex Mey. 的草質莖。

形態　灌木，高 0.5～1.5m。木質莖褐色，少分枝；草質莖短，僅 1～3 節，綠色，密集叢生，有明顯的縱槽紋。鱗葉 2 裂，裂片三角形或扁圓形。雄球花單生於草質莖中部節上，苞片 2～3 對，雄蕊 8，花絲合生；雌球花亦單生，成熟時近球形，苞片肉質增大，紅色，包圍種子 1～2 粒。種子長圓形，先端外露。

採製　秋季採割，陰乾或曬乾。

成分　含麻黃鹼 (ephedrine) 等。

性能　辛、苦，溫。發汗，平喘，利尿。

應用　用於風寒感冒無汗，咳嗽氣喘，水腫。用量 1～5g。

文獻　《大辭典》下，4615。

3044 水折耳

來源 三白草科植物白苞裸蒴 Gymnotheca involucrata Péi 的全草。

形態 多年生匍匐草本，莖長 20～50cm。單葉互生，闊卵狀腎形，長 4～8cm，寬 4～10cm，先端急尖，基部寬心形，葉脈明顯；葉柄長 2～8cm，基部擴大抱莖。總狀花序與葉對生；花序下部具 3 枚白色葉狀苞片，花序上部苞片小形，綠白色；無花被；雄蕊 6，白色；子房下位，心皮 4，胚珠多數。蒴果三角狀卵形。

分佈 生於林下陰濕處或水沼地。分佈於四川、貴州。

採製 夏、秋季採集，洗淨，陰乾或曬乾。

性能 甘，平。利水，通淋。

應用 用於腹脹水腫，白濁，白帶。用量 10～20g。

文獻 《大辭典》上，1087。

3045 石南藤

來源 胡椒科植物毛蒟 Piper puberulum (Benth.) Maxim. 的全株。

形態 藤本，長 1～3m。莖及枝均密生短柔毛，有時變無毛。葉紙質，卵狀披針形或卵形，長 4～12cm，先端漸尖，基部偏斜，兩側不對稱，背面脈上有短柔毛或近無毛。雌雄異株；穗狀花序；雄花序長約 7cm，苞片盾狀，無毛，無花被，雄蕊通常 3 枚；雌花序長 4～6cm，無花被，子房近球形，柱頭 4。漿果近球形，直徑約 2mm，無果梗。

分佈 攀附於樹上或巖石上。分佈於廣東、廣西、四川、雲南、貴州。

採製 夏、秋季採收，曬乾。

性能 辛，溫。祛風活血，行氣止痛。

應用 用於風濕性腰腿痛，跌打損傷，胃腹疼痛，產後腹痛等。用量 6～10g。

文獻 《滙編》下，148。

3046 寬葉金粟蘭

來源 金粟蘭科植物寬葉金粟蘭 Chloranthus henryi Hemsl. 的全草。

形態 多年生叢生草本，高約 50cm。主根粗短，側根發達。莖直立，光滑無毛，有 4～5 節。葉輪生於莖頂，通常 4 枚；葉片倒廣卵形，長 10～17cm，寬約 8cm，先端漸尖，邊緣具圓齒，齒端芒尖，基部闊楔形，無柄，兩面無毛。穗狀花序通常 2 分枝，生於莖頂，長約 12cm；苞片寬卵狀三角形；花兩性，白色；無花被，雄蕊 3，合生成片狀，先端 3 裂。核果卵球形。

分佈 生於中山區林下。分佈於陝西、浙江、湖北、湖南和四川。

採製 全年可採，曬乾。

成分 全草有黃酮類反應。

性能 辛，溫。祛風，除濕，活血，散瘀。

應用 用於風寒咳嗽，風濕麻木，疼痛，月經不調，跌打損傷。用量 15～24g。

文獻 《大辭典》上，1350。

3047 及己

來源 金粟蘭科植物及己 Chloranthus serratus (Thunb.) Roem. et Schult. 的根及根莖。

形態 多年生草本，高達 40cm。根狀莖橫走，側根密集。莖直立，莖節明顯。葉對生，4～6 枚，生於莖上部，卵形或披針狀卵形，長 7～10cm，寬 2.5～5.5cm，邊緣有鋸齒，齒端有 1 腺體；葉柄長 1～2cm；托葉微小。穗狀花序頂生，單生或兩分枝，總花梗長約 1～2.5cm；苞片微小，鱗片狀，先端有細齒；花小，無花被及柄；雄蕊 3；子房下位。核果梨形，成熟時紅色。

分佈 生於陰濕林下。分佈於江蘇、安徽、湖北、福建、廣西、四川、貴州。

採製 春季開花前採挖，去掉莖葉及泥砂、雜質，陰乾。

性能 苦，平。有毒。活血散瘀。

應用 用於跌打損傷，瘡疥，癤腫，月經閉止。用量 3～5g。外用適量。

文獻 《大辭典》上，0460。

3048 四川金粟蘭

來源 金粟蘭科植物四川金粟蘭 Chloranthus sessilifolius K.F. Wu 的全草。

形態 多年生草本，高 60cm。根莖粗短，根黑褐色。莖常自基部叢生。4 葉近輪生於莖頂端，堅紙質，倒卵形，卵圓形或菱形，長 12～22cm，寬 7～12cm，頂端漸尖，基部楔形，邊緣具圓齒狀鋸齒，齒尖有 1 腺體，葉背被鱗屑狀毛；無柄或幾無柄。穗狀花序頂生，單個或 2～3 個分枝，下垂，總花梗長 10～16cm；苞片卵狀三角形；花白色，無梗；雄蕊 3；子房卵圓形，無花柱，柱頭平截。核果近球形。

分佈 生於陰濕闊葉林下。分佈於四川大部分地區。

採製 秋季採收，洗淨，曬乾。

性能 辛、苦，溫。有毒。祛風除濕，活血止痛。

應用 用於跌打損傷，風濕麻木。用量 1～3g。

文獻 《四川省中藥資源普查名錄》，23；《四川植物誌》一，142。

3049 長梗柳

來源 楊柳科植物長梗柳 Salix dunnii Schneid. 的根和葉。

形態 灌木或小喬木。小枝黃褐色，有柔毛，老枝無毛，帶紫色。葉橢圓披針形或倒披針形，邊緣疏生具腺鋸齒，近基部全緣，上面近無毛，下面蒼白色，被疏柔毛，葉柄短。雄花序長 3.5～6.8cm，花疏生，花序軸被毛，苞片圓形或橢圓形，近基部外面有緣毛，內面有長柔毛，腺體 2，雄蕊 3～6；雌花序長約 5cm，花密生，僅腹面有 1 腺體。蒴果 3～4mm，光滑，具長梗。

分佈 生於河岸。分佈於浙江、江西、湖南、福建、廣東。

採製 全年可採收，曬乾。

成分 木質部含水楊甙。

性能 苦，寒。清熱解毒，祛風止痛。

應用 用於感冒發熱，水腫，黃疸，風濕關節炎。用量 16～32g。

文獻 《大辭典》下，3175。

3050 楊 梅

來源 楊梅科植物楊梅 Myrica rubra Sieb. et Zucc. 的果實。

形態 常綠小喬木，樹冠球形。單葉互生，革質，全緣或有少數鈍鋸齒。花雌雄異株；雄花序常數條叢生於葉腋，圓柱形，長約 3cm，黃紅色；雌花序常單生葉腋，長約 1.5cm；雌花基部有苞及小苞，子房卵形。核果球形；外果皮暗紅色或白色，由多數囊狀體密生而成；內果皮堅硬。

分佈 生於山坡雜林中，或栽培。分佈於長江以南各地。

採製 果實成熟時採收。

成分 含葡萄糖、多種有機酸、楊梅樹皮素等。

性能 甘酸，溫。生津解渴，和胃消食。

應用 用於煩渴，痢疾，吐瀉，腹痛，食慾不振等。用量 15～30g。或浸酒服。

文獻 《大辭典》上，2112；《滙編》上，416。

附註 根(理氣，止血，化瘀)、樹皮(退目翳，止瀉痢)、核仁(治腳氣)亦供藥用。

3051 榿木梢

來源 樺木科植物榿木 Alnus cremastogyne Burk. 的嫩枝葉。

形態 落葉喬木，高達 40m。小枝灰褐色，無毛，皮孔明顯。葉倒卵形或橢圓形，長 6～15cm，寬 3～8cm，先端漸尖，基部楔形，邊緣鋸齒不規則，脈腋有細毛；柄長 2cm，有細毛。花單性，雌雄同株，葇荑花序單生葉腋，每 1 苞片內有花 2～3 朵。果序卵球形，梗長 6～8cm；堅果卵形，有翅。

分佈 生於低山疏林或土坎。分佈於四川、貴州、陝西、甘肅。

採製 春季採收，鮮用或曬乾。

性能 苦、澀，涼。清熱降火，止血，止痢。

應用 用於吐血，衄血，水瀉，痢疾，黃水瘡。用量 5－10g。外用適量。

文獻 《大辭典》下，3652。

3052　峨眉栲

來源　殼斗科植物峨眉栲 Castanopsis platyacantha Rehd. et Wils. 的種子。

形態　常綠喬木，高 8～12m。幼枝無毛。葉橢圓形至長橢圓形，長 8～15cm，寬 3.5～6.5cm，先端漸尖，基部斜楔形或近圓形，邊緣中部以上具鋸齒，葉背幼時密生紅棕色鱗粃，老時成銀灰色。雄花序穗狀或圓錐形，雌花單生於總苞內。殼斗寬卵形，頂端破裂，連刺直徑 1.5～3cm，苞片刺狀，中部以下合生，排列成環；堅果單生，圓錐形，密生棕色毛，果臍佔全果的 $\frac{2}{5}$～$\frac{1}{2}$。

分佈　生於常綠與落葉闊葉混交林中。分佈於四川、貴州、雲南。

採製　秋季採收，曬乾。

性能　甘，涼。除濕熱，補腎，健胃。

應用　用於脾胃濕熱，食谷不化，腎虛耳鳴。用量 10～15g。

文獻　《四川省中藥資源普查名錄》，26。

3053　朴樹

來源　榆科植物朴樹 Celtis tetrandra Roxb. subsp. sinensis (Pers.) Y.C. Tang 的根皮。

形態　喬木，高達 12m。單葉互生，卵狀橢圓形，長 4～9cm，寬 3～5cm，先端短漸尖，基部楔形、稍偏斜，邊緣上部具鈍齒；上面脈紋凹陷處具短毛，下面密佈短毛。花雜性同株，1～3 朵聚生於葉腋；花被片 4，被毛；雄蕊 4；柱頭2，子房上位。核果近球形，徑約 5mm，成熟時黃褐色。

分佈　生於山林、溪邊。分佈於中國南方各地。

採製　春季採剝，洗淨泥沙，去粗皮，曬乾。

性能　甘，平。止痛，利濕。

應用　用於腰痛，漆瘡。用量 5～10g。

文獻　《貴州中草藥名錄》，87；《四川植物誌》三，162。

3054 東北苧麻

來源 蕁麻科植物東北苧麻 Boehmeria tricuspis (Hance) Makino var. unicuspis Makino 的根。

形態 多年生草本，高 50～80 cm。莖直立，數莖叢生，不分枝，鈍四稜，常帶赤色，近無毛或稍有短毛。葉對生，葉片圓卵形，薄紙質，長 8～20cm，寬 5～15cm，邊緣具粗鋸齒，先端具尾狀尖，兩面脈上稍有短毛。花雌雄同株，花序穗狀，腋生，細長，雄花序在上，雌花序在下；雄花小，黃白色，花被 4～5 裂，雄蕊 4～5；雌花淡紅色，集成小球狀，花柱 1。瘦果倒卵形，集成球狀，上部有細毛。

分佈 生於山地林緣或石縫中。分佈於東北。

採製 春、秋季挖，去除雜質，曬乾。

性能 甘，寒。止血，散瘀。

應用 用於血淋，吐血。

文獻 《長白山植物藥誌》，243。

3055 紅活麻

來源 蕁麻科植物掌葉蝎子草 Girardinia heterophylla Decne 的全草。

形態 多年生直立草本，高約 1m。枝疏被糙毛和尖銳刺狀螫毛。單葉互生，闊卵形至扁圓形，長 8～15cm，基部圓形、截形或心形，先端不裂或 3～5 裂，裂片近三角形，邊緣粗大齒裂，兩面均被半透明長硬毛，有時有淡黃色粗螫毛，穗狀花序腋生，雄花序較雌花序短，花細小，有粗硬毛。瘦果灰棕色，扁圓形，花柱宿存；種子扁形，腹部凹陷，背部稍隆起，黃色。

分佈 生於低山、丘陵山坡向陽處、路邊及草叢中。分佈於四川。

採製 夏、秋採集，曬乾。

性能 辛，寒。有小毒。祛風除濕，利水消腫。

應用 治風濕關節痛，跌打損傷，水腫。用量 9～15g。

文獻 《滙編》下，275。

3056 大葉青木香

來源 馬兜鈴科植物川南馬兜鈴 Aristolochia austroszechuanica Chien & Cheng ex Cheng & Wu 的根。

形態 大型木質藤本，全體密被鏽色長毛。根圓柱形，常呈大型串珠狀。老莖近無毛，表面具縱溝。單葉互生，革質，近圓形或卵心形，長 10～20cm。花 1～4 朵成總狀花序腋生或生老莖上；花兩性，花被管狀，長 5～6cm，彎曲成“V”形，裂片黃綠色，近喉部具肉質墊區，合蕊柱近球形，基部無柄；雄蕊 6，子房下位。蒴果倒長卵形。

分佈 生山坡、林緣等處，有栽培。分佈於四川、貴州。

採製 秋季挖根，洗淨，切片曬乾或烘乾。

成分 含馬兜鈴酸 (aristolochic acid)、尿囊素 (allantoin) 及生物碱等。

性能 苦，寒。消炎止痛，解毒排膿。

應用 用於骨、關節結核，慢性骨髓炎。用量 1～3g。

文獻 《滙編》上，50；藥檢工作通訊 1979：6，295。

3057 漢中防己

來源 馬兜鈴科植物異葉馬兜鈴 *Aristolochia heterophylla* Hemsl. 的根。

形態 攀援性半灌木。根粗壯，圓柱形，常彎曲。嫩枝密被黃褐色茸毛。單葉互生，葉片卵形，中部兩側常內凹，背面常具疏柔毛。花單生於葉腋，苞片圓形，生於花梗中部，抱梗；花被長 4～6cm，被疏柔毛，筒部呈"V"形彎曲，頂部 3 裂；雄蕊 6，花藥貼生於花柱體周圍；合蕊柱頂部 3 裂；子房下位，6 室。蒴果長橢圓形，成熟時黑褐色。

分佈 生山坡灌叢中。分佈於陝西、甘肅、湖南、湖北、四川、貴州等地。

採製 春、秋挖根，洗淨或去栓皮，切段曬乾。

成分 含馬兜鈴酸 (aristolochic acid)、木蘭花鹼 (magnoflorine) 及揮發油等。

性能 苦，寒。行水消腫，祛風止痛。

應用 用於水腫，小便不利，風濕關節疼痛。用量 6～10g。

文獻 《大辭典》上，1984；中草藥 1982：3，10。

3058 淮通

來源 馬兜鈴科植物淮通馬兜鈴 *Aristolochia moupinensis* Fr. 的根及老莖。

形態 大型木質藤本，長 3～6 m。根圓柱狀長大，直徑達 4cm。幼枝密被黃色柔毛。葉互生，紙質，卵狀心形，長 8～14cm，寬 6～12cm，先端短漸尖，基部心狀深裂，兩側成耳狀，兩面被疏毛；葉柄長 3～8cm，被毛。花單生於葉腋，花柄長 4～8cm，苞片卵形；花被管長約 4cm，具紫色脈紋，中部彎曲，花被裂片寬卵形，黃綠色，喉部黃色，平滑；雄蕊 6，貼生於合蕊柱裂片下面；子房下位，柱頭 3 裂。蒴果長圓柱形或卵狀橢圓形，縱稜明顯，波狀。

分佈 生山地林中。分佈於湖北、四川和雲南。

採製 秋季採挖，除去粗皮，切段，曬乾。

成分 含馬兜鈴酸 (aristolochic acid)、木蘭花鹼 (magnoflorine)、穆坪馬兜鈴酰胺 (moupinamide) 等。

性能 苦，寒。清熱除煩，行水下乳，排膿止痛。

應用 用於小便不利，陰道滴蟲，風濕關節痛等症。用量 6～9g。

文獻 《新華本草綱要》一，201；《大辭典》下，4671。

3059 毛藤香

來源 馬兜鈴科植物卵葉馬兜鈴 *Aristolochia ovatifolia* S.M. Hwang 的根及根莖。

形態 攀援狀藤本，長 2～4m，全體被黃白色長柔毛。根狀莖圓柱狀。葉革質，卵形至卵狀心形，長 5～13cm，寬 4～8cm，先端銳尖，基部心形，全緣，幼時兩面密被長柔毛，老後上面近無毛，具明顯下凹的脈網；葉柄長 3～5cm，被柔毛。花 1～3 朵腋生，苞片鑽形，生於花柄基部；花被彎管狀，紫紅色或暗紫色，其頂部外側具一狹三角形開口，裂片不明顯；合蕊柱近球形，雄蕊 6，貼生；子房柱狀。蒴果橢圓形，長 5～6cm，具 6 稜。

分佈 生山坡林下、崖坎石縫。分佈於四川、雲南、貴州。

採製 秋季採挖，洗淨，切段，曬乾。

性能 苦、辛，寒。行氣止痛，健胃消食。

應用 用於胃痛，腹痛，風寒感冒。用量 3～9g。

文獻 《新華本草綱要》一，203。

3060 牛蹄細辛

來源 馬兜鈴科植物牛蹄細辛 Asarum delavayi Fr. 的根及全草。

形態 多年生草本，近無毛。根肉質，根狀莖較短。單葉互生，葉片寬卵形至長卵狀心形，或近戟形；上面綠色，偶具白色雲斑，背面有時紫紅色。花深紫色，單生於葉腋；大型，直徑達6.5cm；花被管筒狀，長約2cm，內壁有格狀網眼，喉部縊縮，膜環寬2～3mm；花被裂片寬卵形，密生暗紫色毛，近喉口處有明顯的乳突皺褶區；雄蕊12；子房半下位，花柱6，先端2裂片外曲，柱頭側生。果實梨形，果皮肉質；種子多數，圓錐形。

分佈 生於山坡林下。分佈於四川、雲南等省。

採製 夏、秋採挖，去淨泥沙雜質，鮮用或曬乾。

性能 辛、微苦，溫。散寒止咳，消腫止痛。

應用 用於風寒咳嗽，跌打腫痛及蛇傷等。用量8～12g。外用適量。

文獻 《峨嵋山藥用植物研究》一，22。

3061 菰花

來源 蛇菰科植物川藏蛇菰 Balanophora fargesii (Van. Tiegh.) Harms 的全株。

形態 多年生寄生草本。根莖呈球狀卵圓形，黃褐色，略分枝；表面有疣瘤和黃花星芒狀皮孔；頂端裂鞘4～5裂。花莖紅褐色，鱗苞片3～5枚，輪生，基部連生呈筒鞘狀，包着花莖的中部以上。花雌雄同株(序)，花序頭狀；雄花着生於花序基部，花被裂片闊三角形；雌花密集於花序上部，子房卵圓形。

分佈 生於高山針闊葉混交林中。分佈於四川、西藏。

採製 秋季採挖，抖淨泥土，曬乾或烘乾。

性能 澀、苦，寒。清肺熱，解熱毒，養血。

應用 用於咳嗽吐血，血崩及痔瘡腫痛。用量10～16g。

文獻 《峨嵋山藥用植物研究》一，22。

附註 《峨嵋山藥用植物研究》曾誤訂為筒鞘蛇菰 Balanophora involucrata Hook. f.。

3062　多蕊蛇菰

來源　蛇菰科植物多蕊蛇菰 Balanophora polyandra Griff. 的全株。

形態　多年生寄生草本，高 5～25 cm。根莖塊莖狀，常分枝，表面有皺紋。花莖深紅色，長可達 8cm，鱗苞片卵狀長圓形，下部的旋生，上部的互生。花雌雄異株（序）；雄花序圓柱狀，雄花兩側對生，花被裂片 6，聚藥雄蕊近圓盤狀；雌花序卵圓形或長圓狀卵形，子房呈伸長的卵形；附屬體倒圓錐形或近棍棒狀。

分佈　生於中山密林下。分佈於西藏、雲南、四川、湖北、廣西、廣東、海南。

採製　秋季採挖，抖淨泥土，曬乾或烘乾。

性能　辛、微甘，平。滋陰補腎。

應用　用於血虛，出血，淋病。用量 3～9g。

文獻　《大辭典》上，1887。

3063　小萹蓄

來源　蓼科植物腋花蓼 Polygonum plebeium R. Br. 的全株。

形態　一年生草本。莖匍匐狀，多分枝，長 15～30cm；枝披散，柔弱，節間通常短於葉。葉小，互生，線形、狹矩圓形或匙形，長 6～18mm，寬 2～5mm，先端鈍，基部漸狹成一短柄；托葉鞘膜質透明，邊緣撕裂狀。花極小，具短柄，1～3 朵簇生於托葉鞘內；花被 5 深裂，裂片綠色，邊緣白色；雄蕊 8；花柱 3。瘦果卵形，有 3 稜。

分佈　生於原野、荒山、路旁。分佈於中國大部分地區。

採製　夏季開花時採收，曬乾。

性能　苦，平。利尿通淋，化濕，殺蟲。

應用　用於惡瘡疥癬，陰蝕，蛔蟲病。用量 10～15g。

文獻　《大辭典》上，0518。

3064 雪三七

來源 蓼科植物牛尾七 Rheum forrestii Diels 的根及根莖。

形態 多年生草本，高 35～100 cm。根肉質，圓錐柱狀，斷面呈黃色，密佈紫紅色斑點。莖直立，肉質，紫紅色。基生葉大，葉片寬心形或卵狀心形，長 11～14cm，先端銳尖，基部心形，全緣或疏具淺齒，葉柄紫紅色；莖生葉少而顯著縮小，長 4～7cm，葉柄短；托葉鞘筒狀，膜質，開裂。圓錐花序頂生或腋生，長 5～7cm，花小，密集，花被 6，2 輪，白色或綠白色；雄蕊 9；花柱 3。瘦果有三稜，沿稜生翅，紫紅色。

分佈 生於山地陰濕處。分佈於四川、雲南。

採製 夏、秋季採挖，洗淨、切片、曬乾。

性能 苦、澀，寒。活血止血，消炎止痛。

應用 用於跌打損傷，外傷出血，痢疾。用量 5～10g。外用適量。

文獻 《大辭典》下，4280。

3065 豬毛菜

來源 藜科植物豬毛菜 Salsola collina Pall. 的全草。

形態 一年生草本，高 20～100 cm。莖近直立，光滑，枝淡綠色，疏生短糙毛或無毛。葉絲狀圓柱形，肉質，長 2～5cm，先端有硬針刺。花序穗狀，生分枝上部；苞片寬卵形，先端有硬刺尖；小苞片 2，狹披針形，比花被長；花被片 5，膜質，結果後背部生短翅或革質突起；雄蕊 5，花藥寬卵圓形；柱頭絲狀。胞果倒卵形，果皮乾膜質。

分佈 生於路旁、田間、荒地及村邊。分佈於東北、華北及西北、西南部分省區。

採製 夏秋季開花時採收，曬乾。

成分 含生物鹼、多糖及有機酸。

性能 淡，涼。降血壓。

應用 用於治高血壓。用量 25～50g。

文獻 《滙編》上，796。

3066 馬齒莧

來源 馬齒莧科植物馬齒莧 Portulaca oleracea L. 的全草。

形態 一年生草本。莖下部匍匐，四散分枝，上部略能直立或斜上，肥厚多汁。單葉互生或近對生，葉片匙形或倒卵形，肉質肥厚，全緣，上面深綠色，下面淡綠色或暗淡紅色。花 3～5 朵簇生於枝頂葉狀總苞內；萼片 2；花瓣 5，黃色，凹頭。蒴果圓錐形，自腰部橫裂為帽蓋狀；種子小，多數，黑色，腎狀卵形。

分佈 生於路旁、田間等向陽處。分佈於全國各地。

採製 夏、秋採集，用沸水略燙後曬乾或鮮用。

成分 含左旋去甲腎上腺素 (noradrenalin)、維生素、皂甙、鞣質、蘋果酸、枸櫞酸等。

性能 酸，寒。清熱利濕，涼血解毒。

應用 用於細菌性痢疾，急性胃腸炎，闌尾炎，乳腺炎等。外用於疔瘡腫毒、濕疹。用量 15～30g。

文獻 《滙編》上，77。

3067 小無心菜

來源 石竹科植物蚤綴 Arenaria serpyllifolia L. 的全草。

形態 草本，高 10～30cm，全體被柔毛。莖多數，簇生，稍鋪散。葉對生，卵形，無柄，長 4～7 mm，葉端銳尖，具睫毛。聚傘花序，苞片和小苞片草質，卵形；花梗細，長可達 1cm；萼片 5，披針形，具 3 脈；花瓣 5，白色；雄蕊 10；子房卵形，花柱 3。蒴果，成熟時裂為 6 瓣。

分佈 多生於路旁、荒地或田野。分佈於中國大部分地區。

採製 夏、秋採收，陰乾。

性能 苦、辛。清熱，明目，解毒。

應用 用於急性結膜炎，麥粒腫，咽喉痛。用量 15～30g。

文獻 《大辭典》上，0528。

3068 淺裂剪秋蘿

來源 石竹科植物淺裂剪秋蘿 Lychnis cognata Maxim. 的花。

形態 多年生草本，高 35～90 cm。全株被較長的柔毛。根多數，肥厚成紡錘形。莖直立，單一或稍有分枝。單葉對生，無柄或有時具短柄；葉廣披針形、長圓狀披針形或長圓狀卵形。花通常 2～3（7）朵；於莖頂形成密集的傘房狀花序或成聚傘花序；花萼筒狀棍棒形，具 10 條脈，於果期膨大，頂端具 5 齒；花瓣 5，橙紅色或淡紅色，2 叉狀淺裂或微缺，基部具 2 枚長圓形的鱗片狀附屬物；雄蕊 10；花柱 5。蒴果長卵形，頂端 5 齒裂。種子近圓腎形，表面被疣狀突起。

分佈 生於林下、林緣灌叢間、山溝路旁及草甸。分佈於東北、華北。

採製 開花時採摘，晾乾。

性能 清熱解毒。

應用 民間用於頭瘡。外用適量。

文獻 《長白山植物藥誌》，337。

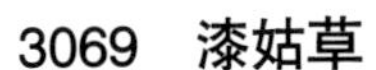

3069 漆姑草

來源 石竹科植物漆姑草 Sagina japonica (Sw.) Ohwi 的全草。

形態 一年或二年生小草本，高 2.6～15cm。葉對生，線形，長 0.5～0.9cm，基部相連處薄膜質，成短鞘狀。花頂生和腋生，白色而小，直徑約 3mm；花萼 5，長 2～3mm，綠色，邊緣膜質，分離直達基部；花瓣 5，互生，卵圓形，長約 2.5mm；雄蕊 5；子房上位，花柱 5，外展成星形，柱頭上有毛狀突起。蒴果卵形，長約 3mm，成熟時 5 瓣裂；種子微小，種皮褐色。

分佈 生於山野、路旁。分佈於江蘇、浙江、湖南、湖北及西南等地。

採製 4～5 月採集，洗淨，曬乾或鮮用。

性能 苦、辛，涼。提膿拔毒。

應用 用於漆瘡，禿瘡，癰腫，瘰癧，齲齒，小兒乳積，跌打內傷。用量 10～15g。

文獻 《大辭典》下，5389。

3070 麥瓶草

來源 石竹科植物米瓦罐 Silene conoidea L. 的全草。

形態 一年生草本，高達 70cm，被腺毛。莖單一，上部叉狀分枝，基生葉近匙形，莖生葉長圓形或披針形至條形，長 4～9cm，先端漸尖，基部近於抱莖，主脈明顯，被腺毛。聚傘花序頂生；萼筒長 2～3cm，筒狀，後增大呈卵形或瓶狀，具顯著的脈紋，頂端裂片鑽狀披針形；花瓣小，倒卵形，粉紅色，喉部有 2 鱗片；雄蕊 10 枚，離生；子房上位，花柱 3。蒴果卵形，具宿存萼，種子多數，具瘤狀突起。

分佈 生於山坡荒地或麥田中，也有栽培。分佈於西北、華北及江蘇、湖北、雲南、四川。

採製 春末夏初割取，曬乾。

性能 微苦，涼。養陰，和血。

應用 用於虛勞咳嗽，咯血，衄血，月經不調等。用量 6～15g。

文獻 《大辭典》上，2083。

3071 扇耳樹

來源 昆欄樹科植物領春木 Euptelea pleiospermum Hook. f. et Thoms 的花和枝皮。

形態 落葉灌木或小喬木，高 2～15m，樹皮紫黑色或棕灰色。單葉互生，紙質，卵形或近圓形，長 5～14cm，寬 3～9cm，先端漸尖或尾狀，基部楔形，邊緣具疏鋸齒，側脈 6～11 對；葉柄長 2～5cm。花兩性，早春先葉開放，6～12 枚簇生；雄蕊 6～14，長 8～15mm，花藥紅色，比花絲長，側縫開裂，藥隔頂端延長附屬物。聚合翅果，翅果長 5～10mm，寬 3～5mm，棕色，果梗長 8～10mm；種子 1～3 枚，卵形，長 1.5～2.5mm，黑色。

分佈 生於山區的溪邊林下或灌叢中。分佈於四川、雲南、貴州、西藏、湖南、湖北、浙江、河南、陝西、甘肅。

採製 春季採花，夏季剝皮，曬乾。

性能 苦、辛，溫。活血祛瘀。

應用 治跌打損傷，消癰腫等。用量 3～15g。

文獻 《四川省中藥資源普查名錄》，45。

3072　黃山烏頭

來源　毛茛科植物黃山烏頭 Aconitum carmichaeli Debx. var. hwangshanicum W.T. Wang et Hsiao 的塊根。

形態　多年生草本。塊根倒圓錐形。莖高 60～120cm。葉五角形，三全裂；中央裂片近羽狀分裂或淺3裂，頂端漸尖；側裂片斜扇形，2深裂。總狀花序，花序軸短，花排列緊密而似傘房狀；萼片5，深藍色，上萼片高盔形；花瓣2，有長爪；雄蕊多數。蓇葖果。

分佈　生於山地草叢、疏林中。分佈於安徽、浙江、江西及江蘇南部。

採製　秋季採挖，曬乾或烘乾。

性能　辛，熱。有毒。祛風，散寒，除濕，止痛。

應用　用於風濕性關節炎，半身不遂，手足拘攣，神經痛，跌打疼痛，胃腹冷痛。用量 2～5g。生用外治牙痛及表面麻醉用。

文獻　《大辭典》下，3287；《浙藥誌》上，305。

3073　藤烏頭

來源　毛茛科植物瓜葉烏頭 Aconitum hemsleyanum Pritz. 的塊根。

形態　多年生草本。莖纏繞，分枝。莖中部葉片輪廓五角形，3深裂；中央裂片菱形，3淺裂；側生裂片不等2淺裂；邊緣具粗牙齒。總狀花序頂生，具花2～10朵，或更多；花梗長達 6cm；小苞片條形；萼片5，藍紫色或淺藍色，上萼片高盔形，具短喙；花瓣2，距短；雄蕊多數；心皮5。蓇葖果5。

分佈　生於高山林緣、灌叢。分佈於四川、湖北、湖南、江西、浙江、安徽、陝西。

採製　7～9月採挖，除去鬚根，曬乾。

性能　辛，溫。有大毒。鎮痙，降壓，發汗，利尿。

應用　用於腰腿痛，無名腫毒，跌打損傷，癬瘡。用量炮製品 0.5～1g。

文獻　《大辭典》下，5657。

3074　巖烏頭

來源　毛茛科植物巨苞烏頭 Aconitum racemulosum Fr. var. grandibracteolatum W.T. Wang 的塊根。

形態　多年生草本。塊根近圓柱形。莖高可達 60cm。葉互生，亞革質，卵圓形或輪廓五角形，3深裂，邊緣疏生粗鋸齒或牙齒。總狀花序腋生，具2～6朵花；小苞片寬卵形；萼片5，藍紫色，上萼片高盔形；花瓣2，有距；雄蕊多數；心皮3。蓇葖果3。

分佈　生於高山石崖上。分佈於四川。

採製　秋季採挖，去掉鬚根，曬乾或晾乾。

性能　辛、苦，熱。有大毒。祛風除濕，活血行瘀。

應用　用於跌打損傷，風濕疼痛。炮製品用量 0.5～1g。

文獻　《峨嵋山藥用植物研究》一，28。

3075 破牛膝

來源 毛茛科植物小花草玉梅 Anemone rivularis Buch. -Ham. ex DC. var. flore-minore Maxim. 的根或全草。

形態 多年生草本，直根粗壯，圓錐形。莖直立，高達 80cm。基生葉腎狀五角形，3 全裂，裂片再 3 裂，小裂片邊緣有銳鋸齒，葉柄長。總苞片 3，輪生，葉狀，3～5 深裂，邊緣有鋸齒。花小，萼片花瓣狀，5(～6)枚，白色，長 6～9mm；無花瓣；雄蕊多數，花絲絲狀；心皮多數。瘦果有長尾。

分佈 生於濕潤草地、林邊或溪邊。分佈於河北、內蒙古、山西、陝西、甘肅、四川。

採製 夏、秋季採挖，洗淨，曬乾。

性能 辛、微苦，平。健胃消食，散瘀消結，止痛。

應用 用於傳染性肝炎，風濕疼痛，瘀腫作痛，跌打損傷。用量 3～6g。外用適量。

文獻 《滙編》下，485。

3076 鴨腳黃連

來源 毛茛科植物裂葉星果草 Asteropyrum cavaleriei (Lévl. et Vant.) Drumm. et Hutch. 的根或全草。

形態 多年生草本。根莖短，生多數鬚根。葉基生，五角形，裂片三角形，邊緣具牙齒或稍呈波狀；葉柄盾狀着生。花葶 1～3；苞片卵形；萼片 5，白色，橢圓形或倒卵形；花瓣黃色，瓣片圓形，長為萼片之半，具爪；雄蕊多數，稍長於花瓣；心皮 5～8。蓇葖果星狀展開。

分佈 生於高山林下。分佈於湖南、廣西、四川、雲南、貴州。

採製 全年可採，洗淨，曬乾。

成分 根莖及根含生物碱。

性能 苦，寒。清熱解毒，除濕利水。

應用 用於濕熱泄瀉，目赤腫痛，腹痛，痢疾，黃疸。用量 3～10g。

文獻 《滙編》下，500。

3077 星果草

來源 毛茛科植物星果草 Asteropyrum peltatum (Fr.) Drumm. et Hutch. 的全草。

形態 多年生草本。根狀莖短。葉基生。稍呈五角形或近圓形，不明顯 5 淺裂，邊緣具波狀淺鋸齒，上疏生毛，下面無毛；葉柄盾狀着生。花葶 1～3，疏被短柔毛；苞片卵形；萼片 5，白色，倒卵形；花瓣黃色，具爪，倒卵形或近圓形，長為花萼的一半；雄蕊多數；心皮 5～8。蓇葖果星狀展開。

分佈 生於高山林陰濕處。分佈於四川、湖北。

採製 夏、秋採集，曬乾。

性能 苦、辛，溫。活血鎮痛，祛風。

應用 用於跌打損傷，風濕骨痛。用量 3～9g。

文獻 《萬縣中草藥》，835。

3078 重葉蓮

來源 毛茛科植物太白美漢花 Callianthemum taipaicum W.T. Wang 的全草。

形態 多年生草本，高 8～15cm。根莖褐色，有多數鬚根。羽狀複葉，輪廓近圓形，常覆瓦狀重疊；葉柄基部鞘狀，莖生葉柄較短。花單生枝頂；萼片 5，淺藍紫色；花瓣 7～16，白色，匙狀倒卵形，先端圓鈍或平截，基部具短爪；雄蕊多數；胚珠 1 枚。瘦果聚合成球果狀。

分佈 生於高山草叢中。分佈於陝西。

採製 夏季採挖，去除泥沙雜質，陰乾。

性能 苦、微辛，涼。清熱解毒。

應用 用於小兒肺炎。用量 6g。

文獻 《大辭典》下，3477。

3079 馬蹄葉

來源 毛茛科植物驢蹄草 Caltha palustris L. 的全草。

形態 多年生草本，高 40～60cm。根莖粗壯，匍匐。莖紫色，中空，常分枝。基生葉闊卵形或近圓形，邊緣具粗鋸齒，基部深心形，葉柄長 6～15cm，紫綠色，莖生葉具托葉，下部的葉具柄，上部葉無柄。單歧聚傘花序頂生，花黃色，直徑 1.6～3.2cm；萼片 5，花瓣狀卵狀橢圓形；無花瓣；雄蕊多數；心皮數枚離生。蓇葖果長橢圓形，表面有縱紋，褐色，有光澤。

分佈 生於林下陰處。分佈於華北、西南及新疆、甘肅、湖北等地。

採製 4～5 月花期收採，洗淨，曬乾。

成分 含白頭翁素 (anemonin) 及生物鹼。

性能 辛，微溫。祛風散寒。

應用 用於頭目昏眩，周身疼痛。用量 10～15g。

文獻 《大辭典》上，0615。

3080 芹葉鐵線蓮

來源 毛茛科植物芹葉鐵線蓮 Clematis aethusifolia Turcz. 的全草。

形態 半木質藤本。莖及枝條疏生短柔毛，後變無毛。羽狀複葉對生，葉片長 7～14cm，羽片 3～5 對，又 3 回羽裂，末回裂片倒披針形或披針狀條形。聚傘花序腋生，具 1～3 花，花梗長；苞片葉狀，羽狀細裂；花萼鐘形，萼片 4，窄卵形，淡黃色，邊緣密生短絨毛；無花瓣；雄蕊多數，長為萼片之半，花絲被毛，心皮多數，子房被短柔毛。瘦果倒卵形而扁，長約 2mm，羽狀花柱長約 1cm。

分佈 生於低山山坡、路邊及灌木叢中。分佈於東北、華北及陝西、甘肅、青海等地。

採製 夏季採收，揀淨雜質，曬乾。

性能 辛，溫。祛風利濕，解毒止痛。有小毒。

應用 用於風濕筋骨疼痛，下肢浮腫，瘰癧腫毒。用量 3～9g。外用適量。

文獻 《滙編》下，316。

3081 風藤草根

來源 毛茛科植物金毛鐵線蓮 Clematis chrysocoma Fr. 的根。

形態 攀援藤本，莖長達 3m，幼枝密生短柔毛。三出複葉，數葉與花簇生或對生，小葉革質，兩面有絹毛，2～3 淺裂，邊緣有疏齒，頂生小葉菱狀倒卵形，側生小葉較小而偏斜。花 1～3 朵簇生，花梗長 8～15cm，有短毛；萼片 4，白色或帶紫紅色，倒卵形，長 2～3cm，外側有短毛；雄蕊無毛。瘦果扁卵形，有絹毛，宿存花柱長達 4cm，有金黃色絹毛。

分佈 生於山地林緣或灌叢中。分佈於四川、貴州、雲南。

性能 淡，平。清熱，利水，消腫。

應用 用於五淋，白濁，水腫。用量 6～10g。

文獻 《大辭典》上，0987。

3082 晚花綉球藤

來源 毛茛科植物晚花綉球藤 Clematis montana DC. var. wilsonii Sprag. 的莖。

形態 木質藤本。莖有縱條紋，幼枝有短毛。三出複葉，數葉與花簇生或對生，小葉卵形至寬橢圓形，長 3～8cm，寬 2～6cm，邊緣疏生粗鋸齒，頂端 3 裂或不明顯。花 1～6 朵簇生；萼片 4，白色或帶淡紅色，倒卵形，長 2～4cm，外側邊緣有短毛，頂端圓或微凹；雄蕊無毛。瘦果扁卵形，有時微具毛。

分佈 生於高山林緣或灌叢中。分佈於四川、雲南。

採製 秋、冬季採割，切段，曬乾。

性能 苦，微寒。清熱，利尿。

應用 用於熱淋，水腫。用量 10～15g。

文獻 《四川省中藥資源普查名錄》，49。

3083 鬚藥鐵線蓮

來源 毛茛科植物鬚藥鐵線蓮 *Clematis pogonandra* Maxim. 的莖。

形態 藤本，長2～4m。幼枝有6條縱溝紋，當年生枝基部宿存三角形芽鱗。三出複葉，小葉卵形或卵狀披針形，長5～10cm，寬2.5～3.5cm，頂端漸尖，基部圓形，全緣；葉柄長2～6cm，無毛。單花腋生，花鐘狀，下垂；萼片4，淡黃色，卵形，內面及邊緣有毛；雄蕊與萼片近等長，花絲寬線形，有毛；心皮有短毛，花柱被絹毛。瘦果倒卵形，有短毛，宿存具黃色長毛的花柱。

分佈 生於山地灌叢或林緣。分佈於陝西、甘肅、湖北、四川。

採製 秋季割取，切段，曬乾。

性能 辛、苦，微寒。清熱，利水，通利血脈。

應用 用於水腫，小便不利，經閉，乳少。用量3～6g。

文獻 《峨嵋山藥用植物研究》一，26。

3084 新疆木通

來源 毛茛科植物西伯利亞鐵線蓮 *Clematis sibirica* (L.) Mill. 的莖。

形態 藤本。莖木質，斷面有放射狀細孔。葉對生，三出或二回三出，小葉邊緣有鋸齒。花單生，淡黃色，花柄長3～10cm；萼片花瓣狀，卵形至倒披針形，長2.5～3cm，外面密生柔毛；花瓣倒披針形，與雄蕊等長；雄蕊多數，花絲有絨毛。蒴果楔形，具長羽毛狀宿存花柱。

分佈 生於山地疏林中。分佈於內蒙古、新疆。

採製 夏、秋割取木質化莖，曬乾。

性能 苦，微寒。清熱利水，通經活絡。

應用 治尿路感染，膀胱炎，小便不利，閉經，乳汁不通等。用量6～10g。

文獻 《大辭典》下，5227；《新疆藥用植物誌》二，28。

3085 柱果鐵線蓮

來源 毛茛科植物柱果鐵線蓮 *Clematis uncinata* Champ. 的莖及根。

形態 木質藤本。莖有縱紋。基部葉單生或為三出複葉；上部葉1～2回羽狀複葉，小葉5～13，卵形至長卵形，長5～10cm，寬2～5cm，先端漸尖，基部圓或淺心形，全緣，薄革質，兩面葉脈明顯。圓錐狀聚傘花序頂生及腋生；萼片4，白色，線狀披針形，長1～1.5cm；雄蕊無毛。瘦果圓柱狀鑽形，長5～8mm，宿存花柱長1～2cm，有淡褐色長毛。

分佈 生於山地林緣或灌叢中。分佈於中國中部、南部和西南部。

採製 秋、冬季採割，切段，曬乾。

成分 根含三萜皂甙，甙元為3-o-乙酰齊墩果酸 (3-o-acetyoleanolic acid) 及齊墩果酸等。

性能 辛、苦，微寒。祛風除濕，利尿消腫，舒筋活絡。

應用 用於風濕骨痛，水腫，牙痛。用量5～10g。

文獻 《新華本草綱要》一，122。

3086 皺葉鐵線蓮

來源 毛茛科植物皺葉鐵線蓮 *Clematis uncinata* Champ. var. *coriacea* Pamp. 的莖。

形態 木質藤本。莖有縱紋。1～2回羽狀複葉，小葉5～15，基部葉為單葉或三出複葉，小葉片長卵形至披針形，長5～10cm，寬2～5cm，先端漸尖，基部圓或微心形，革質較厚，乾後微皺，葉背脈不明顯。圓錐狀聚傘花序頂生及腋生；萼片4，白色，線狀披針形，長1～1.5cm；雄蕊無毛。瘦果圓柱形，長5～8mm，宿存花柱長1～2cm。

分佈 生於山地林緣或灌叢中。分佈於陝西、甘肅、湖北、湖南、四川。

採製 秋、冬季採割，切段，曬乾。

性能 苦，微寒。清熱，利尿，通經。

應用 用於五淋，水腫，經閉，乳少。用量10～15g。

文獻 《四川省中藥資源普查名錄》，50。

3087 還亮草

來源 毛茛科植物還亮草 *Delphinium anthriscifolium* Hance 的全草。

形態 一年生草本，高30～70cm，遍體有白色毛。葉片菱狀卵形或三角狀卵形，長5～11cm，寬4.5～8cm，2～3回羽狀全裂，總狀花序具2～15朵花，花序軸和花梗有微柔毛；花淡青紫色，直徑1cm，萼片5，堇色，狹長橢圓形，長約5mm，後方1萼片，伸出1長距，長超過萼片；花瓣2對，上方1對斜楔形，中央有淺凹口，下部成距，插入萼的距內，下方1對卵圓形，深2裂，基部成爪；雄蕊多數；心皮3。蓇葖果，長約1～1.6cm，有種子4粒。

分佈 生於丘陵，低山草地或林中。分佈於廣東、廣西、四川、江蘇、江西、河南。

採製 夏、秋季採全草，曬乾。

性能 辛，溫。有毒。祛風通絡。

應用 治風濕痛，半身不遂，癰瘡癬癩。用量3～6g。

文獻 《大辭典》上，2257。

3088 鐵腳草烏

來源 毛茛科植物川黔翠雀花 *Delphinium bonvalotii* Fr. 的根。

形態 多年生草本，高50～70cm。葉五角形，長4.5～9cm，寬7～12cm，三深裂，中央裂片菱形，漸尖，二回裂片有少數小裂片和牙齒，側裂片斜扇形，兩回疏被短糙毛；葉柄長4～6cm，莖上部葉柄漸短至幾無柄。傘房狀或短總狀花序頂生，長6～14cm，苞片線形；花梗長2.2～4.5cm，小苞片狹線形，無毛或有緣毛；萼片藍紫色，橢圓狀倒卵形，長1.7～2cm，外面有黃色短腺毛和白色短伏毛，距鑽形，向下馬蹄狀或螺旋狀彎曲；花瓣無毛；雄蕊無毛，退化雄蕊與萼片同色，有毛；心皮3，子房有柔毛。蓇葖果長1～1.4cm。

分佈 生於山地林邊。分佈於四川、貴州。

採製 秋季採挖。除去鬚根，洗淨，曬乾。

性能 辛，溫。有毒。祛風除濕，止痛活絡。

應用 用於半身不遂，風濕及筋骨疼痛。癰瘡癬癩。用量1～1.5g，外用適量。

文獻 《新華本草綱要》一，124。

3089　峨山草烏

來源　毛茛科植物峨嵋翠雀花 Delphinium omeienses W.T. Wang 的根。

形態　多年生草本，莖高 60～95cm，被硬毛。下部葉有長柄，上部葉柄短，被硬毛；葉片掌狀 3～5 深裂，基部心形，中央裂片菱形，2 回裂片有缺刻狀小裂片和三角形牙齒，兩面被短糙毛。總狀花序狹長，花軸、花梗均密被白色或淡黃色糙毛和黃色腺毛；基部苞片葉狀；小苞片生花梗中上部，披針狀線形；萼片藍紫色，長倒卵形，外被白色短毛和黃色腺毛；距鑽形，直或下彎成 U 形；花瓣及退化雄蕊紫色，瓣片與爪等長，有黃色髯毛；雄蕊無毛；心皮 3，子房常有短糙毛。蓇葖果長 1.6～1.8cm。

分佈　生於山地草坡或林下。分佈於四川。

採製　秋季採挖，洗淨，曬乾。

性能　苦，寒。鎮痛，祛風除濕。

應用　用於風濕麻木，關節疼痛。用量 1～1.5g。

文獻　《新華本草綱要》一，127。

3090　人字果

來源　毛茛科植物耳狀人字果 Dichocarpum auriculatum (Fr.) W.T. Wang et Hsiao 的全草。

形態　多年生草本，高10～25cm。根狀莖橫走。莖上葉與基生葉均為 2 回鳥趾狀分裂，頂端裂片具長柄，菱形，長 1.8～6cm，邊緣疏生淺齒，側生小裂片不等大，斜卵形。花序由 3～7 朵花組成；苞片葉狀；萼片 5，白色，狹倒卵形，長 5～10mm；花瓣黃色近圓形，具爪；雄蕊長 5～6mm。蓇葖果 2，狹長，基部合生。

分佈　生於陰濕的溝邊或林下巖石上。分佈於雲南、四川、貴州、湖北等地。

採製　夏季採收，曬乾。

性能　微苦，平。利濕，解毒，止咳化痰。

應用　用於小便不利，風濕骨痛，濕疹，咳嗽痰多，久咳不止，腸炎，痢疾等。用量 6～15g。

文獻　《峨嵋山藥用植物研究》一，30。

3091 三角海棠

來源 毛茛科植物川鄂獐耳細辛 Hepatica henryi (Oliv.) Steward 的根莖及全草。

形態 多年生草本，高達 12cm。根狀莖粗短，密生鬚根。葉基生，有長柄；葉片寬卵形，長 1.5～5.5cm，寬2～8.5cm，3～5裂，頂端急尖，基部心形，兩面有長柔毛，後變無毛。花葶近直立，有柔毛；苞片 3，卵形；萼片 6，白色，狹倒卵形；無花瓣；雄蕊多數；心皮約 10，離生，子房密被長柔毛。瘦果卵球形。

分佈 生於中山林下陰濕坡地，分佈於四川、湖北等省。

採製 4～6 月花期採挖，洗淨，曬乾。

性能 微苦，寒。清熱，止血。

應用 用於腸炎腹瀉，痢疾，跌打損傷。用量 15～20g。

文獻 《四川省中藥資源普查名錄》52。

3092 藍堇草

來源 毛茛科植物藍堇草 Leptopyrum fumarioides (L.) Reichb. 的全草。

形態 一年生小草本，高 5～30 cm，全株無毛。根細長，直，黃褐色。莖直立，基部多分枝。基生葉叢生，多數，2 回三出複葉，具長柄；小葉 3 全裂，裂片又 2～3 裂，小裂片狹倒卵形；莖生葉 1～2，有時無。單歧聚傘花序2 至數花；花淡黃色；萼片花瓣狀，5 枚，橢圓形；蜜葉 2～3，漏斗狀；雄蕊 10～15；心皮 5～15 枚。蓇葖果狹長，長達 1 cm。

分佈 生於田邊，住宅附近或乾燥草地。分佈於東北、華北、西北。

採製 開花時採挖，晾乾。

性能 活血止痛。

應用 用於心血管疾病，胃腸道疾病和傷寒。用量 10～15g。

文獻 《東北草本植物誌》三，101。

3093 鴉跖花

來源 毛茛科植物鴉跖花 Oxygraphis glacialis (Fisch.) Bunge 的全草。

形態 多年生小草本。葉基生；葉片近革質，卵形、倒卵形或寬橢圓形，全緣或具不明顯鋸齒；葉柄比葉片長。花葶 1，僅 1 朵花；花直徑約 1.5cm；萼片 5，綠色，寬卵形；花瓣 11～15，黃色，倒披針形，基部之上有蜜槽；雄蕊、心皮均多數。聚合果近球形；瘦果扁，楔狀菱形，具 4 條縱肋。

分佈 生於高山草地。分佈於西藏、雲南、四川、陝西、甘肅、青海、新疆。

採製 夏、秋季採收，曬乾。

性能 辛，溫。疏風散寒。開竅通絡。

應用 用於血虛頭痛，氣虛有汗。用量 3～6g。

文獻 《滙編》下，735。

3094 黃牡丹

來源 毛茛科植物黃牡丹 Paeonia lutea Fr. 的根皮。

形態 亞灌木，高達 1.5m。2 回三出複葉，輪廓寬卵形或卵形，長 15～22 cm，羽狀分裂，裂片披針形，寬 0.7～2cm。花 2～5 朵頂生或腋生，直徑 5～8cm；萼片寬卵形，不等大；花瓣黃色，倒卵形，有時邊緣紅色或基部有紫斑塊，長 3～4cm；雄蕊多數；心皮 2～5，無毛。蓇葖果長 2.5～3.5cm。

分佈 生於山地草叢中。分佈於雲南、四川、西藏等地。

採製 秋季挖根，剝取根皮，曬乾。

成分 含牡丹酚 (paeonol)、牡丹酚甙 (paeonoside) 等。

性能 辛，寒。清熱，涼血，和血，消瘀。

應用 用於熱入血分，發斑，驚癇，吐血，衄血，便血，骨蒸勞熱，閉經，癰瘍等。用量 3～10g。

文獻 《大辭典》上，2292。

3095 川赤芍(赤芍)

來源 毛茛科植物川赤芍 Paeonia veitchii Lynch 的根及根莖。

形態 多年生草本，高 50～80cm。莖圓柱形，有縱稜。2 回 3 出複葉互生，小葉 2～4 深裂，裂片披針形。花 1～3 朵，頂生；萼片 5，卵形；花瓣 5～8，闊倒卵形，紅色，先端常凹缺；雄蕊多數，花藥黃色。蓇葖果 2～5，具黃色絨毛。

分佈 生於山坡叢林下或草坡上。分佈於四川、雲南、貴州、甘肅、青海。

採製 秋季採挖，除去莖葉及鬚根，洗淨，曬乾。

成分 含芍藥苷 (paeoniflorin) 等。

性能 酸、苦，涼。涼血，消腫，活血，止痛。

應用 用於血瘀經閉，脅痛，血痢。用量 5～10g。

文獻 《大辭典》上，2225。

3096 楊子毛茛

來源 毛茛科植物楊子毛茛 Ranunculus sieboldii Miq. 的全草。

形態 多年生草本，高30～60cm，全體被展開的毛。莖稍匍匐，有不定根。基生葉有長柄，葉片廣卵形或三角形，三全裂，中央裂片3淺裂，側生裂片不等2裂，葉最終的裂片倒卵形。花和葉相對，單生，具長1～5cm的花梗；花較小，直徑6～12mm；萼片5，淡綠色；花瓣5，黃色；雄蕊和心皮均多數。聚合果球形。

分佈 生於山野、田間、路邊潮濕地。分佈於華南至東北地區。

採製 夏秋季採收，鮮用。

成分 含生物鹼。

性能 辛，溫。有毒。引赤發泡，殺蟲。

應用 用於黃疸，水腫，風濕性關節炎。鮮草少量，搗爛敷患處。

文獻 《浙藥誌》上，336。

3097 滇川唐松草

來源 毛茛科植物滇川唐松草 Thalictrum finetii Boiv. 的根及根莖。

形態 多年生草本，高50～200cm。莖有淺縱槽，變無毛。莖生葉2～4回三出或近羽狀複葉，小葉小，草質，頂生小葉有短柄，菱狀倒卵形、寬卵形或近圓形，長0.9～2cm，寬0.7～2cm，頂端圓形，三淺裂，有短尖，基部寬楔形，背脈稍隆起，沿脈有短毛。花序圓錐狀，長達30cm；花梗細，萼片4～5，橢圓狀卵形，白色或淡綠黃色；雄蕊多數，花藥黃色，花絲細長；心皮7～14，子房柄短，柱頭倒生。瘦果扁平，半圓形，腹面具窄翅。

分佈 生於山坡草地，林邊或林下。分佈於四川、雲南及西藏。

採製 春、秋採挖，除去莖葉，洗淨，曬乾。

成分 含小檗鹼 (berberine) 等多種生物鹼。

性能 苦，寒。清熱燥濕，瀉火解毒。

應用 用於腸炎，痢疾，黃疸，目赤腫痛。用量3～10g。外用適量。

文獻 《滙編》上，76。

3098 馬尾連

來源 毛茛科植物多葉唐松草 Thalictrum foliolosum DC. 的根及根莖。

形態 多年生草本，高可達2m。莖具縱紋，上部有長分枝。葉為3回三出複葉；小葉草質，卵形至近圓形，長1～3cm，寬1～2cm，略呈三裂，具疏鋸齒，基部圓形或淺心形；具長柄。圓錐花序傘房狀；花雜性，直徑0.6～1cm，萼片4，狹橢圓形，白色或淡黃綠色，早落；雄蕊多數；心皮4～6，子房無柄，花柱不顯著，柱頭細長而彎曲。瘦果紡錘形，長約0.3cm，有8條縱肋。

分佈 生於山地林下或草坡。分佈於四川、雲南、西藏。

採製 秋、冬採挖，除去莖葉，洗淨，曬乾。

成分 含唐松草鹼 (thalictrine)、小檗鹼 (berberine)、掌葉防己鹼 (palmatine) 和藥根鹼 (jatrorrbizine) 等。

性能 苦，寒。清熱燥濕，解毒。

應用 用於痢疾，腸炎，傳染性肝炎，感冒，癰腫瘡癤，結膜炎。用量3～10g。外用適量。

文獻 《大辭典》上，0595。

3099 崖掃把

來源 毛茛科植物盾葉唐松草 Thalictrum ichangense Lecoy. ex Oliv. 的根或全草。

形態 多年生草本，高 15～40 cm。根狀莖短，鬚根細長，末端有紡錘形小塊根。莖不分枝或上部分枝。基生葉有長柄，為 1～3 回三出複葉，小葉草質，卵形至近圓形，邊緣有疏齒，兩面平滑，小葉柄盾狀着生；莖生葉 1～3 個，漸變小。複單歧聚傘花序有稀疏分枝呈圓錐狀；小花白色，直徑 0.7～1cm，萼片 4，卵形；無花瓣；雄蕊多數，花藥橢圓形；心皮 5～12，有子房柄，柱頭近球形。瘦果近鐮刀形，黃褐色。

分佈 生於山地溝邊，灌叢中或林中。分佈於遼寧、浙江、湖北、陝西、四川、貴州及雲南。

採製 秋後採收，洗淨，曬乾。

成分 含小檗鹼 (berberine) 等多種生物鹼。

性能 苦，寒。祛風，清熱，解毒。

應用 用於小兒驚風抽搐，鵝口瘡，丹毒游風。用量 1～2g。外用適量。

文獻 《大辭典》上，2781。

3100 倒水連

來源 毛茛科植物峨嵋唐松草 Thalictrum omeiense W.T. Wang et S.H. Wang 的全草。

形態 多年生草本，高 40～80cm。根狀莖短，鬚根叢生。莖直立，有稜。基生葉 2～3 回三出複葉，基部具鞘狀托葉，抱莖；小葉卵狀長圓形，寬卵形或近圓形，三淺裂，並具圓齒，基部圓形或淺心形。莖生葉常為 2 回三出複葉，小葉多狹長，呈菱狀橢圓形。圓錐花序頂生，苞片線形；萼片 4，倒卵形，白色或粉紅色；雄蕊多數，花絲倒披針形；心皮 8～12。瘦果紡錘形，無柄，黑褐色，具縱肋 8 條，宿存花柱彎鈎狀。

分佈 生於山溝、崖邊或草叢中。分佈於四川。

採製 夏、秋採收，除去雜質，曬乾。

性能 苦、澀，寒。祛風散寒，清熱解毒。

應用 用於瘧疾寒熱，濕熱發黃，頭暈，目疼及腹痛瀉痢。用量 10～20g。

文獻 《大辭典》下，3865。

3101 深山唐松草

來源 毛茛科植物深山唐松草 Thalictrum tuberiferum Maxim. 的根。

形態 多年生草本，高 30～70cm，全株光滑無毛。根莖短，紡錘形。莖直立，上部有分枝、。莖生葉 1 枚，3 回三出複葉，小葉片卵形至卵狀菱形，先端鈍；莖生葉 2 枚，通常對生，1～2 回三出複葉。傘房狀聚傘花序頂生；花白色；萼片 4，早落；雄蕊多數，花絲下部絲狀，中部向上加粗成棒狀，花藥橢圓形；心皮 2～5。瘦果稍扁平，有 8 條稜。

分佈 生於高山林下。分佈於東北地區。

採製 秋季採挖，曬乾。

成分 含有小檗鹼 (berberine)。

性能 微苦，寒。清熱解毒，瀉火燥濕。

應用 用於肺熱咳嗽，腸炎，痢疾，目赤腫痛，癰腫瘡癤。用量 5～10g。

文獻 《長白山植物藥誌》，427。

3102 金蓮花

來源 毛茛科植物金蓮花 Trollius chinensis Bge. 的花。

形態 多年生草本，高 30～70cm。基生葉 1～4，具長柄，葉片五角形，3 全裂，中央裂片菱形，2 回裂片有少數小裂片和銳牙齒；莖生葉似基生葉，向上漸小。花單生或 2～3 朵組成聚傘花序；萼片 8～15(～19)，黃色，橢圓狀倒卵形或倒卵形；花瓣多數，與萼片近等長，狹寬線形，頂端漸窄；雄蕊多數。蓇葖果有彎的長尖。

分佈 生於山地草坡或疏林下。分佈於東北、內蒙古、河北及山西等地。

採製 花盛開時採收，晾乾。

成分 含生物碱及黃酮。

性能 苦，寒。清熱解毒。

應用 用於扁桃腺炎，咽炎，急性中耳炎，急性結膜炎，淋巴管炎，口瘡，疔瘡等。用量 3～6g。外用適量。

文獻 《大辭典》上，2888。

3103 貓屎瓜

來源 木通科植物貓兒屎 Decaisnea fargesii Fr. 的果實。

形態 落葉灌木，高達 6m。單數羽狀複葉，互生；小葉 13～25，卵圓形或矩圓形，長 5～14.5 cm，先端漸尖，基部寬楔形或近圓形，全緣。圓錐花序頂生；花雜性，下垂。鐘形；萼片 6；雄花有雄蕊 6 枚，合成單體，退化心皮殘存；雌花具 6 個不孕雄蕊，心皮 3，花柱倒卵狀矩圓形，無柱頭。漿果圓柱狀，微彎，長 5～10cm，成熟後藍色或藍紫色，腹線開裂；種子扁平，矩圓形，黑色，長約 1cm。

分佈 生於雜木林中。分佈於江西、浙江、安徽、湖北、陝西、四川、雲南、貴州、廣西。

採製 夏、秋採收。洗淨，曬乾。

性能 甘、辛，平。清熱解毒，潤燥。

應用 用於疝氣，陰癢，肛裂，皮膚皸裂等。用量 3～6g。外用適量。

文獻 《大辭典》下，4584。

附註 本植物根入藥，用於肺癆咳嗽，風濕痛。

3104 串果藤

來源 木通科植物串果藤 Sinofranchetia chinensis (Fr.) Hemsl. 的莖。

形態 木質藤本，長 5～10m。莖紫褐色或灰白色，無毛。葉為三出複葉，頂端小葉片菱狀倒卵形，長 6～15cm，先端漸尖或短尖，基部楔形或寬楔形，側生小葉片較小，斜卵形，小葉柄短。總狀花序腋生，下垂；花單性；萼片 6，白色，具紫色條紋，蜜腺 6，與萼片對生；雄花具雄蕊 6 枚，離生，具退化心皮；雌花具不育雄蕊，心皮 3，胚珠多數。漿果長圓形，藍色。種子多數，黑色。

分佈 生於山坡、路旁及灌木林中。分佈於雲南、四川、湖北、甘肅、陝西。

採製 夏、秋季割取莖，曬乾。

性能 微苦，平。通經活血，清熱利濕。

應用 用於腰背扭傷，筋骨疼痛，月經不調，手腳麻木，小便不通，尿道澀痛，淋症等。用量 5～15 g。

文獻 《新華本草綱要》一，163。

3105 粉葉小檗

來源 小檗科植物粉葉小檗 Berberis candidula Schneid. 的根。

形態 常綠灌木，高約 1m。幼枝淡綠色，密生小疣點。針刺三叉，長 1～1.5cm。葉革質，橢圓形至卵圓形，長 1～2cm，先端漸尖，基部楔形，邊緣反捲有 2～6 刺齒，葉背常被白粉；葉柄甚短。花單生，花梗長 1.5～3cm；萼片長橢圓形或倒卵形，長 0.4～1cm；花瓣倒卵形，略小於內萼片；雄蕊與花瓣近等長；子房柱狀，有胚珠 3～4。漿果橢圓形，長約 0.8cm，無宿存花柱。

分佈 生於山坡、灌叢、林緣。分佈於湖北、四川。

採製 夏、秋採挖。除去雜質，曬乾。

性能 苦，寒。清熱解毒，消炎抗菌，止痢。

應用 用於濕熱痢疾，熱淋，丹毒等症。用量 5～8g。

文獻 《峨嵋山藥用植物研究》一，32。

3106 黑果小檗

來源 小檗科植物黑果小檗 Berberis heteropoda Schrank 的根、根皮和莖皮。

形態 落葉灌木，高 1.5～2m，多分枝。葉簇生於短枝。葉厚紙質，全緣或具疏齒；小枝和短枝基部外側常有 1 長 2 短的硬刺。傘房總狀花序；花黃色。漿果熟時藍黑色，被白粉，直徑約 12mm；種子具皺紋。

分佈 生於低山河谷、山坡灌叢中。分佈於新疆阿爾泰山、天山等地區。

採製 春、秋採收。曬乾。

成分 含小檗碱 (berberine) 等生物碱。

性能 苦，寒。清熱燥濕，瀉火解毒。

應用 用於痢疾，腸炎，咽炎，口腔炎，濕疹，癤腫。用量 10～15 g。

文獻 《大辭典》下，4963；《新疆植物檢索表》，329。

附註 新疆民間用本種果實(山李子)治療高血壓病。

3107 川滇小檗

來源 小檗科植物川滇小檗 Berberis jamesiana Forrest et W.W. Smith 的根。

形態 落葉灌木，高 2～4m。幼枝紫色，老枝亮紅色，無疣狀突起；刺單生或三分叉，長 0.5～3cm。單葉互生，革質，卵形或橢圓形，長 4～8cm，寬 2～4cm，全緣，有時有刺狀疏齒，下面有白粉，兩面網脈明顯；葉柄極短。總狀花序長 7～10cm，有花 20～40 朵；花橘黃色，直徑 5～7mm；花梗細瘦無毛；萼片 2 輪，倒卵形；花瓣矩圓形或倒卵形；雄蕊與花瓣近等長；子房有 2 胚珠。漿果圓形，直徑 0.9～1cm，幼時乳白色，後變淡紅色。

分佈 生山間林下。分佈於四川、雲南、西藏。

採製 夏、秋採挖，洗淨，切片，曬乾。

成分 含小檗碱 (berberine)、掌葉防己碱 (palmatine) 等。

性能 苦，寒。清熱燥濕，瀉火解毒。

應用 用於口腔炎，咽喉炎，結膜炎，急性腸炎及痢疾。用量 5～10g。

文獻 《新華本草綱要》一，147。

3108 川八角蓮

來源 小檗科植物川八角蓮 Dysosma veitchii (Hemsl. et wils.) Fu 的根及根莖。

形態 多年生草本，高 10～20 cm。根莖橫生，結節狀。葉 2 枚，對生，圓形，盾狀着生，直徑 18～24cm，6～8 掌狀深裂，葉面有紫紅色暈斑，葉背脈上初具微柔毛；裂片三角狀，邊緣有疏齒。花 2～6 朵，簇生於葉柄分叉處，花梗長 1.5～2cm，下彎；萼片 6，綠色；花瓣 6～7，紫紅色，披針形，長 4～5cm；雄蕊 6；花柱粗短。漿果卵形，成熟時紅色。

分佈 生於山地林下陰濕處。分佈於四川、貴州、雲南。

採製 秋季採挖，洗淨，曬乾。

性能 苦、辛，平。清熱解毒，散結消腫。

應用 用於癰腫，瘡毒，毒蛇咬傷。用量 5～10g。外用適量。

文獻 《大辭典》上，0048。

3109 八角蓮

來源 小檗科植物八角蓮 Dysosma versipellis (Hance) M. Cheng 的根莖。

形態 多年生草本，高 30～50 cm。根莖橫臥，莖直立。莖生葉 1 或 2；葉片盾形，直徑 30～40cm；掌狀分裂，裂片 5～9，先端銳尖；葉緣具針刺狀細齒；葉柄長 10～15cm。傘形花序生於莖頂葉的葉柄基部，小花 8～10 朵，下垂；萼片 6，外有疏長毛；花瓣 6，長約 2cm，深紅色；雄蕊 6；柱頭盾狀。漿果卵形。

分佈 生於山坡、林下等陰濕處。分佈於中國長江流域各地。

採製 春、秋季採挖，曬乾。

成分 含鬼臼毒素 (podophyllotoxin)、去氫鬼臼毒素 (dehydropodophyllotoxin) 等。

性能 苦、辛，平。祛痰散結，解毒祛瘀。

應用 用於癆傷，咳嗽，吐血，胃痛，癭瘤，瘰癧，癰腫，疔瘡，跌打，蛇傷。用量 3～9g，外用適量。

文獻 《大辭典》下，3485。

3110 粗毛淫羊藿

來源 小檗科植物粗毛淫羊藿 Epimedium acuminatum Fr. 的地上部分。

形態 多年生草本。根莖橫走，質硬。莖直立，高 30～50cm。基生葉 1～3，強革質，三出複葉；頂生小葉卵形或狹卵形，基部心形對稱；側生小葉基部心形深裂，不對稱，外裂片大，葉背密被粗短硬毛，葉緣具刺毛狀鋸齒；莖生葉常 2 枚。總狀花序或圓錐花序；花白色，花瓣囊狀，花距較內輪萼片長；雄蕊 4；雌蕊 1。蓇葖果，具宿存花柱；種子黑色，腎形。

分佈 生於山野林下或石縫中。分佈於中國四川、貴州、雲南、湖北。

採製 夏、秋割取地上部分，曬乾或晾乾。

性能 辛，溫。補肝腎，強筋骨，助陽益精，祛風除濕。

應用 用於陽痿，腰膝痿弱，風寒濕痹，神疲健忘，四肢麻木及更年期高血壓。用量 3～9g。

文獻 《中藥誌》四，634。

3111 寶興淫羊藿

來源 小檗科植物寶興淫羊藿 Epimedium davidii Fr. 的地上部分。

形態 多年生草本。根莖橫臥；莖高20～40cm。花莖具葉2枚，1回三出複葉，革質；小葉片較小，長2～5cm，寬2～3cm，葉緣有鋸齒，基部兩側略不等或相等，背面灰白色。花黃色，花梗被腺毛，花距較內輪萼片長；雄蕊4；雌蕊1。蓇葖果。

分佈 生於山林下，分佈於四川、雲南。

採製 夏、秋採割，曬乾或陰乾。

性能 辛，溫。補肝腎，強筋骨，助陽益精，祛風除濕。

應用 用於陽痿，腰膝痿弱，風寒痹痛，神疲健忘，四肢麻木及更年期高血壓。用量3～9g。

文獻 《中藥誌》四，634。

3112 柔毛淫羊藿(淫羊藿)

來源 小檗科植物柔毛淫羊藿 Epimedium pubescens Maxim. 的地上部分。

形態 多年生草本。根莖發達，呈分枝狀橫走，質硬。莖直立，高30～45cm。花莖具2葉，1回三出複葉，革質；頂生小葉基部心形對稱，側生小葉基部心形深裂，不對稱，外裂片大，葉緣鋸齒長達2mm以上，葉背及葉柄密被白色長柔毛。花白色，花距較內輪萼片短；雄蕊4；雌蕊1。蓇葖果，具宿存花柱；種子數粒，黑色。

分佈 生於山地林下，分佈於四川、陝西、甘肅。

採製 夏、秋採割，除去雜質，曬乾或陰乾。

成分 含淫羊藿甙 (icariin) 等。

性能 辛、甘，溫。補腎陽，強筋骨，祛風濕。

應用 用於陽痿遺精，筋骨痿軟，風濕痹痛，麻木拘攣，更年期高血壓。用量3～9g。

文獻 《藥典》一，288。

3113 鬼臼

來源 小檗科植物鬼臼 Podophyllum emodi Wall. var. chinense Sprague 的根及根莖。

形態 多年生草本，高 40～80cm。莖綠色，肉質，基部有膜質鞘。葉 2～3 枚，生莖頂，盾形，直徑約 25cm，掌狀 3 深裂至基部，每裂片 2～4 裂至中部，邊緣有鋸齒，基部心形，葉背有茸毛。花單生葉腋，苞片披針形，萼片早落，花冠 6，紅色；雄蕊 6；柱頭多裂。漿果卵形，成熟時紅色；種子多數，有假種皮。

分佈 生於林下陰濕處。分佈於陝西、甘肅、青海、西藏、四川、雲南。

採製 秋季採挖，洗淨，曬乾。

成分 含鬼臼脂素 (podophyllotoxin) 等木脂素類成分。

性能 苦、辛，微溫。有小毒。祛風除濕，活血，止痛。

應用 用於風濕疼痛，跌打損傷，胃痛。用量 3～6g。外用適量。

文獻 《大辭典》下，3670。

3114 衡州烏藥

來源 防己科植物樟葉木防己 Cocculus laurifolius DC. 的根或全株。

形態 常綠灌木，高達 3m，有時枝下垂攀援於其他樹上。葉互生，稍革質，橢圓狀長圓形或長圓狀披針形，先端漸尖，基部漸狹，亮綠色，基出脈 3。聚傘狀圓錐花序生於葉腋，少單生；花單性，雌雄異株；雄花萼片 6，外輪 3；花瓣 6，寬倒三角形，頂端 2 深裂；雄蕊 6；雌花萼片及花瓣與雄花相似；退化雄蕊 6，微小，心皮 3。核果扁球形。

分佈 生於林中蔭地。分佈於湖南、福建、台灣、廣東、海南、廣西、貴州、雲南。

採製 春、冬採收，曬乾。

成分 根和木質含衡州烏藥弗林 (coclifolin)，樹皮和木質含烏藥碱 (coclaurine)、木防己碱 (trilobine) 等，葉含樟葉木防己碱 (laurifoline) 等。

性能 苦，微寒。散瘀消腫，祛風止痛。

應用 用於風濕腰腿痛，高血壓，頭痛，疝氣，腹痛，並有驅蟲、利尿作用。用量 3～6g。

文獻 《大辭典》下，5573。

3115　桐葉千金藤

來源　防己科植物桐葉千金藤 Stephania hernandifolia Walp. 的塊根。

形態　纏繞藤本，具塊根，莖纖細，長2～5m。葉互生，卵形或卵狀圓形至三角狀圓形，先端急尖或鈍，基部圓形，邊緣通常全緣，稀為淺波狀，上面深綠色，背面淡綠色，具柔毛；葉柄盾狀着生。雌雄異株，複傘形花序腋生；花序軸及花梗微被毛，花小，黃綠色；雄花萼片 6，兩輪，花瓣 3，寬卵形，肉質，雄蕊 6，聯合成柱體，先端呈盤狀；雌花萼片及花瓣通常為 3 或 4，與雄花同形，雌蕊 1，柱頭 5 裂，盤狀。核果倒卵形至球形。

分佈　生於稀疏的灌木林中或林邊。分佈於四川、貴州、廣西。

採製　夏、秋季採挖，洗淨，切片，曬乾。

性能　苦、微辛，涼。清熱解毒，祛風除濕。

應用　用於牙痛，腮腺炎，中暑，痢疾，風濕關節炎，四肢麻木等。用量6～15g。外用適量。

文獻　《大辭典》上，1914。

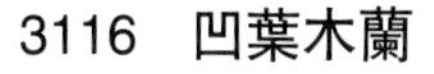

3116　凹葉木蘭

來源　木蘭科植物凹葉木蘭 Magnolia sargentiana Rehd. et Wils. 的樹皮。

形態　落葉喬木，高達 25m。幼枝灰棕色，疏生皮孔，托葉環痕明顯。單葉互生，革質，倒長卵形，長 9～18cm，先端凹陷或平截，葉背密佈銀灰色長柔毛；葉柄長 2～4cm，托葉痕為葉柄長的 1/5。先葉開花，單生枝頂，苞片早落；花被 9～14，粉紅色，匙狀倒披針形，長 9～11cm；雄蕊花絲紫紅色，藥隔伸出成短尖頭；雌蕊羣圓柱形，長3～4cm。聚合蓇葖果柱狀，蓇葖近球形，密生疣點；種子腎形，長約 8mm。

分佈　生於山地林中。分佈於四川、雲南。

採製　春季採剝，去淨粗皮，陰乾。

性能　辛，溫。理氣，寬腸。

應用　用於腸胃氣滯，腹脹，便秘。用量 10～15g。

文獻　《新華本草綱要》一，60。

3117 朱砂玉蘭

來源 木蘭科植物二喬玉蘭 Magnolia soulangena (Lindl.) Soul.-Bod. 的花蕾。

形態 落葉小喬木，為辛夷和玉蘭的雜交種，高達 4m。單葉互生，葉片倒卵形至卵狀長橢圓形；托葉早落，葉痕明顯。花蕾筆頭狀，外被長腺長，花於春日先葉開放，單生於枝頂，鐘形；花被片 9，內面白色，外面淡紫紅色，有香氣，萼片與花瓣無明顯區別。聚合蓇葖果。

分佈 各地栽培，多栽於園林。

採製 1～2 月採摘或剪取未開放的花蕾，曬乾。

成分 含芳香油。

性能 辛，溫。祛風散寒，通肺竅。

應用 用於鼻塞頭痛，鼻竇炎，過敏性鼻炎。用量 3～10g。外用適量，塞鼻或取其蒸餾液滴鼻。

文獻 《滙編》上，393；《上海園林植物圖說》，45。

3118 西康玉蘭

來源 木蘭科植物西康玉蘭 Magnolia wilsonii (Finet et Gagnep.) Rehd. 的樹皮。

形態 落葉小喬木，高達 8m。樹皮灰褐色，皮孔明顯；小枝紫紅色，初被長柔毛。葉橢圓狀卵形，長 5～12cm，寬 3～5cm，先端漸尖；葉柄長 1～3cm，密被褐色長柔毛，托葉痕幾達柄頂端。花白色，與葉同時開放；花梗細，被褐色長毛，下垂；花被片 9，3 輪，寬匙形或倒卵形，長 4～6.5cm，先端圓形；雄蕊花絲紫紅色；雌蕊羣綠色，卵狀圓柱形，柱頭先端彎長。聚合果圓柱形下垂，長約 4cm，熟時紫褐色，蓇葖具喙。

分佈 生於山地林中。分佈於四川、雲南。

採製 春季採剝樹皮，曬乾。

成分 樹皮含 (+)g-畢澄茄醇 (g-cadinol)和木蘭箭鹼等。

性能 苦、辛，溫。燥濕除痰，下氣除滿。

應用 濕滯傷中，脘腹吐瀉，食積氣滯，腹脹便秘，痰飲喘咳。用量 5～10g。

文獻 《新華本草綱要》一，60。

3119 枝子皮

來源 木蘭科植物枝子皮 Magnolia wilsonii (Finet et Gagnep.) Rehd. var. petrosa Law et Chia 的枝皮。

形態 落葉小喬木，高達 8m。小枝深褐色，初被褐色長毛。葉互生，橢圓形或長卵形，長 8～15 cm，寬 4～8cm，先端圓鈍，基部圓或微心形，葉背貼生銀灰色長毛，脈上被褐色毛；葉柄長 2～4cm，托葉環痕為柄的⅔。單花頂生，下垂，花梗被毛；苞 1，早落；花被 9，白色，倒卵形；雄蕊花絲深紅色，藥隔微突；雌蕊羣黃綠色。聚合果長橢圓形，長 6～10cm，下垂。

分佈 生於山地混交林中或巖壁。分佈於四川西部。

採製 春季採剝，陰乾或曬乾。

性能 辛、苦，溫。理氣和胃。

應用 用於腸胃氣滯，胃腹脹滿，水腫。用量 5～10g。

文獻 《中國樹木誌》一，451。

3120 四川木蓮

來源 木蘭科植物四川木蓮 Manglietia szechuanica Hu 的花。

形態 喬木，高 15m。幼枝綠色，2 年生枝灰黃色。葉革質，倒披針形或倒卵形，長 14～20cm，先端漸尖或短尾尖，楔形，上面深綠色，無毛，下面淡綠色，被淡褐色短柔毛；葉柄長 1.5～2.5cm，被白色長毛，托葉痕長約 9cm，花蕾卵形；花梗粗壯，長約 1.5cm；花被片 9，三輪，淡紅色，倒卵形；長 4～5.5cm；雄蕊長 1.2～2cm，藥隔頂端伸出成三角狀短尖，與花絲近等長；雌蕊羣卵形，長 2～2.5cm，心皮被淡黃色絨毛。聚合果長卵形，紫紅色。

分佈 生於常綠闊葉林中。分佈於四川、雲南。

採製 春季採收，陰乾或曬乾。

性能 苦、辛，溫。理氣，化濕。

應用 用於胸脘痞悶、脹滿，納穀不香。用量 3～9g。

文獻 《新華本草綱要》一，61。

3121 南五味子(五味子)

來源 木蘭科植物華中五味子 Schisandra sphenanthera Rehd. et Wils. 的果實。

形態 攀援灌木。小枝圓柱形，紅褐色。葉橢圓形或倒卵形，長 6～9cm，先端漸尖，基部楔形；邊緣有細齒。花單生於葉腋，直徑約 1.5cm，花被外層者黃綠色，內層花被橙黃色；雄花有雄蕊 10～22，花藥楔狀倒卵形；雌花有心皮 30～50。聚合果成熟時紅色；種皮具條粒狀突起。

分佈 生於山地林中或林緣。分佈於華中及陝西、四川、雲南、貴州。

採製 秋季採摘，曬乾或烘乾。

成分 含檸檬醛 (citral) 等多種揮發油；種子含五味子素 (schizandrin) 等多種木脂素類成分。

性能 酸，溫。斂陰，安神，生津，止痢。

應用 用於久咳虛喘，遺精，遺尿，久痢不止，自汗，盜汗，心悸失眠等。用量 1.5～6g。

文獻 《藥典》一，48；《中藥誌》三，227。

3122 峨嵋黃肉楠

來源 樟科植物峨嵋黃肉楠 Actinodaphne omeiensis (Liou) Allen 的根皮。

形態 常綠喬木或灌木，高 8～15 m。當年生枝密被短柔毛，基部宿存大型芽鱗。芽鱗外側及邊緣有鏽色毛。葉厚革質，聚生枝頂，近輪生狀，披針形或矩圓形，長 10～28cm，寬 2～6cm，中脈於腹面凹陷，背面隆起，側脈 10～15 對；葉柄長 1～2.8cm，初被毛。花單一或傘形花序腋生；雄花的發育雄蕊 9 枚，第 3 輪雄蕊各具 1 對腺體；雌花的花被管短，退化雄蕊 9 枚，子房上位。漿果位於盤狀果托內，近球形，直徑約 0.7cm。

分佈 生於常綠闊葉林中。分佈於四川、貴州。

採製 冬、春季採挖，剝取根皮，曬乾。

性能 辛，溫。行氣止痛，活血調經。

應用 用於胃腹脹痛，行經腹痛，月經不調。用量 5～12g。

文獻 《峨嵋山藥用植物研究》一，35。

3123 樟腦

來源 樟科植物樟 Cinnamomum camphora (L.) Presl 的樹幹、枝、葉、根。

形態 常綠大喬木，高可達 30m 以上。枝葉均有樟腦味。葉互生，薄革質，長 6～12cm，寬 3～6cm，全緣，兩面無毛，三出脈，脈腋有腺體。花小，淡黃綠色，兩性；花被片6；能育雄蕊 9，三輪排列，花藥瓣裂；花絲基部具 2 腺體；第 4 輪為退化雄蕊。核果球形，熟時紫黑色，有杯狀果托，種子 1。

分佈 野生或栽培於平原低山坡。分佈於長江以南各地。

採製 全年可採。砍取樹幹、枝、葉、根，蒸餾，冷卻後得粗製樟腦，再精製成粉狀或塊狀樟腦。

成分 含樟腦 (camphor) 及芳香油。

性能 辛，熱。通竅，殺蟲，止痛，辟穢。

應用 治心腹脹痛，牙痛，腳氣，瘡瘍疥癬，跌打損傷。用量 0.5～1.5m。外用適量。

文獻 《大辭典》下，5439；《浙藥誌》上，387。

3124 大香果

來源 樟科植物三股筋香 Lindera thomsonii Allen 的果油。

形態 常綠小喬木或灌木，高 3～7m。幼枝密被絹毛。葉互生，堅紙質，橢圓形或卵形，長 6～11cm，先端漸尖或尾狀漸尖，基部寬楔形，全緣，兩面無毛，三出脈兩面隆起。雌雄異株；傘形花序腋生；雄花黃色，花被片 6，能育雄蕊 9，花藥 2 室，均內向瓣裂；雌花白色或黃綠色，花梗較長。果實長圓形，長約 1.5cm，成熟後黑色。

分佈 生於山地林中。分佈於雲南、四川、廣西。

採製 秋季採收，壓取油。

性能 辛、微苦，溫。解毒，消腫。

應用 用於瘡毒紅腫，無名腫毒，蚊蟲叮傷，腰背扭傷等。不作內服，外用適量。

文獻 《新華本草綱要》一，88。

3125 峨嵋賽楠

來源 樟科植物西南賽楠Nothaphoebe cavaleriei (Lévl.) 的果皮。

形態 喬木，高約 12m。葉互生，革質，倒披針形，上面綠色，下面蒼白色，中脈粗，上面稍凹下，下面中脈及側脈明顯隆起。數花腋生或成圓錐花序枝端生；花被片 6，卵形，外輪 3 枚較小，外面疏生短柔毛，內面中央部分密被長柔毛，果時宿存；能育雄蕊 9，花絲被毛，花藥 2 上 2 下排列，第三輪雄蕊花藥外向瓣裂；子房球形，花柱纖細。果實球形，果梗略增粗。

分佈 生於山中常綠闊葉林中。分佈四川、貴州和雲南。

採製 秋季果熟時採收，剝下果皮曬乾。

性能 辛、甘，溫。溫中散寒，理氣止痛。

應用 用於胃寒嘔吐，胃腹冷痛。用量 3～6g。

文獻 《四川省中藥資源普查名錄》，63。

3126 南黃紫堇

來源 罌粟科植物南黃紫堇 Corydalis davidii Fr. 的根莖。

形態 草本，高 40～70cm。根狀莖斜伸。葉片輪廓三角形，長 5～12cm，3～4 回羽狀全裂，1 回裂片約 3 對，具細柄，末回裂片具柄，頂端圓形或鈍，有時具短尖。總狀花序；苞片狹卵形，長 2～5mm；花黃色；距鑽狀圓筒形，長 1.2～1.5cm，伸展或稍向上彎曲。蒴果近條形或倒卵形，長 0.8～1.5cm；種子一行排列。

分佈 生於草坡或灌木林下。分佈於雲南、貴州、四川。

採製 夏、秋季挖採，洗淨，曬乾。

性能 苦，涼。有小毒。活血祛瘀，鎮痛。

應用 用於跌打損傷，骨折，瘀血作痛，紅腫，瘡毒，風濕關節痛等。用量 1～3g。外用適量。

文獻 《新華本草綱要》一，226。

3127 紡錘草

來源 罌粟科植物細裂黃堇 Corydalis feddeana Lévl. 的塊根。

形態 多年生草本，高 25～55cm。根膨大成紡錘形，3～5 個簇生。莖 1～2 條，直立，不分枝。葉互生，生於莖上部，三角狀卵形，長 1.5～6cm，羽狀全裂，裂片條形，長 1～5cm，全緣。總狀花序；苞片與葉同形，全緣；萼片 2，早落；花瓣黃色，上花瓣長 1.2～2.2 cm，距近圓筒形，長 0.6～1.5 cm，末端圓形，下花瓣基部囊狀；雄蕊 2；子房條形。蒴果狹長圓形，長 1～1.5cm；種子扁圓形，黑色。

分佈 生於高山草叢中。分佈於四川。

採製 夏、秋季採挖，洗淨，曬乾。

性能 辛、微苦，平。有毒。活血散瘀，消腫止痛，除風濕。

應用 用於跌打損傷，行氣化瘀，止痛，勞傷，風濕疼痛，關節腫痛等。用量 1～3g。

文獻 《峨嵋山藥用植物研究》一，37。

附註 本種曾誤訂為 Corydalis linarioides Maxim.。

3128 山香

來源 罌粟科植物峨嵋紫堇 Corydalis omeiensis Z.Y. Zhu et B.Q. Min 的根及根狀莖。

形態 多年生草本，高 50～80 cm。根狀莖粗壯，圓柱形。基生葉與莖生葉 2～6 枚，葉片輪廓卵圓形，長達 20cm，3 回羽狀分裂，1 回全裂片具長柄，2 回全裂片具較短的柄，3 回全裂或深裂，具短柄，寬卵形。總狀花序；苞片線狀披針形；萼片寬卵形；花冠紫紅色或淡黃色，矩管狀，長約 2cm；雄蕊 2；子房條形。蒴果長圓形，長 1～1.5cm；種子黑色。

分佈 生於山間林下肥沃的腐殖質土壤中。分佈於四川峨嵋山。

採製 夏季採挖，洗淨，曬乾。

性能 苦，涼。有小毒。活血祛瘀，祛風除濕。

應用 用於跌打損傷，紅腫作痛，腰背扭傷，風濕關節疼痛，四肢麻木等。用量 1～3g。

文獻 《峨嵋山藥用植物研究》一，37；《川藥校刊》1987：3，33。

附註 《峨嵋山藥用植物研究》"山香"原植物曾誤訂為 Corydalis esquirolli Lévl.。

3129 小花黃堇

來源 罌粟科植物小花黃堇 Corydalis racemosa (Thunb.) Pers. 的全草。

形態 一年生草本，高 15～55 cm。葉輪廓三角形，長 4～13 cm，2～3 回羽狀全裂，1 回裂片 3～4 對，2～3 回裂片輪廓寬卵形，淺裂至深裂，末回裂片狹卵形。總狀花序；苞片狹披針形或鑽形；萼片卵形；花瓣黃色；矩囊狀，長 1～2mm。蒴果條形，長 2～3cm；種子黑褐色，扁球形，密生小凹點。

分佈 生於溝邊或陰濕的石坎中。分佈於珠江流域中、下游各省，北達陝西、河南等。

採製 夏季採收，曬乾。

成分 含原阿片碱 (protopine) 和消旋——四氫掌葉防己碱 (dltetrahydropalmatine) 等。

性能 苦、澀，寒。有毒。清熱解毒，利濕。

應用 用於疥癬，瘡毒腫痛，目赤，暑熱瀉痢，肺病咳血，小兒驚風等。用量 3～6g。外用適量。

文獻 《大辭典》下，4155。

3130 倒地抽

來源 罌粟科植物金鈎如意草 Corydalis taliensis Fr. 的根。

形態 多年生草本，高 10～35cm。直根肉質。莖下部分枝。基生葉與莖生葉具長柄；葉片輪廓寬卵形，長 2～5cm，2 回三出複葉，1 回裂片具柄，2 回裂片 2～3 深裂，小裂片狹卵形或近披針形。總狀花序；苞片披針形；萼片小，卵狀心形；花冠紫色或紫紅色；矩近圓筒形；雄蕊 2；子房上位。蒴果條形，長 1～2cm。

分佈 生於山坡、荒地草叢中。分佈於雲南、貴州、四川。

採製 秋季採挖，洗淨，曬乾。

性能 甘、苦，寒。清熱解毒，清肝明目，活血止痛。

應用 用於肝炎，腸炎，風濕骨痛，急性結膜炎，牙痛，跌打損傷，瘀血作痛等。用量 2～6g。

文獻 《滙編》下，738；《峨嵋山藥用植物研究》一，37。

3131 大花荷包牡丹

來源 罌粟科植物大花荷包牡丹 Dicentra macrantha Oliv. 的全草。

形態 多年生草本，高達 1m。葉 3 回三出羽狀全裂，1 回裂片具細長柄，末回裂片菱狀卵形或狹卵形，長約達 8.5cm，頂端急尖，邊緣具牙齒，下面具白粉。聚傘花序具花少數，下垂；苞片鑽形；萼片披針形，長 1.3～1.9cm；花瓣淡黃綠色或綠白色，長 4～4.7cm，下部合生，外面 2 個較大，上部狹橢圓形，內面 2 個較小，上部披針形；雄蕊 6，合生成 2 束。蒴果條形，長約達 4cm，花柱宿存。

分佈 生於山地林下。分佈於湖北及西南地區。

採製 秋季採收，曬乾。

性能 苦，溫。鎮痛。

應用 用於頭痛，腹痛等。用量 3～10g。

文獻 《新華本草綱要》一，237。

3132 銀烏

來源 罌粟科植物黃花綠絨蒿 Meconopsis chelidonifolia Bur. et Fr. 的根莖。

形態 多年生草本。根莖肥大呈塊狀，密被長硬毛。莖高約 1m，上部分枝，下部生淡黃色長硬毛，後變無毛。莖下部葉具短柄；葉片輪廓寬卵形，羽狀全裂，1 回裂片 2 對，羽狀淺裂或深裂，小裂片卵形，兩面疏生糙毛，下面有白粉。莖上部葉小，無柄，3 全裂或 3 深裂。花 1～3 朵排列成單歧聚傘花序；萼片 2，早落；花瓣 4，黃色，寬倒卵形；雄蕊多數，花藥條形；雌蕊無毛，柱頭短。

分佈 生於山地疏林下或溪溝邊較陰處。分佈於四川。

採製 夏、秋季採挖，洗淨，曬乾。

性能 辛、苦，寒。有毒。行氣止痛，活血祛瘀。

應用 用於跌打損傷，扭傷。用量 1～3g。

文獻 《峨嵋山藥用植物研究》一，37。

3133 芸苔

來源 十字花科植物紅油菜 Brassica campestris L. var. oleifera DC. 的嫩莖葉。

形態 一年或二年生草本，高達 1m。莖粗狀，紫紅色。基生葉及下部莖生葉呈琴狀分裂，長 18～25cm，寬 4～8cm，先端裂片長卵圓形或長方狀圓形；莖中部及上部的葉倒卵狀橢圓形或長方形，先端銳尖，基部心形，半抱莖。總狀花序疏散；萼片 4，綠色；花瓣 4，鮮黃色，倒卵形，上具明顯的網脈，具長爪；雄蕊 6，4 強，排列為 2 輪；雌蕊 1，子房上位，假 2 室。角果，長 2～4cm，先端具一長喙。種子多數，黑色或暗紅褐色。

分佈 全國各地均有栽培。

採製 冬、春季採摘。

成分 含槲皮苷 (qnercitrin) 和維生素 K。

性能 辛，涼。散血，消腫。

應用 用於勞傷吐血，血痢，丹毒，熱毒瘡，乳癰。鮮品煮熟或搗汁。用量 30～50g。

文獻 《大辭典》上，2142。

3134 燥原薺

來源 十字花科植物燥原薺 Ptilotrichum cretaceum (Adams) Ledeb. 的全草。

形態 半灌木狀草本，高 10～20cm。莖直立，有分枝，全株密生灰色星狀毛。葉線形，無柄，先端急尖。總狀花序頂生，果期伸長；花白色；萼片直立，橢圓形，邊緣透明；花瓣基部收縮為短爪，瓣爪長 1mm，瓣片近圓形；雄蕊 6，無牙齒，花絲及瓣爪下部有附屬物，長雄蕊無腺，短雄蕊基部兩側有蜜腺；子房無柄，花柱無毛，柱頭頭狀，淺裂。短角果橢圓形或橢圓狀卵形，有宿存花柱。

分佈 生於草原地區的山坡及草地。分佈於東北、華北、西北、西南及內蒙古。

採製 夏、秋季採收，切段，曬乾。

性能 清熱，涼血。

應用 用於腸炎，腹瀉等。用量 10～15g。

文獻 《長春中醫學院學報》1987：4，12。

3135 沙芥

來源 十字花科植物沙芥 Pugionium cornutum (L.) Gaertn. 的全草。

形態 多年生草本，多汁液。莖直立，基部多分枝。單葉互生，基生葉羽狀深裂或全裂，裂片不規則，先端尖，莖生葉倒披針形或線形，全緣或波狀齒。圓錐花序。花白色或淡黃色，萼片4，倒披針形，花瓣4，線狀披針形，雄蕊6，4強。角果卵圓形，不開裂，兩側上方有2個短劍狀的長翅，其它部位有多數刺狀附屬物。

分佈 生於沙丘間或半固定沙丘上。分佈於陝西、寧夏、內蒙古等地。

採製 夏、秋季採收，切段，陰乾或用沸水微燙後曬乾。

性能 辛，溫。行氣，止痛，消食，解毒。

應用 用於消化不良，腸胃脹氣，食物中毒。用量15～30g。

文獻 《大辭典》上，2365。

3136 蔊菜

來源 十字花科植物蔊菜 Rorippa indica (L.) Hiern. 的全草。

形態 一年生草本，高15～25cm。莖直立或斜升，近基部分枝。下部葉有柄，大頭狀羽裂，上部葉無柄，卵形或寬披針形，先端漸尖，基部漸狹，稍抱莖，邊緣具不規則鋸齒，稍有毛。總狀花序頂生，萼片4，矩圓形；花瓣4，淡黃色，倒披針形。長角果條形；種子2行，卵形，褐色。

分佈 生於水濕田邊或路旁。分佈於華東、華中、西南及華南。

採製 夏季採收，曬乾。

成分 含蔊菜素。

性能 辛、甘，涼。清熱解毒，止咳利尿。

應用 用於疔瘡，癰腫，咽喉腫痛，水腫，風濕性關節炎。用量15～30g。

文獻 《大辭典》下，5316；《滙編》上，905。

3137 豆葉七

來源 景天科植物雲南紅景天 Rhodiola yunnanensis (Fr.) Fu 的全草。

形態 多年生肉質草本，高25～50cm。主根粗厚，圓柱塊狀，頂端有1～2枝粗狀直立根狀莖，密被鱗片。莖直立，粗長圓柱形，分枝或不分枝，綠色。3葉輪生，無柄；葉片卵狀披針形、橢圓形至寬卵形，長3～7cm，寬1～4cm，先端鈍，邊緣有疏淺鈍齒或近全緣。聚傘圓錐花序頂生，花小，淡綠色，單性，雌雄異株，雄花萼、瓣均為4，花瓣匙形，雄蕊8，花絲短；雌花萼、瓣4，均為條形，心皮4。小膏葖果。

分佈 生於山間疏林下或高山草地或石縫。分佈於四川、貴州、雲南。

採製 夏、秋採集，洗淨切碎曬乾或鮮用。

性能 微苦、澀，平。通經活絡，活血消腫。

應用 外用治骨折，風濕關節痛，乳腺炎，疔瘡等。用量適量。

文獻 《滙編》下，287。

3138 景天三七

來源 景天科植物景天三七 Sedum aizoon L. 的根或全草。

形態 多年生肉質草本，高達80cm，無毛。根狀莖粗厚，近木質化。單葉互生或近對生，無柄；葉片廣卵形至窄倒披針形，長5～7.5cm，邊緣具細齒或近全緣，光滑或略帶乳頭狀粗糙。傘房狀聚傘花序頂生，無花梗；萼片長為花瓣之半；花瓣長圓狀披針形，黃色；心皮基部稍相連。蓇葖果成星芒狀排列，黃色至紅色。

分佈 生於山間巖石上或較陰濕處。分佈於東北及河北、陝西、甘肅、寧夏、山東、江蘇、浙江、江西、湖北、四川。

成分 全草含景天庚糖 (sedoheptulose)、蔗糖及蛋白質等。

採製 春、秋季採挖根部，秋季採全草，洗淨曬乾。

性能 甘、微酸，平。散瘀止血，安神鎮痛。

應用 用於血小板減少性紫癜，衄血，吐血，消化道出血，子宮出血，心悸，煩躁，失眠；外用於跌打損傷，外傷出血。用量10～30g。外用適量。

文獻 《滙編》上，827。

3139 金毛七

來源 虎耳草科植物多花落新婦 Astilbe myriantha Diels 的根莖。

形態 多年生草本，高約1m。根莖粗壯，不規則條形，生多數鬚根。基生葉為2～3回，三出羽狀複葉；小葉卵形或寬卵形，先端漸尖，基部心形或圓形，邊緣有重鋸齒，下面沿脈有短毛。圓錐花序長達60cm，密被毛；苞片鑽形，比花萼短；花兩性或單性，雌雄異株；花萼深5裂，裂片狹卵形；無花瓣；雄蕊7～10，心皮2，離生。蓇葖果長約4mm。

分佈 生於山坡林下。分佈於四川、湖北、河南、陝西、甘肅。

採製 秋季採挖，去鬚根，切片，曬乾。

性能 辛、微澀，平。祛風發表，鎮痛。

應用 用於傷風感冒，頭痛，偏頭痛。用量6～9g。

文獻 《大辭典》上，2857。

3140 螞蟥鏽

來源 虎耳草科植物鏽毛金腰 Chrysosplenium davidianum Decne. ex Maxim. 的全草。

形態 多年生草本，高6～12cm。根莖細長，橫生；莖常叢生，密生鏽色毛。基生葉寬卵形，長2～5cm，寬1～4cm，邊緣有圓齒，兩面疏生鏽毛；莖生葉較小；不孕枝頂部聚生與基生葉同。聚傘花序緊密，苞片葉狀，靠近裏面的苞葉黃色；花鐘狀，黃色；萼片4，廣卵形，先端鈍圓；花瓣無；雄蕊8；花盤不明顯；心皮2，子房1室。蒴果半下位，種子卵形，有乳狀突起。

分佈 生於林下陰濕處。分佈於陝西、四川、雲南。

採製 夏、秋季採收，洗淨，曬乾或鮮用。

性能 微苦，寒。祛風解毒。

應用 用於螞蝗咬傷。乾、鮮品外用適量。

文獻 《峨嵋山藥用植物研究》一，40。

3141 金腰草

來源 虎耳草科植物腎葉金腰 *Chrysosplenium griffithii* Hook. f. et Thoms. 的全草。

形態 細弱草本，高 10～30cm。莖直立，不分枝。單葉互生，腎形，長 1～3cm，寬 1.5～4cm，邊緣 6～10 大圓齒或淺裂，齒端具腺狀體；葉柄長 3～5cm，上部葉柄漸短。聚傘花序疏散，花梗上有褐色腺毛；苞片大小不一，葉狀；萼片寬卵形，長約 1.5mm，黃綠色；雄蕊 8，比萼片短；花盤 8 裂，深黃色；子房下位，花柱 2，錐形。蒴果頂裂；種子倒卵形，褐色。

分佈 生於高山林下陰濕處。分佈於中國西部高原地區。

採製 夏、秋季採集，洗淨，曬乾。

性能 苦，寒。清熱退黃。

應用 用於濕熱黃疸。用量 3～6g。

文獻 《中國民族藥誌》一，623。

3142 掛苦繡球

來源 虎耳草科植物掛苦繡球 *Hydrangea xanthoneura* Diels 的根。

形態 灌木，高 1～3m。葉對生，橢圓形或橢圓狀卵形，長 8～17cm，先端漸尖或急尖，基部楔形或寬楔形，邊緣有鋸齒，背面脈上被短柔毛，脈腋有束毛。傘房狀聚傘花序頂生；花二型，放射花白色帶藍色，4 枚萼瓣，萼瓣寬橢圓形或橢圓狀卵形，全緣或有時齒狀；孕性花小，萼筒被疏毛，裂片三角形；花瓣近三角形；雄蕊 10；花柱 3(～4)。蒴果近卵形，頂端孔裂；種小具翅。

分佈 生於荒坡或灌叢中。分佈於陝西、甘肅、四川、雲南。

採製 四季可採挖，洗淨，切片曬乾。

成分 含對羥基苯甲酸 (p-hydroxybenzoic acid) 等。

性能 辛，溫。活血祛瘀，續筋接骨。

應用 用於骨折，不作內服，外用適量。

文獻 《滙編》下，741。

3143 東北山梅花

來源 虎耳草科植物東北山梅花 Philadelphus schrenkii Rupr. 的根。

形態 落葉灌木，高 2～4m。枝條對生。葉對生；有短柄；葉片卵形或狹卵形，長 5～13cm，寬 3～6cm，先端漸尖，基部圓形或寬楔形，邊緣疏生小牙齒，上面無毛，下面沿脈有毛。花序有 5～7 花，花序軸有毛；花梗生短柔毛；萼筒疏生毛，裂片 4，三角狀卵形，宿存；花瓣 4，白色，,倒卵形；花盤無毛；雄蕊多數；子房下位，4 室，花柱下部有毛，上部 4 裂。蒴果近橢圓形。

分佈 生於山坡林中。分佈於東北地區。

採製 夏、秋季採收，晾乾。

性能 清熱解毒，消腫。

應用 用於痔瘡，腰脅疼痛。外用適量。

文獻 《長白山植物藥誌》，516。

3144 糖茶藨

來源 虎耳草科植物糖茶藨 Ribes emodens Rehd. 的莖枝。

形態 落葉小灌木，高 1～2m。枝暗褐色，無毛，幼時紫紅色。單葉互生，葉片長寬各 7～10cm，3～5 裂，裂片先端銳尖，邊緣具不整齊複鋸齒，上面具貼生短腺毛，下面無毛或脈上有短硬毛；葉柄比葉片長，具稀腺毛。總狀花序長 5～10cm，無毛；花兩性，長 6.5mm，淺紫紅色，有短花梗；萼筒鐘形，裂片倒卵形，直立，有軟毛；花瓣匙形，長為萼裂片的一半；雄蕊不伸出萼外；花柱和雄蕊等長。果實球形，紅色，後變為紫黑色。

分佈 生於山坡或山谷林中。分佈於山西、陝西、湖北、四川、雲南、西藏。

採製 全年可採。鮮用或曬乾。

性能 甘、澀，平。解毒。

應用 用於肝炎。用量 3～9g。

文獻 《滙編》下，742。

3145 長串茶藨

來源 虎耳草科植物長串茶藨 Ribes longiracemosum Fr. 的根。

形態 灌木，高達 3m。幼枝帶紫紅色，具腺毛，小枝灰褐色，平滑無毛。單葉互生，葉片 3～5 裂，長寬各 5～12cm，下面初有白色短柔毛，後變無毛，裂片銳尖或漸尖；葉柄長達 10cm，疏被短柔毛。總狀花序下垂，長 10～25cm，有短柔毛；花疏生，淡紅色或黛色，管狀鐘形，花梗長 0.5～1.5cm；小苞片卵狀披針形，長為梗長的⅓～½，卵形；萼筒直立，裂片綠或紫紅色，長圓形，約為萼筒長的⅓；花瓣矩圓形；雄蕊及花柱伸出。果實球形，黑色，直徑達 0.9cm。

分佈 生於溝邊或山坡灌叢中。分佈於陝西、湖北、四川、雲南。

採製 秋季採挖。洗淨，曬乾。

性能 甘，微寒。清熱解毒，調經止痛。

應用 用於濕熱帶下，月經紊亂。用量 5～8g。

文獻 《四川省中藥資源普查名錄》，72。

3146 狗葡萄

來源 虎耳草科植物甘青茶藨 Ribes meyeri Maxim. var. tanguticum Jancz. 的根。

形態 灌木，高 1～2m。幼枝無毛，帶紫紅色，剝落後成灰色。葉通常 3 裂，長寬近相等，長約 5cm，中裂片較側裂片長，先端漸尖，邊緣有複鋸齒，基部心形，兩面有極疏的短毛；葉柄長 1～4cm，有疏短毛。總狀花序長 2～5cm，下垂，花疏生，紅色；花管狀鐘形，花梗極短；萼片直立，矩圓形，邊緣有睫毛；花瓣倒卵形，長約 0.3cm；雄蕊 5，花絲比花瓣略長；花柱比雄蕊長，2 裂。漿果球形，黑色，有光澤。

分佈 生於山溝、路旁、灌叢中。分佈於陝西、甘肅、青海、四川。

採製 春、秋採挖。洗淨，曬乾。

性能 辛、苦，微寒。清熱、祛風除濕。

應用 用於風濕關節痛，跌打腫痛。用量 5～8g。

文獻 《四川省中藥資源普查名錄》，72。

3147 峨嵋崖雪下

來源 虎耳草科植物峨屏草 Tanakea omeiensis Nakai 的全草。

形態 多年生草本，高 5～10cm。根狀莖橫走，多鬚根。葉叢生，通常 5～15 枚，葉片革質，卵形或卵狀橢圓形，長 1～3.5cm，先端急尖或鈍尖，具短尖頭，基部圓形或淺心形，邊緣有疏齒，僅中脈明顯，兩面疏生短硬毛，葉柄長 1～4cm，被長柔毛。圓錐花序，總花梗被腺毛；花梗細；花萼白色，鐘形，裂片 5～8，披針形，先端急尖；無花瓣；雄蕊 8～10 枚；心皮 2，合生至中部，2 室。蒴果。

分佈 生於陰濕溝邊巖石上。分佈於四川西部。

採製 夏、秋季採收，曬乾。

性能 微苦，平。清熱鎮痙，熄風。

應用 用於高熱抽搐，小兒驚風，肝風內動，頭昏目眩，神經痛等。用量 3～9g。

文獻 《峨嵋山藥用植物研究》一，40。

3148 黃水枝

來源 虎耳草科植物黃水枝 Tiarella polyphylla D. Don 的全草。

形態 多年生草本，高 20～40cm。根狀莖橫走，黃褐色，具鱗片。莖有縱溝，綠色，被白色柔毛。基生葉心形至卵圓形，為不明顯 3～5 裂，長約 8cm，寬約 7.5cm，先端鈍，具鈍鋸齒，齒端有刺，邊緣有腺毛；葉柄細，長 5—15cm，疏生長剛毛及短腺毛；莖生葉互生，2～3 枚，葉較小，柄短，葉脈掌狀 5 出，黃褐色。總狀花序頂生，長達 17cm，密生短腺毛；苞片小，鑽形；花小，白色；萼 5 裂，三角形；花瓣小，線形；雄蕊 10；子房 1 室。蒴果有 2 角。

分佈 生於林邊陰濕處或石壁上。分佈於中國中部至西南部。

採製 夏、秋季採收，曬乾。

性能 苦，寒。活血祛瘀，止咳平喘。

應用 用於跌打損傷，咳嗽氣喘，耳聾。用量 10～15g。

文獻 《大辭典》下，4166。

3149 山枝仁

來源 海桐花科植物棱果海桐 Pittosporum trigonocarpum Lévl. 的種子。

形態 常綠小喬木，高達 6m。枝褐色，具皮孔。葉聚生頂端，近輪生，長橢圓形或倒披針形，長 6～12cm，先端漸尖，基部楔形，全緣或微波狀；葉柄長約 1cm。傘形或傘房花序頂生，苞片早落；萼片 5，黃綠色，卵形，有緣毛；花瓣黃色，下部結合成管狀，上部 5 裂片披針形；雄蕊 5；子房長卵形，子房柄短，有毛。蒴果卵形或橢圓形，3 瓣裂，果瓣木質；種子 4～12 粒，紅色。

分佈 生於山地林緣或疏林中。分佈於湖北、四川、貴州、雲南。

採製 秋季採收，曬乾。

性能 苦，微寒。收斂，止瀉，清熱，除煩。

應用 用於痢疾，腹瀉，心煩不眠。用量 5～10g。

文獻 《峨嵋山藥用植物研究》一，41；《四川植物誌》四，96。

3150 林檎

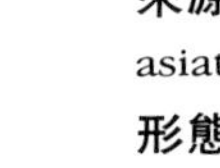

來源 薔薇科植物花紅 Malus asiatica Nakai 的果實。

形態 落葉小喬木，高 4～6m。小枝幼時密生柔毛。葉片橢圓形或卵形，邊緣有細銳鋸齒，下面密生短柔毛。傘房花序有花 4～7 朵，生於短枝頂端；花淡紅色，徑約 4cm；萼有細毛；雄蕊 17～20；子房下位，花柱 4～5。梨果扁球形。

分佈 生於山坡向陽處、平原沙地。分佈於華北、東北、西北、西南地區，常為栽培。

採製 果實成熟時採收。

成分 含葉酸 (folic acid)、維生素 C 等。

性能 酸、甘，平。止渴，化滯，澀精。

應用 用於消渴，瀉痢，遺精，食慾不振。內服或生服適量。

文獻 《大辭典》上，2535。

3151 金金棒

來源 薔薇科植物絹毛委陵菜 Potentilla reptans L. var. sericophylla Fr. 的塊根。

形態 多年生草本，具塊根。莖匍匐，節上生根，被柔毛。葉為三出或掌狀複葉；小葉倒卵形，長 1～3cm，寬 0.6～1.2cm，邊緣有鈍鋸齒，近基部⅓全緣，上面有柔毛，下面被絹毛；葉柄細長，有柔毛；托葉膜質。花單生，花梗長 2～4cm；花萼開展，5 裂；花冠倒闊卵形，黃色；雄蕊多數；心皮多數。瘦果褐色，有小突起。

分佈 生於山坡、路旁、溝岸或河灘草地。分佈於河北、湖北、山西、陝西、甘肅、四川。

採製 秋季採挖。洗淨，曬乾。

性能 甘，平。生津止渴，補陰，除虛熱。

應用 用於虛勞白帶，虛喘。用量 15～30g。

文獻 《大辭典》上，2879。

3152 黏委陵菜

來源 薔薇科植物黏委陵菜 *Potentilla viscosa* J. Don 的全草。

形態 多年生草本，高 20～80cm。根木質化。莖直立，全株有柔毛和黏腺毛。奇數羽狀複葉；基生葉的小葉 9～11，倒披針形，長 1.5～5cm，寬約 1.5cm，邊緣有大粗齒或淺裂，上面散生短毛，下面密生短柔毛，葉柄長；莖生葉的葉片 3～7，托葉闊卵形，先端漸尖。傘房狀聚傘花序，花黃色，花徑約 1.5cm；花瓣 5；萼片 5，卵形，副萼片 5，披針形；雄蕊多數。瘦果卵形，光滑，背部有窄棱。

分佈 生於草甸、山坡及林緣。分佈於吉林、內蒙古、河北、山西、青海、新疆、西藏。

採製 夏、秋季採收，曬乾。

成分 全株含大量鞣質。

性能 苦，平。清熱解毒，止血止痢。

應用 用於急性腸炎，腹瀉，吐血，便血，咽喉炎等。用量 15～25g。

文獻 《滙編》上，548。

3153 華東稠李

來源 薔薇科植物橉木櫻 *Prunus buergeriana* Miq. 的種子。

形態 落葉小喬木。葉片長橢圓狀卵形，長 5～10cm，寬 1.5～3.5cm，葉緣兩側基部一對齒端各有一褐色腺體，葉柄無腺體。總狀花序，花序梗無葉；花萼宿存；花瓣 5，白色；雄蕊多數；子房上位。核果。

分佈 生於山坡、路旁、林緣和灌叢中。分佈於浙江、安徽、江蘇、江西等地。

採製 夏至後摘取成熟果實，取仁曬乾。

成分 含苦杏仁甙 (amygdalin)、脂肪酸及揮發性有機酸等。

性能 辛、苦、甘，平。潤腸，逐水。

應用 用於腸燥便秘，水腫腹滿，小便不利。用量 3～9g。

文獻 《浙藥誌》上，500；《江蘇植物誌》，321。

3154 壽星桃花

來源 薔薇科植物壽星桃 Prunus persica (L.) Batsch var. densa Mak. 的花。

形態 落葉小喬木或灌木，植株矮生，節間特短，小枝深褐色。單葉互生，橢圓狀披針形，邊緣有細鋸齒。花單生或 2～3 朵聚生，重瓣或單瓣，花瓣向裏彎曲，深紅色、粉紅色或白色；雄蕊多數，離生；子房上位，心皮 1，花柱上端淡綠色。結實或不結實。

分佈 各地有栽培，多植於園林。

採製 春季花初開時採收，曬乾。

成分 含山柰酚 (kaempferol)、香豆精 (coumarin) 等。

性能 苦，平。利水，活血，通便。

應用 用於水腫，腳氣，食積，二便不利，經閉。用量 3—6g。

文獻 《上海園林植物圖說》，188；《大辭典》下，3666。

3155 櫻桃核

來源 薔薇科植物櫻桃 Prunus pseudocerasus Lindl. 的果核。

形態 落葉灌木或喬木，高 3～8m。有明顯皮孔。葉互生，托葉邊緣有腺狀齒；葉片卵圓形至卵狀橢圓形，先端漸尖，基部圓形，邊緣有大小不等的重鋸齒，齒端有腺點，在脈上被疏柔毛，葉片基部通常有 2 個腺體。花生於葉開放，3～6 朵成傘形花序或有梗的總狀花序，花梗具短柔毛，基部具小的、有腺齒的苞片，花後反折；花瓣 5。核果近球形，鮮紅色，有長柄。

分佈 多為栽培。分佈於河北、山西及中國南方大部分地區。

採製 夏季果實成熟時採摘，除去果肉，取果核，洗淨，曬乾。

成分 種子含氰甙。

性能 辛，平。發表透疹。

應用 用於疹出不透。用量 4～9g。

文獻 《中藥誌》三，94。

3156 棠梨

來源 薔薇科植物杜梨 Pyrus betulaefolia Bge. 的果實及枝葉。

形態 喬木，高達 10m。枝常具刺，小枝老時無毛或有稀疏毛，紫褐色。葉菱狀卵形至長圓形，先端漸尖，基部寬楔形，邊緣有粗鋸齒，無芒，下面被絨毛。傘形花序組成總狀花序，有花 10～15 朵，總花梗及花梗均被白色絨毛；萼筒外密被白色絨毛，萼片 5，三角形，密被絨毛。花瓣 5，白色；雄蕊多數；花柱 2～3。梨果近球形，直徑 5～10mm，褐色，有斑點，萼片脱落。

分佈 生於平原或山坡向陽地。分佈於遼寧、河北、河南、山西、陝西、甘肅、湖北、山東、江蘇、安徽、江西。

採製 秋季採摘。

成分 果實含糖，葉含綠原酸、蛋白質等。

性能 酸、甘，寒。斂肺、澀腸。

應用 用於咳嗽，瀉痢。枝葉用於霍亂吐瀉不止，轉筋腹痛。用量 10～20g。

文獻 《大辭典》下，4924、4925。

3157 疏花薔薇

來源 薔薇科植物疏花薔薇 Rosa laxa Retz. 的果實。

形態 灌木，高 1～2m。莖多分枝，皮刺向下彎曲。單數羽狀複葉，托葉中下部連合；小葉 5～9，邊緣有鋭鋸齒，兩面光滑或微有絨毛。傘房花序，生於分枝頂端，有時為單花；花托卵圓形，光滑；萼片 5，具絨毛或有腺點，宿存；花瓣 5，白色或淡紅色，頂端微凹；柱頭頭狀，有白絨毛。果實卵圓形，暗紅色，光滑。

分佈 生於石質坡地或河谷階地上。分佈於新疆。

採製 秋季果實成熟時採收。

成分 含維生素 C、糖類、鞣質等。

性能 甘、澀，平。健脾胃，助消化，降血壓。

應用 治脾虛泄瀉，消化不良，高血壓，神經衰弱，盜汗，崩漏帶下。用量 10～15g。

文獻 《新疆藥用植物誌》二，62。

3158 寬刺薔薇

來源 薔薇科植物寬刺薔薇 Rosa platyacantha Schrenk 的果實。

形態 灌木，高 1～2m。基部分枝，枝條褐色，皮刺直而堅硬，扁平。托葉連合；單數羽狀複葉，小葉 5～9，卵圓形，邊緣有稀鋸齒，中下部無齒，兩面光滑。花單生；萼片披針形，長於花瓣；花瓣 5，黃色，寬三角形，頂端微凹。果實球形，堅硬，光滑，暗紫紅色，有宿存萼。

分佈 生於河灘地及石質坡地。分佈於新疆。

採製 秋季果實成熟時採收。

成分 含維生素 C、果膠、糖類。

性能 甘、酸，平。補腎固精，健脾胃，止瀉。

應用 用於神經衰弱，神經性頭痛，脾虛泄瀉，自汗盜汗，崩漏帶下，高血壓。用量 6～10g。

文獻 《新疆藥用植物誌》二，66。

3159 茶子藤

來源 薔薇科植物茶子藤 Rosa rubus Lévl. et Vant. 的根。

形態 蔓狀灌木，長約 6m。小枝具小的鈎狀皮刺。單數羽狀複葉；小葉常 5～7，卵狀橢圓形或倒卵形，長 3～8cm，寬 1.5～4cm，先端突尖，基部近圓形或寬楔形，邊緣有粗鋸齒，下面生柔毛，少近無毛；葉柄有毛；托葉大部附着於葉柄上。傘房花序，花少；花梗長 1～2cm，有絨毛和腺毛；花白色，芳香，直徑 2.5～3cm；萼裂片卵狀披針形，羽狀，先端尾狀，有線毛和腺毛；花瓣倒三角狀卵形；雄蕊多數。果實近球形，直徑約 0.8cm，深紅色，萼裂片脱落。

分佈 生於山坡、路旁、灌叢中。分佈於湖北、四川、雲南、貴州。

性能 苦、澀，微寒。清熱利濕，收斂。

應用 用於濕熱痢疾，瘡瘍久不收口。用量 5～10g。

文獻 《峨嵋山藥用植物研究》一，44。

3160 倒生根

來源 薔薇科植物插田泡 Rubus coreanus Miq. 的根。

形態 落葉小灌木，高約 3m。莖赤褐色或紫紅色，常被白粉，具扁平的鈎狀皮刺。單數羽狀複葉互生，小葉 3～7，頂生小葉較大，稜狀卵形，兩側小葉較小，卵形，先端急尖，基部寬楔形或近圓形，邊緣有不整齊的鋸齒，齒端有尖頭，下面沿脈處有柔毛。傘房花序頂生或腋生，有毛；萼片 5，披針形，先端尾尖，外面有柔毛；花瓣 5，粉紅色，倒卵形，短於萼片；雄蕊多數；雌蕊多數，花柱近頂生。聚合果小，卵形，成熟時紅色。

分佈 生於山坡灌叢、路邊、林緣及溝邊。分佈於河南、陝西、甘肅、江西、湖北、四川。

採製 9～10 月採挖，洗淨，曬乾。

性能 酸、鹹，平。活血，止血。

應用 用於勞傷吐血，鼻衄，月經不調，跌打損傷。用量 6～15g。外用適量。

文獻 《大辭典》下，3866。

3161 大紅袍

來源 薔薇科植物大紅泡 Rubus eustephanos Focke 的根。

形態 灌木，高 1～2m。小枝常有稜角，無毛，有少數皮刺。單數羽狀複葉，小葉 3～5，卵形、橢圓形或橢圓狀披針形，長 1.5～5cm，寬 1～2.5cm，先端漸尖，基部多圓形，重鋸齒緣，兩面疏生短毛；葉柄、葉軸以及小葉下面中脈上均有皮刺，小葉梗極短；托葉條狀披針形。花單生，稀 2～3 朵腋生，白色，直徑 2.5～3.5cm；萼裂片矩圓狀卵形，先端鑽狀；花瓣伸展，果時反折，內面灰色。聚合果近球形，直徑 0.6～0.8cm，紅色。

分佈 生於山坡林下。分佈於福建、湖北、湖南、四川、雲南。

採製 春、秋季採挖。洗淨，鮮用或曬乾。

性能 澀，平。消腫，止痢，收斂。

應用 用於痢疾，瘡腫。用量 5～10g。

文獻 《四川省中藥資源普查名錄》，78。

3162 白花地榆

來源 薔薇科植物白花地榆 Sanguisorba canadensis L. 的根。

形態 多年生草本，高 0.5～1m。根粗壯，圓柱狀或紡錘形，表面粗糙，棕黑色，斷面紅褐色。葉為基生葉和莖生葉，奇數羽狀複葉，小葉 5～17，卵圓形或長圓狀披針形，邊緣具粗鋸齒，基部心形至深心形。小花密集成近圓柱形的直立穗狀花序，頂生，自基部開始向上逐漸開放；苞片有睫毛；宿存花萼花瓣狀，白色；無花冠；花絲從中部開始扁平擴大至頂端幾與花藥等寬，比萼片長 2～3 倍。瘦果暗棕色，有細毛。

分佈 生於山地向陽山坡。分佈於山東。

採製 秋季植株枯萎後採挖，除去根莖及鬚根，切片曬乾。

成分 含鞣質。

性能 苦、酸，微寒。涼血止血，清熱解毒，生肌斂瘡。

應用 用於便血，尿血，血痢，痔瘡出血，崩漏，癰腫瘡毒，燒、燙傷。用量 9～15g。

文獻 《山東經濟植物》，182。

3163 深山水榆

來源 薔薇科植物裂葉水榆花楸 Sorbus alnifolia (Sieb. et Zucc.) K. Koch var. lobulata Rehcl. 的果。

形態 落葉喬木，高 5～20m。樹皮灰色，小枝赤褐色。單葉互生，稍革質，卵形至橢圓狀卵形，長 3～10cm，邊緣有淺裂片及重鋸齒，下面有柔毛；側脈 6～15 對，直達葉邊齒尖，葉柄長 1.5～3cm；托葉披針形。傘房花序有花 6～25；花瓣 5，白色；雄蕊多數；心皮 2～3，全部與花托合生；花柱 2，基部或中部以下合生。梨果卵形或橢圓形，直徑小於 1cm，橘黃色，無斑點及宿存的萼片。

分佈 生於雜木林或石縫中。分佈於東北、山東。

採製 秋季採摘，曬乾。

性能 強壯補虛。

應用 用於血虛勞倦。用量 120～150g。

文獻 《長白山植物藥誌》，591。

3164 大果花楸

來源 薔薇科植物大果花楸 Sorbus megalocarpa Rehd. 的果實。

形態 小喬木，有時呈灌木狀，高 5～7m。小枝被微柔毛，後變無毛。葉橢圓狀倒卵形或倒卵形，長 8～15cm，先端急尖或漸尖，基部楔形，邊緣近全緣或具不規則圓鈍細鋸齒，有時下面脈腋間有毛，其餘近無毛。複傘房花序頂生；花白色，直徑 5～8mm，花瓣矩圓形或矩圓狀卵形；雄蕊多數；花柱 3～4，基部合生。梨果黃色，卵圓形或橢圓形，直徑 1～2cm，具宿存萼。

分佈 生於山間林中。分佈於湖南、湖北、四川、貴州、雲南、廣西。

採製 秋季採收，曬乾。

性能 苦、澀，寒。清熱解毒，化瘀消腫。

應用 用於目赤紅腫，無名腫毒，跌打損傷，刀傷出血，乳腺炎等。用量 6～12g。

文獻 《貴州中藥名錄》，238。

3165 天山花楸

來源 薔薇科植物天山花楸 Sorbus tianshanica Rupr. 的嫩枝、皮和果實。

形態 落葉小喬木，高 3～5m。嫩枝紅褐色，稀生短柔毛。奇數羽狀複葉；小葉卵狀披針形，葉緣有鋭鋸齒。複傘房花序，生於短枝頂端；萼筒鐘狀，萼裂片 5，三角形；花瓣白色；雄蕊 15～20；花柱 3～5 個，基部密生白毛。梨果球形，鮮紅色，頂端有宿萼。

分佈 生於高山溪谷或雲杉林緣。分佈於新疆天山一帶。

採製 夏、秋採摘果實或割取嫩枝、皮，曬乾。

成分 樹枝含金絲桃甙 (hyperin)，果實含維生素 E、A、C (vitamin E, A, C)、胡蘿蔔素和苦杏仁甙 (amygdalin) 等。

性能 果實：甘、苦，平；嫩枝和皮：苦，寒。清熱利肺，補脾生津，止咳。

應用 用於肺結核，哮喘咳嗽，胃炎腹痛及維生素 A、C 缺乏症。用量：果實 15～30g；枝、皮 9～15g。

文獻 《新疆藥用植物誌》二，44。

3166 單瓣笑靨花

來源 薔薇科植物繡球繡線菊 Spiraea blumei G. Don. 的根。

形態 灌木，高 1～2m。小枝細，無毛。葉片菱狀卵形至倒卵形，先端微鈍或微尖，基部楔形，邊緣近中部以上具圓鋸齒或 3～5 淺裂，兩面無毛，基部具不明顯的 3 出脈或羽狀脈。傘房花序有總花梗，無毛。花白色或紅色，直徑 5～8mm；萼片三角形或卵狀三角形；花瓣寬倒卵形；雄蕊約 20，較花瓣短。蓇葖果直立，無毛。

分佈 生於向陽山坡，雜木林內或路邊。分佈於東北、華北、西北及華南地區。

採製 秋季採挖，曬乾。

性能 苦，微寒。清熱解毒。

應用 用於咽喉腫痛。用量 30g。

文獻 《浙藥誌》上，537。

3167 光葉繡線菊

來源 薔薇科植物光葉繡線菊 Spiraea japonica L. f. var. fortunei (Planch.) Rehd. 的根。

形態 落葉灌木，高達 1.5m；小枝棕紅色或棕黃色，有柔毛或近無毛。單葉互生，葉柄長 3～5mm，葉長橢圓形至長方披針形，長 5～10cm，寬 1.5～4cm，先端漸尖，基部楔形，邊緣有尖銳重鋸齒，上面細脈凹入成皺紋狀，下面蒼綠色。花淡紅至深紅色，徑 4～6mm，排列複傘房花序，徑 4～8cm；萼筒淺杯狀；花瓣 5，卵形至圓形，雄蕊多數，外露；心皮 5，離生。蓇葖果，基部有宿存花萼。

分佈 生於山坡、田野或雜木林下。分佈於陝西、山東、江蘇、安徽、浙江、江西、湖北、四川、貴州、雲南。

採製 全年可採根，洗淨曬乾。

性能 苦，涼。清熱解毒。

應用 治目赤腫痛，頭痛，牙痛，肺熱咳嗽。用量 30～60g。

文獻 《滙編》下：523。

3168 地栗子

來源 豆科植物肉色土圞兒 Apios carnea Benth. 的塊根。

形態 攀援藤本，莖細長，幼時有毛。單數羽狀複葉互生，小葉通常 5，有時 3，卵形或橢圓形，兩側小葉常偏斜，長 8～10cm，寬 4～5cm，先端急尖，基部近圓形；葉柄長 5～10cm。總狀花序腋生，萼鐘狀，二唇形；花冠淡紫紅色，蝶形，龍骨瓣條狀，半月形，子房近無柄，花柱彎曲。莢果條形，長約 10cm；種子黑褐色，光亮。

分佈 生於雜木林中或灌叢中。分佈於四川、貴州、雲南、廣西。

採製 秋季採挖，洗淨，切片，曬乾。

性能 甘，涼。清熱，活血，明目。

應用 用於赤眼昏花，視物不明，痱疹紅腫。用量 10～15g。

文獻 《四川省中藥資源普查名錄》，80。

3169 草木犀狀黃芪

來源 豆科植物草木犀狀黃芪 *Astragalus melilotoides* Pall. 的全草。

形態 多年生草本，高 1～1.5m。莖直立，多分枝，有疏柔毛。葉稀少，奇數羽狀複葉，小葉 3～5，長圓形或線狀長圓形，先端截形或微凹，基部楔形，兩面有短柔毛，葉軸有短柔毛；托葉披針形。總狀花序腋生，花多而小，疏生；總花梗長 2～6cm，苞片卵狀三角形；萼鐘狀，外面被黑色和白色短毛，萼齒 5，三角形，長約 0.5mm；花冠粉紅色或白色，龍骨瓣帶紫色，旗瓣無爪，較翼瓣及龍骨瓣稍長；子房無毛，無柄。莢果小，近圓形，長 2～3mm；種子 1 粒。

分佈 生於山坡溝旁或河牀沙地，草坡、灘地、砂質碎石坡地。分佈於內蒙古、河北、山西、陝西、河南、山東、甘肅等地。

採製 夏、秋採集，曬乾。

性能 苦，微寒。祛風濕。

應用 用於四肢麻木，風濕性關節疼痛。用量 9～15g。

文獻 《大辭典》上，2646。

3170 細葉黃芪

來源 豆科植物細葉黃芪 *Astragalus melilotoides* Pall. var. *tenuis* Ledeb. 的全草。

形態 多年生草本，高約 40～80cm。具長而直的主根，由基部生出多數細長的莖，通常分枝很密，呈掃帚狀。莖直立或稍斜上，多分枝。奇數羽狀複葉，小葉 3 枚，少為 5 枚，線形或狹線形，長 10～15mm，寬約 0.5mm，先端尖。總狀花序腋生，比葉顯著長；花冠蝶形，小，白色或帶粉紅色，多數，稍疏生。莢果無柄，寬倒卵球形或橢圓形。

分佈 生於乾燥的山坡、草地及固定沙丘和河岸處。分佈於東北、華北。

採製 夏、秋季採挖，曬乾。

性能 祛風濕。

應用 用於風濕性關節炎。用量 10～20g。

文獻 《吉林省中藥資源名錄》，84。

3171 雙腎藤

來源 豆科植物鄂羊蹄甲 *Bauhinia hupehana* Craib. 的根。

形態 木質藤本，小枝紫紅色，卷鬚略扁，旋卷。葉近圓形，長 5～9cm，先端 2 淺裂，裂片闊卵形，裂口張開，基部心形，葉背有柔毛；葉柄長 3～5cm。傘房花序式的總狀花序頂生或與葉對生；花萼卵形，外被鏽色短毛；花瓣淡紫色或玫瑰紅色，倒卵形，基部具爪，邊緣波狀，能育雄蕊 3，長過於花瓣，退化雄蕊 5～7，較短；子房柱狀，具長柄，柱頭盤狀。莢果帶形，薄而扁平。種子扁卵形，長約 1cm。

分佈 生於山坡疏林或山谷灌叢中。分佈於湖北、湖南、四川、貴州、福建、廣東。

採製 秋季採挖，洗淨，曬乾。

性能 苦、澀，溫。理氣止痛，止痢。

應用 用於疝氣，睾丸腫痛。用量 3～6g。

文獻 《大辭典》上，1040。《中國植物誌》第 39 卷，194。

3172 華南雲實

來源 豆科植物華南雲實 Caesalpinia nuga Ait. 的根。

形態 木質藤本，長可達 10m 以上。枝有倒鈎刺。二回羽狀複葉，葉軸上有倒鈎刺，羽片 2～4 對；小葉 4～6 對，卵形或橢圓形，長 3～6cm，寬 1.5～3cm，先端鈍。總狀花序排列成圓錐狀；萼片 5，披針形；花瓣 5，黃色，卵形；雄蕊 10，花絲下部被柔毛；子房具短柄。莢果扁平斜倒卵形，長 3.5～4cm，先端喙尖。

分佈 生於山地林中。分佈於長江流域以南各地。

採製 秋、冬季採挖，洗淨，曬乾。

性能 甘、淡，微寒。清熱利尿，祛風除濕。

應用 用於熱淋，風濕痹痛。用量 8～12g。

文獻 《廣西藥用植物名錄》，220。

3173 瓜子蓮

來源 豆科植物雲南豬屎豆 Crotalaria yunnanensis Fr. 的根。

形態 多年生草本，高 30～60cm，被白柔毛。單葉互生，倒卵狀披針形或長橢圓形，長 2～6cm，寬 1～3cm，先端鈍尖，有尖頭，基部楔形，全緣，兩面有細毛，葉柄不顯；托葉小形。總狀花序頂生或腋生，有花 2～7 朵；花萼 5，外面有毛；花冠 5，假蝶形花冠，黃色或紫紅色，紫色脈紋明顯；雄蕊 10 枚，合生；子房上位，1 室。莢果長橢圓形，膨脹，有種子 2～4 粒。

分佈 生於山坡草叢，灌叢中。分佈於四川、雲南。

採製 夏、秋採收。洗淨，鮮用或曬乾。

性能 微苦，平。解毒，祛風。

應用 用於跌打損傷。用量 15～30g。

文獻 《滙編》下，768。

附註 本植物葉外用治瘡毒。

3174 檀根

來源 豆科植物黃檀 Dalbergia hupeana Hance 的根。

形態 落葉喬木，高 10～20m。樹皮粗糙而成片狀剝落。小枝灰綠色。單數羽狀複葉，互生；小葉 7～13；總葉柄圓筒狀，無毛，小葉長 4cm，寬 2～3cm，先端微凹，兩面光滑無毛，圓錐花序頂生或腋生；萼鐘狀，5 裂；被灰色短柔毛；花冠蝶形；雄蕊 10，花絲上部分離；子房無毛，胚珠 3。莢果帶狀扁平，長約 8cm。

分佈 生於山坡、溪邊或疏林中。分佈於長江中下游流域地區。

採製 全年可採，曬乾。

性能 辛，平。有小毒。解毒消腫，殺蟲。

應用 用於菌痢，疔瘡腫毒，咳血，跌打腫痛。用量 15～30g。外用適量。

文獻 《浙藥誌》上，573；《大辭典》下，5608。

附註 葉亦供藥用，治疔瘡腫毒，跌打腫痛。

3175 圓錐山螞蟥

來源 豆科植物圓錐山螞蟥 Desmodium esquirolii Lévl. 的根。

形態 灌木，高 1～2m。小葉 3，頂生小葉菱狀卵形，長 2.5～6.5cm，先端急尖或漸尖，基部寬楔形或圓形，邊緣微波狀，背面被短柔毛，側生小葉稍小。圓錐花序頂生；花萼鐘狀，萼齒近三角形，不等大；花粉紅色或紫紅色，蝶形，旗瓣倒卵形，翼瓣與龍骨瓣近等長，二體雄蕊；子房被柔毛。莢果長 3～5cm，疏生短柔毛，有 5～8 節；種子橢圓形。

分佈 生於山坡、荒地或灌木林邊。分佈於雲南、四川。

採製 四季可採，洗淨，曬乾。

性能 甘，涼。祛風除濕，止咳化痰，消積。

應用 用於風濕筋骨疼痛，手腳麻木，風熱咳嗽，頑痰不化，胸腹脹痛，消化不良等。用量 3～15g。

文獻 《四川省中藥資源普查名錄》，83。

3176 餓螞蟥

來源 豆科植物餓螞蟥 Desmodium sambuense (D. Don) DC. 的全株。

形態 小灌木，高 0.6～1.5m。枝有疏生長柔毛。小葉 3，頂生小葉寬橢圓形，長 4～8cm，先端渾圓或漸尖，基部圓形，背面脈上被長柔毛，側生小葉較小，略斜；托葉卵狀披針形。總狀花序；花粉紅色，苞片卵狀披針形，脫落；萼齒披針形，被長柔毛；花冠蝶形，旗瓣長約 1cm，無爪，翼瓣與旗瓣等長，龍骨瓣較短；二體雄蕊；子房上位。莢果條形，密生黑褐色絹毛，長 1.5～2.5cm，具 4～7 莢節；種子橢圓形。

分佈 生於山坡、荒地或灌木叢中。分佈於廣西、廣東、江西、福建、台灣、雲南、四川、貴州。

採製 四季可採，洗淨，曬乾。

性能 甘，涼。清熱解毒，消食止痛。

應用 用於胃痛，小兒疳積，腮腺炎，淋巴結炎，毒蛇咬傷等。用量 6～15g。

文獻 《滙編》下，519。

3177 龍芽花

來源 豆科植物龍芽花 Erythrina corallodendron L. 的樹皮。

形態 灌木，高達 4m。三出複葉，小葉菱狀卵形，長 4～10cm，寬 2.7～7cm，先端漸尖，頂部鈍，基部寬楔形，葉背中脈及葉柄常有刺。總狀花序頂生及腋生；萼鐘狀，萼齒不明顯，僅下面 1 齒較突出；花冠蝶形，紅色，長可達 6cm，旗瓣橢圓形，先端微缺，較翼瓣、龍骨瓣長得多；雄蕊 2 組，不整齊；子房具長柄和白色短柔毛。莢果長約 10cm，在種子間收縊；種子深紅色，有黑斑。

分佈 原產美洲，中國各大城市有栽培。

採製 春季採剝，曬乾。

性能 麻醉，鎮靜。

應用 用於小手術麻醉及失眠症。用量 1～5g。

文獻 《中國高等植物圖鑒》二，494。

3178 光果甘草(甘草)

來源 豆科植物光果甘草 Glycyrrhiza glabra L. 的根及根莖。

形態 多年生草本，高 80～150 cm。莖有疏柔毛。單數羽狀複葉，小葉 11～15，先端微凹或鈍，有時具尖刺，背面有鱗片狀腺體。總狀花序；花冠蝶形，淡紫色；兩體雄蕊；子房光滑。莢果扁而略彎曲，光滑或披短毛，但無刺狀腺毛；種子 3～5 粒，卵圓形。

分佈 生於水分較充足的綠洲、山谷、林緣、河岸低地。分佈於新疆、甘肅。

採製 秋季採挖，切斷，曬乾。

成分 含甘草甜素 (glycyrrhizin) 等三萜類皂甙和多種黃酮類化合物。

性能 甘，平。補脾益氣，清熱解毒，祛痰止咳，緩急止痛，調和諸藥。

應用 用於咽喉腫痛，咳嗽，脾胃虛弱，胃、十二指腸潰瘍，肝炎，癔病，免疫功能低下，藥物或食物中毒。用量 15～30g。

文獻 《藥典》一，65；《大辭典》上，1187。

3179 蜜腺甘草

來源 豆科植物蜜腺甘草 Glycyrrhiza glabra L. var. glandulosa X.Y. Li 的根和根莖。

形態 多年生草本。高 100～150 cm。單數羽狀複葉，小葉長橢圓形至長卵形，先端鈍或急尖。總狀花序；花冠蝶形，淡紫堇色；雄蕊 10，二體；子房密被無柄腺體。莢果直或稍彎曲，密被深褐色的長柄腺體。

分佈 生於水分條件良好的綠洲平地、梁地、路邊。分佈於新疆中部地區。

採製 秋季採挖，除去殘莖，曬乾。

成分 含甘草甜素 (glycyrrhizin) 等。

性能 甘，平。清熱解毒，補脾益氣，潤肺止咳，調和諸藥。

應用 用於血虛心悸，脾胃虛弱，肝炎，咳嗽；生用治咽喉腫痛，消化道潰瘍，癰疽瘡瘍，解藥毒及食物中毒。用量 15～30g。外用適量。

文獻 《植物研究》1989：1，29；調查資料。

3180　脹果甘草(甘草)

來源　豆科植物脹果甘草 Glycyrrhiza inflata Bat 的根及根莖。

形態　多年生草本，密被黃褐色鱗片狀腺體，無腺毛。羽狀複葉，小葉 3～7(～9)，卵形，橢圓形，邊緣波狀皺褶，上面具黃褐色腺點，下面有膠狀光澤。總狀花序腋生，較葉序短或等長；花萼 5 裂；花冠蝶形，紫色；子房膨脹，胚珠 4～9。莢果膨脹，表面光滑或具腺體和刺毛。

分佈　生於荒野。分佈於新疆、甘肅。

採製　春、秋季採挖，切去莖基幼芽及鬚根，曬乾。

成分　含甘草查耳酮甲、乙 (licochalone A, B)，4，7～二羥基黃酮和芒柄花甙等黃酮類物質及甘草酸、甘草次酸。

性能　甘，平。補脾益氣，止咳，解毒。

應用　用於脾胃虛弱，咳嗽，解毒。用量 1.5～9g。

文獻　《中藥誌》一，355。

3181　馬掃帚

來源　豆科植物美麗胡枝子 Lespedeza formosa (Vogel) Koehne 的根、花及莖葉。

形態　落葉灌木，高 1～2m。小枝具縱溝，幼時密被短柔毛。三出複葉互生；小葉卵形或橢圓形，長 1.5～9cm，寬 1～5cm，先端圓鈍，具棘尖，基部楔形，全緣，下面密生短柔毛，側生小葉較小。總狀花序紫紅色或白色，腋生，單生或數個排成圓錐狀；花密生短柔毛，花冠蝶形，龍骨瓣在花盛開時較旗瓣長或近等長；雄蕊 10，2 束。莢果有短尖及鏽色短柔毛。

分佈　生於山坡林下或曠野雜草叢中。分佈於東北、華北、華東及西南和廣東。

採製　秋季挖根，趁鮮抽去木心；夏季採花及莖葉；曬乾。

性能　苦，平。清熱涼血，消腫止痛，祛痰止咳。

應用　根用於肺膿腫，風濕痛，跌打腫痛；花用於肺熱咳血，便血；莖葉用於小便不利。用量花 6～12g；根 15～30g；莖葉 25～50g。

文獻　《滙編》下，52。

3182 小雪人参

來源 豆科植物小豆花 Lespedeza tomentosa (Thunb.) Sieb. 的根。

形態 小灌木。小枝密被棕黃色絨毛。複葉互生；小葉 3，長橢圓形或橢圓形，先端圓，有小針刺，兩面貼生絨毛，下面尤密。總狀花序腋生，花軸密被棕色絨毛；花梗極短；小苞片線形或卵圓狀線形；花萼 5 深裂，裂片披針狀鑽形，密被絨毛；花冠白色，旗瓣與龍骨瓣等長或稍長；無瓣花腋生，無花梗，成簇生的頭狀花序。莢果橢圓形或倒卵狀圓形，密被絨毛。

分佈 生於山坡叢林間。分佈於中國大部分地區。

採製 秋季採收。洗淨，切片，曬乾。

成分 含黃酮類槲皮素的甙、三葉豆甙 (trifolin)。

性能 甘，平。滋補，健脾。

應用 用於虛癆，虛腫。用量 30g，煎湯或燉肉。

文獻 《大辭典》上，0553。

3183 百脈根

來源 豆科植物百脈根 Lotus corniculatus L. 的全草。

形態 多年生草本，高 8～55cm，莖叢生。小葉 5，其 2 小葉生於葉柄部，其餘 3 小葉生於葉柄頂端，小葉卵形或倒卵形，長 4～20mm，先端急尖，基部楔形，幼時具疏長柔毛。花排成傘形花序；總苞葉狀；萼齒三角形；花冠黃色，長約 1cm，旗瓣闊卵圓形，翼瓣較龍骨瓣稍長；二體雄蕊；子房上位。莢果長圓柱形，長 2～3cm，紫綠色；種子腎形。

分佈 生於山坡草地或田間濕潤處。分佈於湖南、貴州、雲南、四川、甘肅、陝西。

採製 夏、秋季採挖，洗淨，曬乾。

性能 甘、苦，微寒。下氣，止渴，除虛勞，補不足，清熱解毒，止咳平喘。

應用 用於風熱咳嗽，咽炎，扁桃體炎，胃中痞滿疼痛，濕疹，瘡癬，痔瘡等。用量 6～15g。外用適量。

文獻 《大辭典》上，1739；《滙編》下，241。

3184 貢山雞血藤

來源 豆科植物貢山雞血藤 *Millettia champutongensis* Hu 的根。

形態 常綠攀援灌木。羽狀複葉，小葉5～7，長橢圓形或卵圓形，先端鈍或漸尖，基部圓形。圓錐花序頂生或腋生，下垂；花多而密集，單生於花序軸的節上；花萼鐘狀，外被黃棕色絲狀毛；花冠蝶形，紫紅色，旗瓣外面淡紫紅色；子房有毛。莢果，微彎。

分佈 生於低山灌叢、林中。分佈四川、雲南。

採製 四季可採，切片曬乾。

性能 甘、澀，平。行氣活血。補血鎮痛。

應用 用於跌打損傷，骨折，風濕關節痛，貧血。用量10～15g。

文獻 《西昌中草藥》上，691。

3185 山綠豆

來源 豆科植物山綠豆 *Phaseolus minimus* Roxb. 的種子。

形態 一年生草質藤本。小葉3，頂生小葉片近卵形，長3～8cm，先端急尖或鈍，基部近圓形，背面脈上有疏毛，側生小葉片斜卵形；托葉及小托葉披針形或線形。總狀花序腋生；小苞片披針形；萼齒4，上面兩個合生，下面一個較長，邊緣具毛；花冠黃色，旗瓣極外彎，有短爪及耳，龍骨瓣卷曲，具爪；二體雄蕊；子房被短柔毛。莢果圓柱形，長6～12cm。

分佈 生於山、路旁、耕地邊草叢中。分佈於南部各省區，北至河北。

採製 秋季採收，曬乾。

性能 甘，寒。清濕熱，利水消腫。

應用 用於婦女白帶，陰癢，陰濕疹，小便不利，腹水，四肢水腫等。用量10～20g。

文獻 《四川省中藥資源普查名錄》，87。

3186 灰毛槐樹

來源 豆科植物灰毛槐樹 Sophora glauca Lesch. 的根。

形態 灌木，高 0.5～1.5m，稀達 2m。枝條密被灰色或棕色短柔毛，羽狀腹葉長達 15cm，小羽片長 2～6cm，寬 1～2cm，先端鈍，有時具小尖頭，基部近圓形，背面密被灰色或棕色絹毛，後變無毛。總狀花序頂生；小苞片披針形；萼鐘狀，密被棕色絹毛；花冠紫色；二體雄蕊，與子房近等長；子房被灰色絹毛。莢果稍成串珠狀，長 6～12cm，密被絹毛。種子 5～6 粒，矩圓形。

分佈 生於山坡、路旁灌木叢中。分佈於四川、雲南、貴州。

採製 四季可採，挖取根，洗淨，曬乾。

性能 苦，寒。清熱，除煩。

應用 用於咽喉腫痛，牙痛，煩熱不眠，心神不安等。用量 6～15g。

文獻 《西昌中草藥》上，713。

3187 牯嶺野豌豆

來源 豆科植物牯嶺野豌豆 Vicia kulingiana Baicl. 的根及全草。

形態 多年生草本，高達 80cm。莖直立，光滑無毛，質堅硬。葉互生，偶數羽狀複葉，捲鬚不發達而成剛毛狀，葉軸長 1.5～3.5cm，上面具溝，無毛，葉柄長 0.4～1 cm；托葉斜卵形或近心形；小葉 2 對，卵狀披針形或卵形，長 4.5～9.5cm，寬約 1.5cm，基部楔形，全緣；小葉幾無柄。花紫色或藍色，蝶形，由 10 朵以上排列成腋生總狀花序，花下有明顯的葉狀苞片。莢果。

分佈 生於山谷疏林下、山溝邊草叢中或山坡路邊。分佈於江蘇、浙江、江西、湖南。

採製 夏、秋採收，曬乾。

性能 苦、澀，平。清熱解毒。

應用 用於扁桃體炎，瘧疾，疔瘡癰腫，風熱咳嗽，小兒食積。用量 9～30g。

文獻 《浙江藥用植物誌》上，633。

3188 血見愁老鸛草

來源 牻牛兒苗科植物血見愁老鸛草 Geranium henryi R. Kunth. 的全草。

形態 多年生草本，高 25～45 cm。根狀莖粗壯，肉質。莖近直立，從基部起有 2～3 次假歧分枝。葉對生，腎狀五角星形，長 5cm，寬 6～7cm，5 深裂，裂片菱狀短楔形，邊緣中部以上有齒狀缺刻，上面近無毛，背面被毛；上部莖生葉為戟狀三角形，3 裂，近無柄。花序柄長短不一，每柄生 2 花，花柄長 2～3cm，在果期向下彎；萼片有疏毛；花瓣倒卵形，白色或帶紅色，有時為藍紫色。蒴果長 2cm，被微柔毛。

分佈 生於山坡、溝邊或灌叢中。分佈於四川、湖北、河南。

採製 夏季採收，曬乾。

性能 苦、微辛，平。祛風，活血，清熱解毒。

應用 用於風濕關節痛，四肢麻木，腸炎，腹瀉，痢疾等。用量 6～15g。

文獻 《萬縣中草藥》，490。

3189 青島老鸛草

來源 牻牛兒苗科植物青島老鸛草 Geranium tsingtauense Yabe 的全草。

形態 多年生草本，高 30～40 cm。根狀莖短而直立，具肉質根。莖中部以上多假二歧分枝。葉對生，腎狀五角形，3～5 深裂稍超過中部，邊緣具牙齒缺刻，兩面被疏伏毛。花序頂生，傘形；萼片5，略有微柔毛，花瓣5，紫藍色，長 1.5cm。蒴果長 2～2.5 cm，有微柔毛。

分佈 生於赤松林下和陰坡草叢中。分佈於山東。

採製 秋季採割，曬乾。

性能 微苦，平。祛風除濕。活血通經。

應用 用於風濕關節炎，跌打損傷，月經不調等。用量 10～15g。

文獻 《中國高等植物圖鑒》二，527。

3190 老鸛草

來源 牻牛兒苗科植物老鸛草 Geranium wilfordii Maxim. 的全草。

形態 多年生草本，高 35～80 cm。莖伏臥或略傾斜多分枝。葉對生；葉柄長 1.5～4cm，生卷曲柔毛；葉片 3～5 深裂，近五角形，基部略呈心形，裂片近菱形，先端鈍或突尖，邊緣具整齊的鋸齒，上面具伏毛，下面沿脈被柔毛。花小，徑約小於 2cm，每 1 花梗着生 2 朵，腋生，花梗細長；花萼 5，疏生長柔毛，先端有芒；花瓣 5，白色或淡紅色，具深紅色縱脈；雄蕊 10；花柱 5 深裂，延長並與果柄連合成喙。蒴果成熟時開裂。

分佈 生於山坡、草地及路旁。分佈於東北、河北、江蘇、安徽、浙江、湖南、四川、貴州、雲南。

性能 苦、微辛，平。祛風濕，強筋骨，活血通絡，清熱止瀉。

應用 用於風寒濕痹，拘攣麻木，癰疽，腸炎，痢疾，跌打損傷等症。用量 6～15g。

文獻 《大辭典》上，1700；《滙編》上，330。

3191 佛手

來源 芸香科植物佛手 Citrus medica L. var. sarcodactylis (Noot.) Swingle 的果實。

形態 常綠小喬木或灌木，有刺。單葉互生，革質，具透明油點；葉柄無翅及關節；葉片長橢圓形或倒卵狀長圓形，先端鈍，邊緣有淺波狀鈍鋸齒。花內面白色，外面紫色。柑果卵形或長圓形，頂端分裂如拳狀或指狀。

分佈 生於熱帶、亞熱帶，喜陽光充足，排水良好的砂質壤土。分佈於浙江、江蘇、江西、福建、廣東、雲南、廣西、四川。

採製 秋季果實將成熟時採摘，晾至大部分水分蒸發後，縱切成薄片，曬乾或烘乾。

成分 果皮含揮發油，佛手內脂 (bergapten)，檸檬內酯 (limettin)；布枯葉甙 (diosmin) 和橙皮甙 (hesperidin) 等。

性能 辛、苦，溫。行氣止痛，舒肝和胃，化痰。

應用 用於胸悶氣滯，胃脘疼痛，嘔吐，痰飲咳喘等。用量 3～9g。

文獻 《中藥誌》三，57；《藥典》一，146。

3192 甜橙(枳實)

來源 芸香科植物甜橙 Citrus sinensis (L.) Osbeck 的幼果及種子。

形態 常綠小喬木，高 2～3m。分枝多，無毛，小枝具扁壓狀的稜角，無刺或稍有刺。葉退化呈單葉狀；葉柄長 0.8～1.8cm，葉翼窄，和葉交結處有明顯的隔痕；葉片橢圓形，長 6～12cm，邊緣有不明顯的波狀鋸齒；革質。花萼杯狀，3～5 裂；花瓣 4～8，通常為 5，長橢圓形；雄蕊多數；子房上位，10～13 室，每室有胚珠 4～8 枚，花柱粗大，常早落。果球形，直徑 7～9cm，成熟時橙黃色，油點顯明。

分佈 分佈於中國南方大部分地區。多有栽培。

採製 冬季果實成熟時採收，鮮用或曬乾。

性能 苦、辛、酸，微寒。行氣消積，化痰散痞。

應用 用於食積脹滿，大便不通，痰滯，胃下垂，脱肛，乳結不通，紅腫結硬疼痛。用量 3～9g。

文獻 《藥典》，197；《大辭典》下，4486。

3193 異花吳萸

來源 芸香科植物異花吳茱萸 Evodia baberi Rehd. et Wils. 的成熟果實。

形態 落葉灌木或小喬木，高 1～3m。小枝褐色，圓點狀皮孔突起。單數羽狀複葉對生，葉柄基部槽狀；小葉 7～9，葉片卵形或橢圓形，先端鈍，基部楔形或近圓形，全緣。傘房花序頂生，花萼片 5；花瓣 5，淺黃白色；雄蕊 5，生於花盤上；心皮通常為 5，長圓形，柱頭 4～5 裂。蒴果扁球形，成熟時 5 瓣裂呈蓇葖果狀，外表紅色，有油腺點；種子黑色，光亮。

分佈 生於疏林中或向陽坡地。分佈於四川。

採製 秋季果實成熟時採摘，陰乾。

性能 辛、苦，溫。理氣，散寒，止痛。

應用 用於胃腹冷痛，胃寒嘔吐。用量 3～5g。

文獻 《滙編》上，448。

3194 臭辣樹

來源 芸香科植物臭辣樹 Evodia fargesii Dode 的果實。

形態 落葉小喬木，高 8～15m。小枝褐色，皮孔長圓形。單數羽狀複葉對生，小葉 5～9，卵狀披針形或長橢圓形，長 6～11cm，寬 2～6cm，先端漸尖，基部常偏斜，全緣，葉背主脈基部及脈腋被毛。傘房花序頂生，花黃白色；萼片 5 淺裂，邊緣有睫毛；花瓣 5；雄蕊 5，長於花瓣；子房球形，花柱極短。蓇葖果 4～5 裂；種子棕黑色。

分佈 生於向陽坡地或灌叢中。分佈於江西、浙江及長江流域。

採製 秋季果實近成熟時採摘，陰乾。

性能 辛，溫。理氣，止痛，止咳。

應用 用於胃腹疼痛，小兒麻疹後咳嗽不止。用量 1～3g。

文獻 《大辭典》下，3887。

3195 臭山羊

來源 芸香科植物日本常山 Orixa japonica Thunb. 的根。

形態 落葉灌木，高可達 3m。嫩梢綠色，初時疏生白色毛。單葉互生；具黃色半透明腺點，發惡臭；葉柄溝狀，疏生白色毛或無毛；葉片菱狀卵形至卵狀橢圓形，長 3～17cm，寬 2～9cm，先端漸尖或具鈍狀尖頭，基部闊楔形，全緣，或有細鈍鋸齒。花單性，雌雄異株，黃綠色；雄花序總狀，側生於新枝基部，花軸與花柄均散生白毛；萼片 4，卵形；花瓣 4，雄蕊 4，與花瓣互生；雌花單生，具退化雄蕊 4，心皮 4，離生。蒴果，二瓣裂。

分佈 生於山野，亦有栽培。分佈於中國長江以南各地。

採製 秋季採根，曬乾。

成分 含和常山鹼 (orixine)、香草木鹼 (kokusagine) 等生物鹼。

性能 辛、苦，寒。清熱解表，行氣止痛，祛風利濕。

應用 治風熱感冒，咳嗽，喉痛，胃痛，風濕關節痛，痢疾，無名腫毒。用量 9～15g。

文獻 《大辭典》下，3882。

3196 花椒

來源 芸香科植物花椒 Zanthoxylum bungeanum Maxim. 的果皮。

形態 落葉灌木或小喬木，高 3～7m。莖枝常有皮刺。奇數羽狀複葉，互生，葉軸兩側有狹小葉翼，背面有小皮刺。小葉 5～9，對生，無柄，卵形或卵狀長圓形，邊緣具細鈍齒，齒間有透明腺點。聚傘狀圓錐花序頂生；花小，單性，花梗被短柔毛；花被片 4～8，三角狀披針形；雄花雄蕊數與花被相同，有退化心皮 2；雌花心皮 3～4，分離；子房近無柄。蓇葖果紅色至紫紅色，外被疣狀腺點；種子圓球形，黑色。

分佈 生於山坡灌叢中或向陽地。分佈於陝西、甘肅、湖北、湖南、貴州、四川、雲南。

採製 秋季果熟時採摘，晾曬。

成分 含揮發油，油中主含檸檬烯 (limonene) 等。

性能 辛，溫。溫中助陽、散寒燥濕、止癢、驅蟲。

應用 用於脘腹冷痛，嘔吐，腹瀉，陽虛痰喘，蛔蟲及蟯蟲病。外用於瘡疥，皮膚瘙癢。用量 3～6g。外用適量。

文獻 《中藥誌》三，365。

3197 蚌殼椒

來源 芸香科植物大葉花椒 Zanthoxylum dissitum Hemsl. 的果實。

形態 常綠近蔓生灌木。莖枝有下彎的皮刺。單數羽狀複葉互生，長 25～30cm，小葉 5～9 枚，革質，長圓形，長 8～15cm；葉軸、總葉柄有時葉背主脈上生下彎銳刺。圓錐花序腋生，花單性，4 數；雄花序長，萼片 4，卵形，花瓣 4，黃色，雄蕊花絲長於花瓣；雌花序較短，心皮 4，離生。蓇葖果密集成簇，褐色，2 裂，似蚌殼狀；種子球形，黑色，光亮。

分佈 生於山坡灌叢中。分佈於河北、陝西及長江以南大部地區。

採製 秋季採摘，陰乾。

性能 辛，溫。有小毒。理氣，調經。

應用 用於疝氣，月經不調。用量 3～6g。

文獻 《大辭典》上，0247。

附註 本植物的根入藥可治風濕疼痛。

3198 長毛遠志

來源 遠志科植物長毛遠志 Polygala wattersii Hance 的根、葉或樹皮。

形態 灌木或小喬木，高 1～4m。樹皮灰綠色。單葉互生，多集於小枝先端；近革質；葉片橢圓形、橢圓狀披針形至倒披針形，長 5～10cm，寬 1.5～2.5 cm，上面綠色或帶紫色，下面白綠色，全緣。總狀花序單生於小枝近頂端的葉腋裏，2～5 個成簇；花黃色，或先端帶紫色，長 12～20mm；花萼 2 輪，外輪 3，極小，內輪 2，花瓣狀；花瓣 3，中間龍骨瓣的背面頂部有二囊狀附屬物，兩側花瓣⅔部分與花鞘貼生；雄蕊 8，花絲下部¾合生成鞘。蒴果橢圓狀倒卵形，長 10～14mm，種子 2，有淡棕色長柔毛。

分佈 生於向陽山坡的灌木叢中。分佈於四川、湖北、湖南、廣西。

採製 夏、秋採收，曬乾。

性能 微甘、澀，溫。活血解毒。

應用 治跌打損傷，乳癰。用量 9～15g。

文獻 《大辭典》上，0377。

3199 黑鉤葉

來源 大戟科植物雀兒舌頭 Andrachne chinensis Bunge 的全株。

形態 小灌木，高達 3m。小枝綠褐色，幼時被毛。葉卵形至披針形，長 2～4.5cm，寬 0.5～2cm；葉柄纖細，長 2～8mm。花單生或 2～4 朵簇生於葉腋，單性，雌雄同株；萼片 5，基部合生；雄花花瓣 5，白色，腺體 2 裂，與萼片互生，雄蕊 5，退化子房 3 裂；雌花的花瓣較小，子房無毛，花柱 3。蒴果球形或扁球形，直徑 6mm。

分佈 生於山地陰處。分佈於中國大部分地區。

採製 秋季採集，除去泥沙雜質，曬乾。

性能 澀，平。收斂止瀉，止渴生津。

應用 用於口渴咽干，腹瀉。用量 5～10g。

文獻 《四川省中藥資源普查名錄》，95。

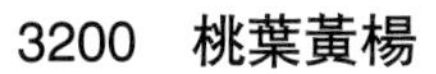

3200 桃葉黃楊

來源 黃楊科植物桃葉黃楊 Buxus henryi Mayr. 的莖葉。

形態 常綠灌木或小喬木，高 2～3m。幼枝黃綠色，多分枝，具四稜。葉對生，革質，披針形或狹卵形，長 5～7cm，寬 2～3cm，先端急尖，基部楔形，中脈突起，側脈平行。花 4～6 朵聚生葉腋，雌雄同序，中央為 1 雌花，其餘為雄花；花無花瓣，雄花萼片 4，雌花萼片 6，花柱 3。蒴果近球形，果瓣頂部有 2 角。

分佈 生於疏林中或林緣。分佈於長江流域以南各地。

採製 夏、秋季採收，切段，曬乾。

性能 辛、苦，涼。消腫解毒，活血祛瘀。

應用 用於跌打腫痛，瘡腫等。用量 5～10g。

文獻 《四川省中藥資源普查名錄》，97。

3201 三角咪

來源 黃楊科植物宿柱三角咪 Pachysandra stylosa Dunn 的根或全草。

形態 常綠亞灌木，老莖匍匐生不定根，高約 40cm。葉互生，堅紙質，卵形、闊卵形或卵狀長圓形，長 6～16cm，寬 4～10cm，先端漸尖，基部圓或急尖，全緣或有粗齒；葉柄長 5～7cm，粗壯。花序腋生，長 2.5～5cm，花大多紅色；花單性，無花瓣；雄芯 10～20，雌花 3～6，雄花、雌花萼片均長 3～4mm。果熟時紫紅色，球形，長約 1cm，宿存花柱長 1～1.5cm。

分佈 生於山林巖石腳、溝邊、林下陰濕處。分佈於福建、江西、廣東、貴州、雲南。

採製 夏、秋採收，洗淨，曬乾。

性能 苦、辛，溫，有毒。活血，化瘀，止痛。

應用 用於風濕痹痛，勞傷腰痛，腹痛，跌打損傷。用量 3～10g。

文獻 《大辭典》上，0109。

3202 紅麩楊

來源 漆樹科植物紅麩楊 Rhus punjabensis Stew. var. sinica (Diels) Rebd. et Wils. 的根。

形態 落葉喬木，高 7～12m。小枝被短柔毛。單數羽狀複葉，葉軸上部有狹翅或在幼時葉軸全部有翅；小葉 7～11～17，長卵形或長橢圓形，長 7～12cm，先端漸尖，基部圓形或近心形，全緣，下面脈上被短柔毛。圓錐花序頂生，長 11～20cm，具開展的分枝，被細柔毛；花小，白色；有花萼和花冠；花藥紫色。果序下垂，核果紅色，近圓形，密被柔毛。

分佈 生於山坡疏林中。分佈於湖北、湖南、四川、貴州、雲南。

採製 秋季採挖，洗淨，曬乾。

性能 酸、澀，平。收斂止瀉，澀腸。

應用 用於痢疾，腹瀉。用量 5～10g。

文獻 《大辭典》上，2034。

3203 白花藤

來源 衛矛科植物短梗南蛇藤 Celastrus rosthornianus Loes. 的根。

形態 木質藤本，長 2～7m。幼枝具縱條紋，有白色突起的圓形皮孔。單葉互生，近革質，倒卵狀矩圓形或橢圓形，長 4～10cm，寬 2～5cm，先端急尖，基部楔形，邊緣具疏鋸齒；托葉絲狀，簇生；葉柄長 4～11mm，上面有寬溝。聚傘狀圓錐花序或總狀花序頂生，有的單生或簇生葉腋，幾無總花梗；花白色或淡綠色，花萼裂片卵形，邊緣或有細毛；花瓣 5，矩圓形；雄花的雄蕊 5，生於花盤邊緣；雌花子房近球形，柱頭 3 裂。蒴果球形，直徑 6～8mm。

分佈 生於山地林中。分佈於湖北、四川、雲南、貴州、廣東、廣西。

採製 秋季採挖，洗淨，曬乾。

成分 含衛矛醇 (dulcitol) 等。

性能 辛、苦，平。舒筋活血，鎮痛。

應用 用於扭傷，筋骨痛，胃痛，牙痛，月經不調等。用量 3～9g。

文獻 《新華本草綱要》一，306。

3204 木螃蟹

來源 衛矛科植物角翅衛矛 Euonymus cornutus Hemsl. 的果實。

形態 直立小灌木，高 1～2m。幼枝淡黃綠色，微具 4 稜。單葉對生，薄革質，線狀披針形，長 8～20cm，寬 1～2cm，先端長漸尖，基部楔形，邊緣具淺鋸齒；葉柄長 3～8mm。聚傘花序腋生，總花梗極細，長 3.5～7cm；萼裂片 4～5，半圓形；花瓣 4～5，卵形，紫紅色；雄蕊無花絲，生於花盤邊緣；花盤發達，4～5 淺裂；子房 4～5 室，花柱極短。蒴果紫紅色，近球形，具 4～5 翅；種子紅色，具橙黃色假種皮。

分佈 生於中山林緣或灌叢中。分佈於陝西、甘肅、湖北、四川、雲南。

採製 秋季採摘，曬乾。

性能 甘、淡，微寒。止咳，除濕熱。

應用 用於咳嗽，口臭。用量 3～5g。

文獻 《峨嵋山藥用植物研究》一，56。

3205 四川衛矛

來源 衛矛科植物四川衛矛 Euonymus szechuanensis C.H. Wang 的枝葉。

形態 直立小灌木，高 2～4m。幼枝紫綠色。單葉對生，紙質，矩圓形或倒卵形，長 5～10cm，寬 2～5cm，先端急尖至尾狀漸尖，基部寬楔形，邊緣具鋸齒；葉柄長 3～5mm，上面具寬溝。聚傘花序腋生，具小花 3～7 朵，總花梗極細，長 4.5～8cm，下垂；花紫紅色，5 數；花萼裂片近圓形，微具緣毛；花瓣卵形，長約 4mm；雄蕊生於花盤邊緣，無花絲；花盤肉質，5 淺裂；子房 5 室，柱頭頭狀。蒴果近球形，具 5 翅；種子具紅色假種皮。

分佈 生於林下或林緣。分佈於四川。

採製 夏、秋季採收，曬乾。

性能 辛，溫。祛風，散寒。

應用 用於風寒感冒，咳嗽。用量 5～10g。

文獻 《四川省中藥資源普查名錄》，100；《四川植物誌》四，307。

3206 膀胱果

來源 省沽油科植物膀胱果 Staphylea holocarpa Hemsl. 的果實。

形態 灌木或小喬木，高達 5m。三出複葉對生，小葉片橢圓形或卵圓形，長 5～8cm，寬 2～5cm，先端漸尖或急尖，基部寬楔形或近圓形，邊緣具細鋸齒，背面淡白色，主脈及側脈被短柔毛；頂生小葉具長柄。圓錐花序下垂；花白色，5 數；萼片黃白色；花瓣較萼片稍大，長圓形或長圓狀披針形；雄蕊與花瓣近等長，互生，着生於花盤邊緣；子房上位。蒴果近倒卵形，膀胱狀膨大。種子多數，黃色。

分佈 生於山地林中。分佈於四川、湖北、甘肅、陝西。

採製 秋季採收，曬乾。

性能 微苦，平。祛痰鎮咳。

應用 用於咳嗽痰多，喘咳不止等。用量 3～15g。

文獻 《峨嵋山藥用植物研究》一，56。

3207 銀鵲樹

來源 省沽油科植物銀鵲樹 Tapiscia sinensis Oliv. 的果實。

形態 落葉喬木，高達 15m；芽卵形。單數羽狀複葉，長達 30cm；小葉 5～9，狹卵形或卵形，長 6～14cm，邊緣有鋸齒；葉柄常帶紫紅色。圓錐花序腋生，雄花與兩性花異株，雄花序長達 25cm，兩性花序長達 10cm；花小，黃色，芳香；萼鐘狀，5 淺裂；花瓣 5，狹倒卵形；雄蕊 5，與花瓣互生；子房 1 室，雄花有退化雌蕊。核果近球形。

分佈 生於山地林中。分佈於四川、湖北、湖南、安徽、浙江、雲南、廣東、廣西。

採製 秋季採收，曬乾。

性能 辛、甘，微寒。解表，清熱，利濕。

應用 用於黃疸，水腫，感冒發燒。用量 3～6g。

文獻 《四川省中藥資源普查名錄》，101。

3208 馬比木

來源 茶茱萸科植物海桐假柴龍樹 Nothapodytes pittosporoides (Oliv.) sleum. 的根皮。

形態 小喬木，高 4～5m。葉互生，葉片長橢圓形，長 6～11cm，寬 1.5～3.2cm。，先端漸尖，基部楔形，全緣，具短柄。聚傘花序頂生，具短總梗；萼片 5 齒裂，外面被疏生粗毛；花瓣 5，淡黃色，外面有粗毛，內面有柔毛；有臭氣，子房密生粗毛。核果橢圓狀，先端有鈍狀突起，成熟時紅色。

分佈 生於土坡。分佈於貴州、湖南、湖北、四川。

採製 5～8 月採剝根皮，曬乾。

性能 辛，溫。祛風除濕，理氣散寒。

應用 治關節疼痛，浮腫，小兒疝氣等。用量 9～15g。

文獻 《大辭典》上，0592。

3209 房縣槭

來源 槭樹科植物房縣槭 Acer franchetii Pax 的根皮。

形態 落葉喬木，高 10～15m。小枝紫綠色，幼時有短柔毛。葉對生，近圓形，長 10～20cm，寬 12～23cm，先端鈍，基部心形或圓形，3～5 淺裂，邊緣有疏鋸齒，幼時兩面被毛，老後葉面脈腋有毛；葉柄長 3～6cm。總狀花序側生，單性，異株，花黃綠色；萼片5，長圓形，邊緣有毛；花瓣 5，與萼片等長；雄蕊 8～10，花絲無毛；雌花子房有疏柔毛。翅果飛蛾狀，銳角張開，果梗幼時有短毛。

分佈 生於中山混交林中。分佈於河南、陝西、湖北、湖南、四川、貴州、雲南。

採製 秋、冬季挖採，洗淨，曬乾。

性能 辛，溫。活血，祛風濕。

應用 用於跌打損傷，風濕麻木。用量 5～8g。

文獻 《四川省中藥資源普查名錄》，101。

3210 地錦槭

來源 槭樹科植物地錦槭 Acer mono Maxim. 的樹皮。

形態 落葉喬木，高達 20m。小枝棕灰色或灰色，無毛。單葉對生；柄長 3～6cm；葉片五角形，長達 7cm，寬 6～9cm，5 深裂，裂片寬三角形，先端長漸尖，基部心形。傘房花序頂生枝端，無毛，花多數，黃綠色，有長梗；萼片、花瓣各 5；雄蕊多數。小堅果扁平，卵圓形，果翅矩圓形，開展度成鈍角，翅長為小堅果的 2 倍，長約 2cm，寬約 8mm。

分佈 生於針闊混交林的林緣或林中及闊葉林中。分佈於東北、華北、西北及長江流域。

採製 春秋季剝取，曬乾。

性能 辛，溫。祛風除濕，活血祛瘀。

應用 用於風濕骨痛，骨折，跌打損傷。用量 9～15g。

文獻 《長白山植物藥誌》，713。

3211 青楷槭

來源 槭樹科植物青楷槭 Acer tegmentosum Maxim. 的樹皮。

形態 落葉喬木，高 10～15m。樹皮灰色或深灰色，平滑，有裂紋。單葉對生；葉紙質，近於圓形或卵形，長 10～12cm，寬 7～9cm，邊緣有鈍尖的重鋸齒，基部圓形或近於心形，3～7 裂，通常 5 裂，主脈 5 條，由基部生出；葉柄長 4～7cm。花黃綠色，雜性，雄花與兩性花同株，總狀花序常無毛；萼片 5，長圓形；花瓣 5，倒卵形；雄蕊 8；子房無毛。小堅果微扁平，連翅長 2.5～3cm，張開成鈍角或近於水平，果梗細瘦。

分佈 生於海拔 500～1000m 的疏林中。分佈於東北地區。

採製 春、秋季剝取，曬乾。

成分 含單寧。

性能 消腫，化毒，止血。

應用 用於腫毒，外傷出血。外用適量研末調敷。

文獻 《吉林省長白山區野生經濟植物名錄》，108。

3212 三花槭

來源 槭樹科植物三花槭 Acer triflorum Kom. 的樹汁。

形態 落葉喬木，高達 10 餘米。樹皮褐色，常成薄片脱落；幼枝有疏柔毛，老枝紫褐色。複葉由 3 小葉組成，紙質，長卵圓形或倒卵形，頂生小葉基部楔形，小葉柄長 5～7mm，側生小葉偏斜，中部以上具 2～3 鈍齒，小葉柄長 1～2mm，葉脈上面凹下，下面突出。傘房花序常 3 花組成；雄花及兩性花異株；花梗有疏柔毛。小堅果近球形，生淡黃色疏柔毛，連翅長 4～4.5cm，翅張開成鋭角或近直立，果梗疏生柔毛。

分佈 生於雜木林及針闊混交林中。分佈於東北。

採製 樹葉萌發前在樹幹上打眼、採液，鮮用。

成分 含糖類及多種氨基酸、礦物元素。

性能 清熱解毒。

應用 用於痰喘咳嗽，鮮汁適量飲用。

文獻 《吉林省長白山區野生經濟植物名錄》，108。

3213 天師栗(娑羅子)

來源 七葉樹科植物天師栗 Aesculus wilsonii Rehd. 的種子。

形態 落葉喬木，高 15～25m。掌狀複葉對生，小葉 5～7 枚，倒卵狀長圓形或卵狀披針形，長 10～20cm，寬 3～8cm，邊緣有細鋸齒，葉面主脈上有細毛，葉背密生細毛。圓錐花序頂生，長 30～35cm，花梗有細毛，雄花和兩性花同花序而疏生；花萼不整齊 5 齒裂，外面有毛；花瓣 4，白色，橢圓形，上 2 瓣較長，外面及邊緣密生細毛；雄蕊 6～8；子房卵形，無毛。蒴果卵形或倒卵形，頂端尖，外表有褐色斑點。種子球形，種臍約佔底面的⅓。

分佈 生於中山混交林中或栽培。分佈於陝西、湖北、湖南、四川、貴州。

採製 秋季種子成熟時採集，曬乾。

性能 甘，溫。寬中，理氣，殺蟲。

應用 用於胃腹脹滿，蟲積腹痛。用量 3～8g。

文獻 《大辭典》下，4024。

3214 黃金鳳

來源 鳳仙花科植物黃金鳳 Impatiens siculifer Hook. f. 的莖。

形態 一年生草本，高 30～60cm。莖細弱，少分枝。單葉互生，密集於莖或分枝的上部，卵狀披針形或橢圓狀披針形，長 5～13cm，先端急尖或漸尖，基部楔形，邊緣有粗圓齒，齒間有小剛毛；下部葉柄長 1.5～3cm，上部葉近無柄。總狀花序生於葉上部葉腋，花 5～8 朵，花梗纖細，基部有 1 披針形苞片，花黃色；萼片 2，窄矩圓形，先端突尖；旗瓣近圓形；翼瓣無柄，二裂，基部裂片近三角形，上部裂片條形；唇瓣狹漏斗狀，先端有喙狀短尖，基部延長成內彎或下彎的長距；花藥鈍。蒴果圓柱狀。

分佈 生於草叢或林下陰濕處。分佈於江西、湖南、湖北及西南各地。

採製 秋季採割，鮮用或曬乾。

性能 辛、苦，寒。祛瘀消腫，清熱解毒。

應用 用於風濕骨痛，跌打紅腫，燙傷。用量 5～10g。外用適量。

文獻 《貴州中草藥名錄》，324。

3215 勾兒茶

來源 鼠李科植物牛鼻拳 Berchemia giraldiana Schneid. 的根。

形態 藤狀灌木，高約 2m，全體無毛。小枝黃綠色。葉互生，卵形或卵狀橢圓形，先端銳尖，基部渾圓或微心形，上面光禿，下面常有極微小的乳突點；側脈 9～12 對；葉柄長 1～2cm。聚傘圓錐花序頂生；花白色，萼片三角狀披針形；花瓣倒卵形。核果矩圓形，長約 0.8cm，直徑約 0.4cm，紅色。

分佈 生於向陽山坡，灌叢或路旁。分佈於陝西、湖北、河南、雲南、四川、廣東。

採製 秋季挖根，洗淨，曬乾。

性能 微澀，平。祛風除濕，活血通絡，止咳化痰，健脾益氣。

應用 用於風濕關節痛，腰痛，肺結核，小兒疳積，膽道蛔蟲，毒蛇咬傷，跌打損傷等。用量 10～20g。

文獻 《大辭典》上，0971。

3216　峨嵋勾兒茶

來源　鼠李科植物峨嵋勾兒茶 *Berchemia omeiensis* Fang ex Y.L. Chen 的地上部分。

形態　藤狀或攀援狀灌木，小枝黃褐色，平滑。葉革質或近革質，卵狀橢圓形，頂端短漸尖，上面深綠，下面淺綠或帶紅色；側脈每邊 7～13 條，在兩面凸起，無毛或僅下面脈腋具髯毛；葉柄長 4cm。寬聚傘圓錐花序頂生，具長分枝，花序軸無毛；萼片三角形；花瓣匙形。核果圓柱狀橢圓形，長 1～1.3cm，基部有皿狀宿存花盤，成熟時紅色，後變紫黑色。

分佈　生山地林中。分佈於四川、湖北和貴州。

採製　全年可採，曬乾。

性能　甘，平。祛風除濕，活血止痛。

應用　用於跌打損傷，風濕關節疼痛。用量 5～15g。

文獻　《四川省中藥資源普查名錄》，104。

3217　女兒紅

來源　鼠李科植物雲南勾兒茶 *Berchemia yunnanensis* Fr. 的根。

形態　攀援灌木，長 3～5m。小枝無毛，淺褐色。單葉互生，紙質，橢圓形或卵形，長 1.5～3cm，寬 0.7～1.5cm；先端銳尖，基部圓形或心形，側脈明顯，6～10 對；全緣，上面深綠，光滑，下面黃白色。密集的聚傘總狀花序多頂生，總梗無毛；花 5 數，子房上位，花柱 2 淺裂。核果矩圓形，紫黑色，宿存花盤皿狀。

分佈　生於土坎或荒坡向陽處。分佈於雲南、四川、貴州。

採製　9～10 月挖根，洗淨，曬乾。

性能　甘、淡，平。清熱，利濕，祛風，止痛。

應用　用於赤白痢疾，黃疸，熱淋，崩中帶下等症。用量 10～20g。

文獻　《大辭典》上，0473。

3218 薄葉鼠李

來源 鼠李科植物薄葉鼠李 *Rhamnus leptophylla* Schneid. 的根。

形態 灌木，高達 5m。幼枝灰褐色，無毛或有微柔毛，對生或近對生，頂端成針刺狀。葉對生、互生或簇生於短枝上，葉片倒卵形、橢圓形或長橢圓形，長 4～8cm，寬 2～4cm，頂端急尖，基部楔形，葉背面脈腋處有髯毛，邊緣有圓鋸齒；葉柄長 8～15mm，有短柔毛或近無毛。花單性，成傘狀花序或簇生於短枝上；萼 4 裂；花瓣 4，綠色；雄蕊 4。核果球形，成熟後黑色，種子寬倒卵形，背面有縱溝。

分佈 生於山坡灌叢及路旁。分佈於中國南方大部分地區。

採製 夏、秋季採挖，洗淨，切段，曬乾。

性能 苦，平。活血消積，理氣止痛。

應用 用於腹痛，月經不調。用量 3～6g。

文獻 《中國高等植物圖鑒》二，761；《貴州中草藥名錄》，327。

3219 叫梨木

來源 鼠李科植物小凍綠樹 *Rhamnus rosthornii* Pritz. 的根及果實。

形態 灌木或小喬木，高 2～3 m；小枝灰褐色，頂端針刺狀。單葉互生或在小枝頂端簇生；葉片厚紙質，倒卵形或長橢圓形，長 1～3.5cm，寬 0.7～1.2cm，先端常圓鈍，基部漸狹成短柄，邊緣有小圓齒，兩面無毛。花單性，單生於葉腋或數朵成聚傘花序；花萼 4 裂；花冠 4，黃綠色；雄蕊 4。核果卵圓形，直徑 3～4mm，成熟後黑色，有 2 核；種子卵形，背面有長達種子全長的縱溝。

分佈 生於山坡林邊、灌叢中。分佈於湖北、四川、雲南。

採製 四季挖根；秋季採收果實。鮮用或曬乾。

性能 苦、澀，涼。利水行氣，消積通便。

應用 用於食積腹瀉，大葉性肺炎，瘡癬，便秘。用量，根 10～15g；果實 1.5～3g。

文獻 《西昌中草藥》下，816。

3220 鏽毛雀梅藤

來源 鼠李科植物鏽毛雀梅藤 *Sageretia rugosa* Hance 的嫩枝及葉。

形態 藤狀小灌木，長 1～2m。小枝褐色，密生鏽色短柔毛，有時可見刺狀短枝。葉厚紙質，卵狀橢圓形或卵狀披針形，長 3～6cm，先端急尖或漸尖，基部圓形，邊緣有細鋸齒，上面光滑，背面被鏽色絨毛，側脈 5～8 對；托葉披針形。花無柄，排成頂生或腋生穗狀圓錐花序，被短絨毛；花萼 5 裂，裂片三角形；花瓣 5，較小，常脫落；雄蕊 5，花藥卵形，花盤杯狀；子房上位。核果球形，先紅色，後變黑色。

分佈 生於山坡灌木林邊。分佈於湖北、湖南、四川、貴州、廣西、廣東、福建。

性能 甘、淡，平。清熱解毒，消腫。

應用 用於急性肝炎，四肢水腫等。用量 3～15g。

文獻 《四川省中藥資源普查名錄》，105。

3221 葛藟汁

來源 葡萄科植物葛藟 Vitis flexuosa Thunb. 的藤汁及果實。

形態 藤本。幼枝被有鏽色絨毛，後變無毛。葉互生，闊卵形或三角狀卵形，先端急尖，基部闊心形或近截形，邊緣具不等的波狀淺齒，上面深綠色，無毛，下面淡綠色，主脈和脈腋均被柔毛。圓錐花序細長，花序軸有白色絲狀毛；花小，花瓣5，黃綠色；雄蕊5，與花瓣對生，花盤位於子房之下；花柱短，圓錐形。漿果黑色，球形。種子2～3粒。

分佈 生於山地灌叢內或林緣。分佈於長江流域，珠江流域及雲南、貴州。

採製 藤汁春、夏割取。果實秋季採摘。

性能 甘，平。潤肺止咳，清熱涼血，消食。

應用 藤汁用於補五臟，續筋骨，益氣，止渴。用量3～5g。果實用於咳嗽，吐血，食積。用量9～15g。

文獻 《大辭典》下，4801。

3222 葡萄

來源 葡萄科植物葡萄 Vitis vinifera L. 的果實、根、藤。

形態 纏繞藤本，樹皮成片狀剝落。葉圓形或圓卵形，3～5裂，下面常密被蛛絲狀綿毛。花雜性，異株，圓錐花序與葉對生；花序柄無卷鬚；花瓣5，先端黏合不展開，基部分離，開花時呈帽狀整塊脱落。漿果卵圓形至卵狀矩圓形，熟時紫黑色或青綠色。

分佈 各地均有栽培。

採製 果熟時採收，陰乾。根、藤10～11月間採收，曬乾或鮮用。

成分 果含葡萄糖、果糖、少量蔗糖、木糖、酒石酸、草酸、檸檬酸、蘋果酸，各種花色素的單、雙葡萄糖甙，蛋白質、鈣、磷、鐵、及多種維生素。

性能 果甘、酸，平。補氣血，強筋骨，利小便。根、藤甘、澀，平。除風濕，利小便。

應用 果用於氣血虛弱，肺虛咳嗽，心悸盜汗，風濕痹痛，淋病，浮腫。根、藤用於癱瘓麻木。用量根藤9～15g。

文獻 《大辭典》下，4809。

3223 樹棉根

來源 錦葵科植物樹棉 Gossypium arboreum L. 的根。

形態 一年生或多年生高大草本，高可達 3m。葉掌狀5 深裂，徑 5～10cm，兩面有毛；葉柄長 2～4cm，有長柔毛；托葉條形，早落。花單性，小苞片 3，基部緊貼於花，近全緣或先端有 3～5 粗齒；萼淺杯狀；花冠淡黃色，中心暗紫色。蒴果卵形，常下垂，長 3cm，具喙；種子具白色棉毛。

分佈 各產棉區常栽培。

採製 秋季採收，曬乾。

成分 花含異槲皮甙 (isoquercitrin)，葉含組胺 (histamine)。

性能 甘，溫。補氣，止咳，平喘。

應用 用於體虛咳嗽，浮腫，子宮脱垂等。用量 15～30g。

文獻 《滙編》上，813；《大辭典》下，4762。

3224 草棉根

來源 錦葵科植物草棉 Gossypium herbaceum L. 的根。

形態 一年生草本，高 0.8～1.3 m。葉掌狀 5 裂，通常寬大於長，兩面有毛；葉柄有長柔毛。花單生於葉腋；小苞片寬三角形，先端具 6～8 齒；萼 5 淺裂；花瓣 5，黃色，內面基部淡紫色，直徑 5～7cm；單體雄蕊；子房 5 室。蒴果卵圓形；種子斜卵形，長 1cm，具白色棉毛和短絨毛。

分佈 廣東、雲南、四川、新疆、甘肅等地栽培。

採製 秋季採收，曬乾。

成分 含棉酚 (gossypol)、皂甙、黃酮類等。

性能 甘，溫。補虛，平喘，調經。

應用 用於體虛咳嗽，疝氣，崩帶，子宮脱垂，浮腫等。用量：根 30～60g；根皮 10～30g。

文獻 《大辭典》下，4766；《滙編》上，813。

3225 歐錦葵

來源 錦葵科植物歐錦葵 Malva sylvestris L. 的種子和葉。

形態 二年生或多年生草本，高 1m 左右，分枝多。葉互生；葉圓心形或腎形，具 5～7 圓齒狀鈍裂片，長 5～12cm，寬幾相等，基部近心形至圓形，邊緣具圓鋸齒；葉柄長 4～8cm；托葉偏斜，卵形，具鋸齒，先端漸尖。花 3～11 朵簇生，花梗長 1～2cm；小苞片3，長圓形；萼片 5，寬三角形；花淡紅色或紅色，有紫色條紋，直徑 5～6cm，花瓣 5，匙形。果扁圓形，分果爿 9～11，腎形，平滑無毛；種子黑褐色，腎形。

分佈 中國大部分地區有栽培。

採製 種子於秋季採收，曬乾。夏秋採葉鮮用。

性能 鹹，寒。利尿通便，下乳。

應用 治大便秘結，小便不利，乳汁不通等。用量 6～9g；鮮葉 50～100g。

文獻 《四川省中藥資源普查名錄》，107。

3226　梧桐子

來源　梧桐科植物梧桐 Firmiana simplex (L.) W.F. Wight 的種子。

形態　落葉喬木，高達 15m。葉互生，心狀圓形，通常 3～5 掌狀裂，邊緣全緣或微波狀，下面有星狀柔毛，葉脈 3～5 出直達裂片先端。花小，單性或雜性，通常集成頂生的圓錐花序；花萼 5，花瓣狀，黃綠色，卵狀披針形，長 1.7cm，外披淡黃色短絨毛；無花瓣；雄蕊 10～15，花藥合生成圓柱體，與萼片等長；雌花常有退化雄蕊，子房圓球形，心皮 5。蓇葖果成熟前開裂；種子球形。

分佈　生於溫暖濕潤，土質肥厚處。分佈於華北、華南、中南、西南等地。

採製　8～9 月果熟時採收，曬乾，取出種子。

成分　含脂肪油、咖啡鹼 (coffein) 等。

性能　甘，平。順氣和胃，消食。

應用　用於食傷腹瀉，胃痛，疝氣。用於小兒口瘡。用量 3～9g。外用適量。

文獻　《中藥誌》三，574。

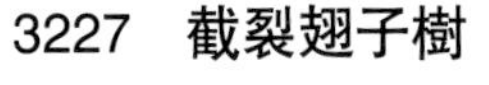

3227　截裂翅子樹

來源　梧桐科植物截裂翅子樹 Pterospermum truncatolobatum Gagnep. 的根。

形態　喬木，高達 15m。小枝密被黃褐色星狀毛。葉革質，長圓狀倒梯形，長 8～16cm，先端截形並有 3～5 裂，基部心形或斜心形，下面密被星狀絨毛；托葉掌狀 3～5 條裂，密被毛。花單生於葉腋，幾無柄；小苞片條裂；萼分裂幾至基部，萼片 5，較厚，寬線形，密被褐色絨毛；花瓣 5，長條狀鐮刀形；雄蕊 15，每 3 個集合成羣與退化雄蕊互生；子房卵形，被毛。蒴果木質，卵圓形或卵狀長圓形，有明顯的 5 稜和 5 個很深的溝，披褐色星狀絨毛；種子具翅，翅膜質，長條形。

分佈　生於石灰巖山上密林中。分佈於廣西、雲南。

採製　全年均可採挖，切片，曬乾。

性能　淡，微溫。舒筋，止痛，活絡。

應用　用於坐骨神經痛等。

文獻　《廣西藥用植物名錄》，177。

3228　鈍頭茶

來源　山茶科植物鈍葉柃 Eurya obtusifolia Chang 的果實。

形態　灌木，高 2～3m。幼枝圓柱形，有微毛。單葉互生，革質，矩圓形，長 4～6cm，寬 1.5～3 cm，先端銳尖，基部楔形，邊緣上半部略有細齒；葉柄長 4～5mm。花 1～4 朵腋生，萼片近圓形，下面有微毛；花瓣倒卵形，白色；雄蕊 10；花柱長約 1mm，頂端 3 淺裂。果實圓球形，直徑 4～5mm。

分佈　生於山地灌叢或疏林中。分佈於湖北、湖南、四川、貴州。

採製　秋季採收，曬乾。

性能　微苦，涼。清熱，利濕，解酒。

應用　用於暑熱口渴，熱淋，酒醉。用量 3～6g。

文獻　《四川省中藥資源普查名錄》，110。

3229　蠱蟲藥

來源　藤黃科植物滇金絲桃 Hypericum delavayi Fr. 的全草。

形態　一年生草本，高 13～35 cm。莖披散或直立，圓柱形。單葉對生，莖下部葉長矩圓形，長 1～2.5cm；上部葉漸小，披針形，葉緣具腺毛，基部抱莖。聚傘花序頂生；花小；萼片 5，邊緣具腺齒，有黑腺點散生；花瓣 5，黃色；花柱 3，分離。蒴果近球形，具褐色的泡。

分佈　生於田邊或草叢。分佈於四川、雲南。

採製　夏、秋季採收，曬乾。

性能　苦，寒。清肺熱，解濕毒，生肌。

應用　用於風火牙痛，淋巴結核，鼻炎等。用量 10～15g。

文獻　《萬縣中草藥》，163

3230　地黃瓜

來源　堇菜科植物匍伏堇菜 Viola diffusa Ging 的全草。

形態　小草本，全株披長柔毛。地下莖短而具鬚根 。基生葉數枚 ，叢生，卵形或卵狀矩圓形，長 1.5～6.5cm，基部截形或楔形，稀淺心形，下延於葉柄上部，先端圓或鈍，邊緣具圓鈍齒，匍匐枝數條，從葉叢中抽出，葉常聚生於上，托葉離生，線狀披針形，全緣或具齒。花頂生，兩側對稱；花萼綠色，萼片 5，披針形，基部附器短；花瓣 5，白色，具淺紫色條紋，距短，長約 2mm。蒴果橢圓形，長 5～7mm，無毛。

分佈　生於山地溝旁、疏林邊或陰濕石坎中。分佈於長江流域以南各地。

採製　夏、秋季採收，除去泥沙，曬乾。

性能　苦，寒。清熱解毒，祛風利濕。

應用　用於風熱咳嗽，痢疾，淋濁，癰腫瘡毒，燙傷，小便不利等。用量 3～10g。

文獻　《大辭典》上，1622。

3231 鏵頭草

來源 堇菜科植物紫花地丁 *Viola philippica* Cav. ssp. *munda* W. Beck. 的全草。

形態 小草本，有毛或近於無毛。地下莖短。無匍匐枝。葉基生，長圓狀披針形或卵狀披針形，長 3～7cm，先端鈍，基部近截形或淺心形，有時稍下延於葉柄上半部，邊緣具疏細齒，兩面無毛；托葉草質，離生部分全緣，鑽狀三角形。花單生，兩側對稱，花梗較長；萼片 5，卵狀披針形，基部附器短；花瓣 5，淡紫色，距管狀，漸變細，長 4～5.5mm，伸直或稍彎曲。蒴果橢圓形，長約 1.5mm。

分佈 生於山坡、路旁或耕地坎上。分佈於東北、華北、西南及山東、陝西、甘肅。

採製 夏季採收，洗淨，曬乾。

性能 微苦，寒。清熱解毒，涼血消腫。

應用 癰瘡，丹毒，乳腺炎，目赤腫痛，咽炎，黃疸型肝炎，腸炎，痢疾，膽囊炎，毒蛇咬傷等。用量 10～20g。外用適量。

文獻 《滙編》上，837；《中國高等植物圖鑒》二，907。

3232 倒卵葉旌節花

來源 旌節花科植物倒卵葉旌節花 *Stachyurus obovatus* (Rehd.) Hand.-Mazz. 的莖髓。

形態 常綠灌木，高 2～3m；樹皮上半部黑褐色，下半部綠黑色；當年生枝帶紫紅色，一年生以上的枝為黃綠色或灰褐色，皮孔線形；具白色髓心。葉互生，革質，倒卵形，或倒披針形，長 5～9cm，寬 1.5～3cm，先端呈尾狀，基部楔形，邊緣具細鋸齒，中脈帶紅色；葉柄深紫色，長 5～8mm。花綠黃色或綠白色，由 5～7 朵花組成直立穗狀花序；萼片 4，寬卵形；花瓣 4，倒卵形；雄蕊 8 條，柱頭頭狀。漿果，球形。種子多數。

分佈 生於向陽山坡，林緣或灌叢中。分佈於四川、雲南。

採製 夏、秋割取地上莖，趁鮮取出莖髓，理直、曬乾。

性能 淡，平。利尿滲濕。

應用 治熱病小便赤黃或尿閉，濕熱癃淋。用量 3～9g。

文獻 《大辭典》上，0515。

3233 凹葉旌節花

來源 旌節花科植物凹葉旌節花 Stachyurus retusus Yang 的莖髓。

形態 落葉灌木，高 1～3m。莖髓大，易通脱。單葉互生，圓形或橢圓形，長 5～8cm，先端凹缺，中央具小尖頭，基部微心形，邊緣鋸齒，葉背密佈灰白色星狀毛，葉柄紫紅色。穗狀花序腋生，下垂；小花綠白色，萼片 4，花瓣 4，雄蕊 8，柱頭 4 裂。果序長 2～3 cm，漿果球形。

分佈 生於中山林下或灌叢中。分佈於四川、雲南。

採製 夏、秋季採割，趁鮮通出髓，曬乾。

性能 淡，平。利尿，滲濕。

應用 用於小便不利，熱淋。用量 3～5g。

文獻 《大辭典》上，0515。

3234 柳葉旌節花

來源 旌節花科植物柳葉旌節花 Stachyurus salicifolius Fr. 的莖髓。

形態 常綠灌木，高 2～3m，直立、稀匍匐狀；樹皮褐色或紫褐色；髓白色；幼枝纖細，新枝棕紅色或綠黃色，老枝深棕色或紫褐色。葉互生，近革質，線狀披針形或披針形，長 7.5～15cm。寬 1～1.5cm，頂端漸尖，基部近圓形或闊楔形，邊緣有稀疏細鋸齒，腹面亮綠色，背面淡綠色，中脈帶紅色；葉柄長 5～12mm，帶紅色。花淡黃綠色，無梗，由 15 至多花組成下垂的穗狀花序，着生於當年生枝的葉腋或無葉的去年枝上；苞片三角狀卵形，萼片 4，卵形或橢圓形；花瓣 4，倒卵形；雄蕊 8 條，與花瓣等長。漿果球形；種子多數。

分佈 生於中山區的林緣、灌叢或雜木林中。分佈於四川、雲南、貴州。

性能 淡，平。利尿滲濕。

應用 治熱病小便赤黃或尿閉，濕熱癃淋等症。用量 3～9g。

文獻 《大辭典》上，0515。

3235 砂生沙棗

來源 胡頹子科植物砂生沙棗 Elaegnus mooceroftii Wall. ex Schlecht. 的果實。

形態 大灌木，高 2～4m。莖多分枝，具刺，褐色。樹幹受傷後流出褐色樹膠。葉披針形至長橢圓形，長 2～10cm，基部楔形，兩面及葉柄有銀白色盾狀鱗片。花單生或生於葉腋，花冠鐘形，長 0.4～0.6cm；花被外面有銀白色鱗片，裏面金黃色，頂端 4 裂，裂片近三角形；雄蕊 4，生花筒內中部；花盤短柱形；花柱長於雄蕊，頂端呈彎鈎狀。果實長卵形，黃色或淡褐色。

分佈 生於綠洲、河谷階地上。分佈於新疆。

採製 果熟時採收。

性能 甘、酸、澀，平。固精，健胃，止瀉。

應用 用於胃痛，消化不良，腸炎，慢性支氣管炎等。用量 15～30g。

文獻 《新疆藥用植物誌》二，80；《大辭典》上，2366。

附註 花、樹皮亦供藥用。治燒傷、心臟病等。

3236　黃果沙棗

來源　胡頹子科植物尖果沙棗 Elaeagnus oxycarpa Schlecht. 的果實。

形態　小喬木或灌木，高 3～7m。莖常分枝，有刺，褐色。葉披針形或長橢圓形，長 2～6cm，基部楔形，全緣；上面灰綠色，有稀疏鱗毛；下面有一層銀白色盾狀鱗片。花單生或 3 朵生於葉腋，長足 6mm；花被長鐘狀，外生銀白色鱗片，內面金黃色，頂端 4 裂，裂片三角形；雄蕊 4；花盤圓錐形或為鱗片狀，有白毛；花柱短於花藥，呈鈎狀彎曲。核果廣橢圓形，黃色或暗紅色，果核梭形。

分佈　生於綠洲平原，多種植作防風林。分佈於新疆、甘肅、內蒙古。

採製　果熟時採收，鮮用或曬乾。

性能　甘、酸、澀，平。強壯，固精，健胃，止瀉，調經，止咳。

應用　用於胃痛，腹瀉，身體虛弱，肺熱咳嗽等。用量 15～20g。

文獻　《新疆藥用植物誌》二，82；《大辭典》上，2366。

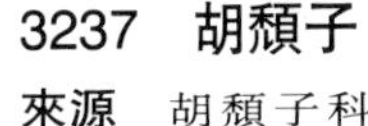

3237　胡頹子

來源　胡頹子科植物胡頹子 Elaeagnus pungens Thunb. 的根、葉和果實。

形態　常綠直立灌木，高 3～4m。樹皮深褐色；小枝褐色，被鱗片。葉互生，厚革質，橢圓形或長橢圓形，頂端短尖或鈍，初時被鱗片，後則變平滑而有光澤，下面初被銀灰色鱗片，後漸變褐色鱗片。花兩性，1 朵或數朵簇生於葉腋；花被筒圓筒形或漏斗形，上部 4 裂；雄蕊 4；雌蕊 1。果實橢圓形，熟時紅褐色。

分佈　生於低山向陽坡地或灌叢。中國長江以南各省有分佈。

採製　全年可採根葉，曬乾。果夏季成熟時採，曬乾。

成分　果實含鞣質、有機酸、糖類、脂肪等。

性能　苦、甘，平。祛風利濕，止咳平喘，消食止痢。

應用　用於傳染性肝炎，支氣管炎，腸炎，食慾不振。用量 9～15g。

文獻　《浙藥誌》下，861。

3238　白石榴花

來源　石榴科植物重瓣白石榴 Punica granatum L. var. multiplex Sw. 的花瓣。

形態　落葉灌木或小喬木，高達 6m。小枝圓形或微有稜，枝端呈刺狀。葉對生或簇生於短枝上，具葉柄；葉片矩圓形，倒卵形至長圓形，長 2～8cm，先端鈍，基部楔形，全緣。花白色，重瓣，徑約 3cm；花絲無毛；花柱長超過雄蕊。漿果近球形，徑約 10cm。

分佈　中國大部分地區有栽培。

採製　5～6 月花盛開時採摘，曬乾。

性能　酸、甘，平。止血，澀腸。

應用　用於咳血，吐血，衄血，便血，白帶，久痢。用量 5～10g。

文獻　《大辭典》上，1479。

3239　珙桐

來源　珙桐科植物珙桐 Davidia involucrata Baillon 的果皮。

形態　落葉喬木，高達 20m。小枝紫綠色，無托葉。葉片闊卵形或近圓形，長 8～14cm，寬 6～10cm，先端銳尖，基部心形或深心形，邊緣有粗鋸齒，被長柔毛，背面密被黃色粗毛；葉柄長 4～5cm，疏被短柔毛。頭狀花序頂生，兩性花位於花序中部，雄花位於花序周圍；苞片 2 枚，生於花序中部，矩圓形，長 7～15cm，白色或淡綠色。雄蕊 1～7；子房下位，花柱粗狀，柱頭向外展。核果長橢圓形，直徑 15～20cm。

分佈　生於山地林中。分佈於湖北、四川、貴州、雲南。

採製　秋季採收，剝取果皮，鮮用或曬乾。

性能　苦，微寒。清熱解毒，消癰疽。

應用　用於咽喉腫痛，癰疽，丹毒。用量 3～5g。

文獻　《四川省中藥資源普查名錄》，116。

3240 楮頭紅

來源 野牡丹科植物楮頭紅 Sarcopyramis nepalensis Wall. 的全草。

形態 多年生草本，高 10～35cm。莖四稜形，多汁液，無毛。葉對生，膜質，葉形變化大，多呈卵狀長圓形或長圓狀披針形，長 4～12cm，先端漸尖，基部近圓形或寬楔形，稀淺心形，邊緣具細銳齒，脈 3～5 條，上面疏生糙毛。花簇生莖頂或葉腋，紫紅色或粉紅色，萼筒具 4 翅，頂端裂片 4，寬而短，具流蘇狀長睫毛；花瓣 4，近卵形，雄蕊 8 枚，花藥頂端單孔裂，具藥隔，基部有距；子房下位，4 室。蒴果具四稜；種子矩圓形，表面有小乳突。

分佈 生於山坡草叢中或灌木林下。分佈於雲南、四川、貴州、廣西、廣東、江西、福建、台灣。

採製 秋季採收，曬乾。

性能 酸，涼。清肝熱，祛肝炎。

應用 用於風濕痹痛，風熱咳嗽，耳鳴，耳聾，目霧羞明，目赤腫痛等。用量 10～20g。

文獻 《大辭典》下，4755。

3241 水丁香

來源 柳葉菜科植物丁香蓼 Ludwigia prostrata Roxb. 的全草。

形態 一年生草本，鬚根多數。幼苗時平臥地上，抽莖後直立，長 20～50cm。莖枝略呈四方形，至秋莖葉皆紫紅色。單葉互生，葉片披針形，長 4～7.5cm，寬 1～2cm，先端漸尖，全緣，基部漸狹；葉柄長不及葉片之半。花腋生，1～2 朵，無梗；花萼 4～5 裂，裂片卵形，外有細毛，宿存；花瓣橢圓形，長約 0.3cm，先端鈍圓，基部狹，短爪狀，早落；雄蕊 4～5；子房下位，花柱短，柱頭頭狀。蒴果線狀四方形，紫色。

分佈 生於水邊。分佈於福建、浙江、江蘇、安徽、湖南、湖北、四川。

採製 秋季採收，曬乾。

性能 微苦、辛，涼。利尿消腫，清熱解毒。

應用 用於水腫，淋病，痢疾，白帶，癰疽，疔瘡。用量 10～20g。

文獻 《大辭典》上，1059。

3242 待霄草

來源 柳葉菜科植物待霄草 Oenothera odorata Jacq. 的根。

形態 多年生草本，高 7～110cm。莖上部分枝，被柔毛。莖生葉條狀披針形，長 8～12cm，先端急尖或鈍，基部漸狹成不明的柄，邊緣全緣或疏生鋸齒，兩面被短柔毛。花單生於葉腋，無柄，鮮黃色；萼裂片 4，披針形，黃綠色，長約 2cm，反卷；花瓣 4，倒心形或倒卵形，頂端微凹；雄蕊 8；子房下位，柱頭 4 裂，展開。蒴果圓柱形，長 2～3cm，略具 4 稜，被毛。

分佈 生於荒坡草叢中。分佈於東北。各地有栽培；也有逸為野生。

採製 夏、秋季採挖，洗淨，曬乾。

性能 淡、微苦，平。清熱解毒。

應用 用於感冒，喉炎，氣管炎等。用量 3～6g。

文獻 《大辭典》下，3496。

3243 小二仙草

來源 小二仙科植物小二仙草 Haloragis micrantha R. Br. 的全草。

形態 多年生纖弱草本，高 20～40 cm，叢生。莖四稜形，帶赤褐色，直立，基部匍匐分枝。單葉對生具短柄，葉片卵形或近圓形，長 6～10mm，寬 4～8mm，先端短尖或鈍，邊緣有小齒，基部圓形。總狀花序組成圓錐狀，頂生，小花，兩性；萼管具稜，裂片 4，宿存；花瓣 4，紅色；雄蕊 8，花藥紫紅色；子房下位，具縱稜，花柱 4，柱頭密生淡紅色的毛。核果近球形，禿淨而亮，有 8 稜。

分佈 生於荒山、沙地上。分佈於廣西、湖南、江西、福建、西南及台灣。

採製 夏季採收，曬乾。

性能 苦、辛，平。清熱，通便，活血，解毒。

應用 用於二便不通，熱淋，赤痢，月經不調，跌打損傷，燙傷。用量 3～6g。

文獻 《大辭典》上，0523。

3244　杉葉藻

來源　杉葉藻科植物杉葉藻 Hippuris vulgaris L. 的全草。

形態　水生草本，高 10～50cm。具根莖，莖直立，不分枝，上部常露出水面。葉輪生，每輪葉 4～12 枚；葉片條形，長 1～2cm，寬約 0.2cm，生水中的葉較長。花單生葉腋，通常兩性；無花被；雄蕊 1，生於子房之一側；子房下位，橢圓狀。核果橢圓形。

分佈　生於淺水或河邊草地上。分佈於中國北方及西南。

採製　夏季採收，洗淨，曬乾。

性能　苦、微甘，涼。清熱涼血。

應用　用於高熱煩渴，骨蒸勞熱。用量 5～10g。

文獻　《大辭典》上，2107。

3245　樹五加

來源　五加科植物鴨腳羅傘 Brassaiopsis glomerulata (Bl.) Regel 的根皮及樹皮。

形態　常綠喬木或灌木，高 3～20m。莖具刺，子枝有鏽色毛。掌狀複葉聚生莖頂，小葉 5～9，長卵形或橢圓形，長 15～35cm，寬 6～15cm，先端漸尖，基部近圓形，全緣或疏生細鋸齒。傘形花序聚成圓錐狀頂生，花開放時下垂，長可達 50cm；萼 5 齒裂，有鏽色毛；花瓣 5，白色；雄蕊 5，子房半下位，花柱合生成短柱狀。漿果扁球形，直徑約 1cm，成熟時紫黑色。

分佈　生於常綠闊葉林中或溪邊。分佈於中國西南部和廣東、廣西。

採製　春季採剝，除去粗皮，曬乾。

性能　辛、苦，平。祛風除濕，消腫止痛。

應用　用於風濕痹痛，跌打腫痛。用量 10～15g。

文獻　《滙編》下，795。

3246 假通草

來源 五加科植物假通草 Euaraliopsis ciliata (Dunn) Hutch. 的樹皮。

形態 多刺灌木，高 2～4m。樹皮棕色；枝密生絨毛，疏生基部寬扁的刺。葉片掌狀 7～9 深裂，稀 5 裂或 11 深裂，直徑約 30cm，裂片長圓形或長圓狀倒披針形，先端漸尖，基部略狹，兩面脈上均疏生剛毛，邊緣有細尖鋸齒；葉柄長 25～35cm，疏生細刺。圓錐狀傘形花序頂生，長 20～30cm；花序軸密生剛毛，疏生直刺；苞片披針形，宿存；萼有毛；花瓣 5，白色，長圓狀卵形，長約 0.5cm；雄蕊 5；子房 2 室，花盤隆起，花柱合生成柱狀。漿果卵球形或扁球形。

分佈 生於疏林中及山谷。分佈於廣西及西南。

採製 春季採剝，曬乾。

性能 辛，平。祛風除濕，消腫止痛。

應用 用於風濕疼痛。用量 10～15g。

文獻 《中國植物誌》五十四，20；《峨嵋山藥用植物研究》一，67。

3247 柳葉竹根七

來源 五加科植物狹葉竹節參 Panax pseudo-ginseng Wall. var. angustifolius (Burk.) Li 的根莖及塊根。

形態 多年生草本，株高 50～70cm。根莖肉質竹鞭狀，下部着生塊根。莖單一。掌狀複葉 3～5 枚輪生於莖頂端，小葉 5～7 片，狹披針形，邊緣細鋸齒。傘形花序生於莖頂端，有花 50～80 朵，淡綠色；花瓣 5；雄蕊 5，花絲短於花瓣；花柱 2～5，下部連合。核果漿果狀，紅色，近球形。

分佈 生於高山林下。分佈於雲南、四川、貴州。

採製 秋季採挖，洗淨，曬乾或烘乾。

成分 根莖含皂甙。

性能 甘、苦，溫。活血通經，消腫散瘀，祛風濕。

應用 用於勞傷吐血，跌打損傷，癰腫，外傷吐血，咳嗽多痰。用量 3～10g。

文獻 《大辭典》上，1822；《雲南植物誌》二，514。

3248 南柴胡(柴胡)

來源 傘形科植物狹葉柴胡 Bupleurum scorzoneraefolium Willd. 的根。

形態 多年生草本，高 30～60cm。根不分枝或稍分枝，頂部具枯葉纖維。莖單一或數個，上部分枝，稍呈"之"字形彎曲。基生葉及下部莖生葉有長柄，葉片披針形或線狀披針形，基部漸狹，先端長漸尖，具 5～7 (9) 條脈；中部以上莖生葉無柄，線狀披針形或線形，具 5～7 條脈。複傘形花序腋生或頂生；傘梗 5～9 (13)；總苞片 1～4 極不等長，易脱落；小傘形花序約具 8～12 花；小總苞片常 5，披針形、絲狀披針形，與小花近等長；花黃色。雙懸果長圓狀橢圓形至橢圓形，果稜粗而鈍，稜槽中常各具 3 條油管，接着面有 4 條油管。

分佈 生於砂質草原、固定砂丘、草甸子、乾山坡及陽坡疏林下。分佈於東北、華北、華中等地區。

採製 春秋季採挖，去莖苗，曬乾。

成分 根含皂甙、揮發油、柴胡醇。

性能 苦，涼。解表和裏，疏肝，昇陽。

應用 用於寒熱往來，脅痛，瘧疾，肝炎，月經不調，下痢脱肛。用量 3～9g。

文獻 《大辭典》下，3763。

3249 山茴芹

來源 傘形科植物山茴香 Carlesia sinensis Dunn 的根。

形態 多年生草本，除花序外無毛，根粗長，密生纖維狀葉鞘。基生葉多數，矩圓形，3 回羽狀全裂，最終裂片線形，邊緣內折；葉柄長，基部具鞘。花葶多數，有時分枝；複傘形花序頂生；總苞片多數，寬線形，花梗多數；花白色；萼齒明顯；花瓣倒卵形，頂端 2 裂，基部收縮，中間凹，有內折的小舌片；子房有毛，花柱與子房等長或稍長。雙懸果矩圓狀卵形，果稜絲狀，稍凸。

分佈 生於山頂巖石縫中。分佈於遼寧、山東、四川。

採製 秋季採挖，洗淨切片，曬乾。

性能 甘、辛，溫。溫中散寒，驅風下氣，活血鎮痛，健胃止痢。

應用 用於脘腹脹滿，腸炎，痢疾。用量 6～9g。

文獻 《大辭典》上，0369。

3250 鴨兒芹

來源 傘形科植物鴨兒芹 Cryptotaenia japonica Hassk. 的全草。

形態 多年生草本，高 30～90cm。莖有縱紋，具叉狀分枝。基生葉及莖下部葉三角形，寬 2～10cm，三出複葉，中央小葉菱狀倒卵形，長 3～10cm，側生小葉斜卵形，邊緣具不規則尖鋭重鋸齒，有時 2～3 淺裂；葉柄長 5～17cm，基部鞘狀抱莖；莖頂部的葉無柄，小葉披針形。複傘形花序疏鬆，不規則；總苞片及小總苞片各 1～3，條形，早落；傘幅 2～7，斜上，花梗 2～4；花小，白色，花萼 5 齒裂；花瓣 5；雄蕊 5；花柱 2。雙懸果條狀矩圓形或卵圓形，長 4～6mm。

分佈 生於低山林邊、溝邊、田邊濕地或溝間草叢中。分佈於中國中部及南部地區。

採製 夏季採收，陰乾或曬乾。

性能 辛，溫。發表散寒，溫肺止咳。

應用 用於食積腹痛，甲狀腺腫，氣虛食少，風寒感冒咳嗽，尿閉。用量 5～10g。

文獻 《中國高等植物圖鑒》二，1069。

3251 明黨參

來源 傘形科植物明黨參 Changium smyrnioides Woff. 的根。

形態 多年生草本，高 50～100cm。主根肥大，圓柱形。根生葉有長柄，葉柄基部鞘狀抱莖；葉三出式 2 至 3 回羽狀分裂，小裂片披針形。花莖直立，中空，上部分枝。複傘形花序，無總苞；小傘梗 10～15 枚；花小，花瓣 5，卵狀披針形，白色而有紫色中脈；花柱 2，開展；雙懸果廣橢圓形，果稜不明顯，果稜間有油管 3 個，合生面有油管 2 個。

分佈 生於山野、疏林下。分佈於江蘇、浙江、安徽、江西、湖北、四川。

採製 春季採挖，沸水撩後去外皮，或直接刮去外皮，曬乾。

成分 含澱粉、少量揮發油等。

性能 甘、微苦，微寒。清肺補氣，和胃解毒。

應用 治痰火咳嗽，頭暈，目赤，白帶，疔毒瘡瘍。用量 6～12g。

文獻 《大辭典》上，2769。

3252 川芎

來源 傘形科植物川芎 Ligusticum chuanxiong Hort. 的根莖。

形態 多年生草本，高 20～40 cm。根莖團塊狀。莖圓柱形，中空，有縱溝紋。2～3 回羽狀複葉互生，小葉 3～5 對，羽狀分裂，脈上有短毛；葉柄 9～15cm，基部鞘狀抱莖。複傘形花序頂生，總苞和小總苞片線形；花小，白色；萼片 5，線形；花瓣 5，橢圓形，先端有短尖；雄蕊 5，伸出於花瓣外；子房下位，花柱 2。雙懸果卵形。

分佈 栽培於四川、貴州、雲南。

採製 夏、秋季採挖，除去莖葉及鬚根，洗淨，曬乾或烘乾。

成分 含揮發油、生物碱及阿魏酸 (ferulic acid) 等。

性能 辛，溫。活血行氣，祛風止痛。

應用 用於月經不調，經閉，痛經，癥瘕腹痛，胸脅刺痛，跌打腫痛，頭痛，風濕痹痛。用量 3～9g。

文獻 《藥典》，26；《大辭典》上，0452。

3253 細葉水芹

來源 傘形科植物細葉水芹 Oenanthe dielsii de Boiss. Var. stenophylla de Boiss. 的全草。

形態 多年生草本，高 50～80 cm。莖直立或匍匐，上部叉狀分枝。葉柄長 2～8cm，基部有較短的葉鞘；葉片輪廓為三角形，多回羽狀分裂，末回裂片線形；複傘形花序與葉對生；無總苞；傘幅 5～12，長 1～3cm，小總苞片線形，較花柄短；小傘形花序有花 13～30，花柄長 2～4mm；萼齒細小卵形；花瓣白色，倒卵形，頂端凹陷，有內折的小舌片；花柱基短圓錐形。果實長圓形或球形。

分佈 生於山谷或溪邊草叢中。分佈於江西、湖北、貴州、四川。

採製 夏、秋季採挖，洗淨，曬乾。

性能 微辛，涼。清熱解毒，利濕。

應用 用於濕熱黃疸，白帶，牙痛。用量 10～15g。

文獻 《新華本草綱要》，369。

3254 卵葉水芹

來源 傘形科植物卵葉水芹 Oenanthe rosthornii Diels 的全草。

形態 多年生草本。莖下部匍匐，上部直立，分枝，有柔毛。葉卵形至矩圓形，二回三出羽狀複葉，小葉菱狀卵形或矩圓卵形，頂端漸尖或尾尖，邊緣尖鋸齒。複傘形花序，無總苞；傘幅多數；小總苞片披針形；花梗多數；花白色。雙懸果矩圓形，果稜木栓質。

分佈 生於山地林下或水邊。分佈於四川、湖南、貴州、廣西、廣東。

採製 夏、秋季採收，鮮用或曬乾。

性能 甘、苦，溫。補氣血，止血。

應用 用於外傷出血。外用適量。

文獻 《新華本草綱要》一，370。

3255 山當歸

來源 傘形科植物異葉茴芹 Pimpinella diversifolia DC. 的全草。

形態 多年生草本，高 40～140cm，被柔毛，根肉質，圓柱形。莖上部具分枝。莖下部的葉不分裂，為卵圓形或寬卵形，莖生葉為三出或羽狀分裂，中裂片卵形，長 3～6cm，頂端漸尖，側裂片基部偏斜形，邊緣具圓鋸齒，莖上部葉漸狹呈披針形。複傘形花序；總苞片 2～4，條形；傘輻 6～12；花白色，花萼 5 齒裂；花瓣 5，雄蕊 5；花柱 2。雙懸果球狀卵形，長約 1mm，幼時具細毛，後變無毛。

分佈 生於山地草叢中。分佈於華東、華中、西南、華南。

採製 夏、秋採收，陰乾。

性能 辛、甘，溫。散寒，化積，祛瘀，消腫。

應用 用於風寒感冒，痢疾，小兒疳積，跌打損傷，皮膚瘙癢等。用量 6～15g。

文獻 《大辭典》下，4989。

3256 膜蕨囊瓣芹

來源 傘形科植物膜蕨囊瓣芹 Pternopetalum trichomanifolium (Fr.) Hand.-Mazz. 的全草。

形態 一年生草本，高約 40cm。莖基部微被柔毛，不分枝或偶有 1 個分枝。基生葉三出式 3～4 回羽狀分裂，末回裂片狹窄，長 1.5～4mm，寬在 1mm 以下。複傘形花序有傘輻 7～40，長 3～4cm；小苞片 2～4，線狀披針形，傘形花序有花 2～4 朵；萼齒鑽形；花瓣白色，倒卵形，基部狹長，頂部微凹，有內折的小舌片；花柱基圓錐形，花柱伸長，直立。果實狹長卵形，僅 1 個心皮發育，稜槽內有油管 1～3 條。

分佈 生於林下、溝邊及陰濕的崖石上。分佈於江西、湖南、四川、雲南、廣西。

採製 夏、秋採收，除去雜質，鮮用或曬乾。

性能 平，澀。收斂止血，消炎。

應用 用於刀傷。用量 3～6g。外用適量。

文獻 《峨嵋山藥用植物研究》一，70。

3257　天藍變豆菜

來源　傘形科植物天藍變豆菜 *Sanicula coerulescens* Fr. 的全草。

形態　多年生草本，高 15～40cm。莖直立，細弱。基生葉心狀卵形，長 3～7cm，寬 4～10cm，掌狀 3 裂或 3 小葉，中間小葉片卵形或卵狀披針形，基部楔形，上部邊緣 2 淺裂；側裂片斜卵形，外側邊緣常有 1 淺裂；葉背面紫紅色或硫磺色，邊緣有圓鋸齒，齒端有 1 小刺毛；葉柄紫紅色或紫綠色。假總狀花序；總苞片卵狀披針形；傘輻 4～12；小總苞片 5～8，線形，萼齒線狀披針形或呈刺毛狀；花瓣白色至藍紫色。雙懸果球形或圓筒狀卵形，表面具直刺。

分佈　生於山澗、林下陰濕處。分佈於四川、雲南。

採製　夏季採收，曬乾。

性能　辛、甘，平。清熱潤肺，行經通血。

應用　用於感冒咳嗽，經閉腰痛，跌打損傷。用量 6～12g。

文獻　《峨嵋山藥用植物研究》一，70；《植物誌》55：1，45。

3258　肺筋草

來源　傘形科植物薄片變豆菜 *Sanicula lamelligera* Hance 的全草。

形態　多年生草本，高 13～30cm。莖數條。基生葉圓心形或近五角形，長 2～6cm，寬 3～9cm，背面淡紫紅色，掌狀 3 全裂，中裂片菱狀卵形，具明顯的小葉柄，邊緣具鋸齒或不規則缺刻，側裂片較短，邊緣具皺波狀缺刻或有時不明顯；葉柄紫褐色或紫紅色。傘形花序排成二至四回分枝式；總苞片條狀披針形；傘輻 3～7；小苞片條形，花白色或帶藍色。雙懸果長卵形，表面具皮刺，頂端無鈎，伸直。

分佈　生於山間林下陰濕處。分佈於中國南方大部分地區。

採製　夏季採收，曬乾。

性能　辛、甘，平。散風，清肺，化痰，行血。

應用　用於感冒，咳嗽，哮喘，經閉。用量 6～15g。

文獻　《植物誌》55：1，48。

3259 黏黏草

來源 傘形科植物竊衣 Torilis scabra (Thunb.) DC. 的果實。

形態 一年生或多年生草本，高10～70cm，全體被貼生短硬毛。葉卵形，2回羽狀分裂，小葉狹披針形至卵形，長0.2～1cm，寬0.2～0.5cm，頂端漸尖，邊緣有整齊缺刻或分裂；柄長3～4cm。複傘形花序，總梗長1～8cm；傘輻2～4，長1～4cm；小總苞片數個，鑽形，長0.2～0.3cm；每個傘輻有花4～10朵，白色，花梗長0.2～0.5cm。雙懸果矩圓形，長0.5～0.7cm，具鈎狀皮刺。

分佈 生於山坡，路旁，荒地。分佈於華東、中南、西北及西南。

採製 秋季採收，除去雜質，曬乾。

性能 苦、辛，平。殺蟲消積。

應用 用於驅蟲。用量3～10g。

文獻 《峨嵋山藥用植物研究》一，70。

3260 西藏珊瑚

來源 山茱萸科植物西藏珊瑚 Aucuba himalaica Hook. f. et Thoms. 的根。

形態 常綠灌木。枝被柔毛，老枝具白色皮孔。葉對生，薄革質，長橢圓形或長圓狀披針形，上面脈顯著下凹，背面脈被短硬毛，先端尾尖；邊緣上部具細齒。雌雄異株，總狀圓錐花序頂生，長10～15 cm。雄花紫紅色，被柔毛；花萼4裂；花瓣4，卵形，先端具反曲的尾狀尖頭；雄蕊4，花絲粗短；雌花較小，子房下位，筒狀。果實深紅色，花柱宿存。

分佈 生於山區常綠闊葉林中。分佈於西藏、四川、雲南、貴州、湖北。

採製 秋季挖根，切片曬乾。

應用 用於風濕骨痛，跌打勞傷。用量5～10g。

文獻 《貴州中草藥名錄》，403。

3261 峨嵋珊瑚

來源 山茱萸科植物峨嵋桃葉珊瑚 Aucuba omeiensis Fang 的葉。

形態 常綠小喬木，高5～8m。樹皮灰綠色。葉對生，革質，矩圓形或倒卵狀橢圓形，邊緣反卷，中部以上具4～5對鋸齒。雌雄異株，圓錐花序頂生；雄花序長約10cm，無毛；雄花黃色或黃綠色，萼4齒裂；花瓣4，卵形，先端具短尖頭；雄蕊4；雌花序長4～5cm；花下具1小苞片；子房下位，具疣狀小突起，柱頭盾形。果實紅色，圓柱形，長1.5cm。

分佈 生於山區常綠闊葉林中。分佈於四川。

採製 四季可採，鮮用。

性能 微苦，涼。清熱解毒。

應用 用於火燙傷，痔瘡。用量5～10g。

文獻 《峨嵋山藥用植物研究》一，70。

3262 野棗皮

來源 山茱萸科植物川鄂山茱萸 Cornus chinensis Wanger. 的果肉。

形態 落葉喬木；嫩枝紫褐色。葉對生，卵狀橢圓形或卵形，長 7～10(～14)cm，寬 3.3～5.8cm，頂端漸尖，基部楔形，下面被貼伏的白色柔毛；側脈 5～7 對，整齊，脈腋具灰色髯毛。傘形花序腋生，先葉開花，下具 4 枚小型苞片，寬卵圓形；花黃色；花梗長 0.6～1.5cm，與花萼管均密被細毛；花萼 4 裂，裂片披針形；花瓣 4，披針形或卵形；花盤環狀，肉質；子房下位。核果矩圓形，長 6～8mm，直徑約 4mm，成熟時黑紫色。

分佈 生於山區林中。分佈於湖北、四川、雲南、貴州、廣東。

採製 秋季果成熟時採摘，沸水燙後除去果核，烘乾。

性能 酸、澀，微溫。滋陰斂汗，補肝腎。

應用 治腎虛腰痛，汗出不止，遺尿等。用量 8～15g。

文獻 《四川省中藥資源普查名錄》，128。

3263 葉上花

來源 山茱萸科植物峨嵋青莢葉 Helwingia omeiensis (Fang) Hara et Kuresawa ex Hara 的葉。

形態 小喬木或灌木，高 2～4m。幼枝綠色，粗壯。葉革質，長圓形或長圓狀卵形，長 8～14cm，先端急尖或漸尖，基部楔形或寬楔形，邊緣具腺狀鋸齒；葉柄長 1～5cm，淡紫紅色。雄花紫綠色，多數簇生，傘形狀，生於葉面主脈上；雌花綠色，1～4 花，傘形狀，子房 3～4 室，柱頭 3～4 裂。漿果狀核果，成熟後黑色；種子 3～4 枚，橢圓形。

分佈 生於常綠闊葉林下。分佈於雲南、貴州、四川、廣西、湖北、湖南。

採製 夏季採收，曬乾。

性能 苦、微澀，涼。清熱解毒，祛風除濕，止咳。

應用 用於咽喉炎，腸炎，痢疾，風濕關節炎，咳嗽痰多等。用量 6～10g。

文獻 《四川省中藥資源普查名錄》，129。

3264 大接骨丹

來源 山茱萸科植物有齒鞘柄木 Torricellia angulata Oliv. var. intermedia (Harms ex Diels) Hu 的根皮。

形態 小喬木，高 3～5m。枝圓柱形，灰褐色，皮孔長橢圓形，質脆，心空，節膨大；芽大而明顯，常帶紅色。單葉互生，葉片長 10～15cm，寬 10～18 cm，掌狀 5～9 淺裂，裂片邊緣有牙齒狀鋸齒，上面稍有短毛；葉柄帶紫紅色，基部鞘狀抱莖。花單性，異株，圓錐花序；雄花花萼 5 裂；花瓣 5，內向鑷合狀排列；雄蕊 5，與花瓣互生；花盤褥狀，中間有 3 枚退化花柱；雌花無花瓣；子房倒卵形。核果，卵形；種子 3～4 枚。

分佈 生於林緣、路邊或庭院栽培。分佈於陝西、甘肅、湖北、四川、雲南、貴州、廣西。

採製 秋季剝取根皮，鮮用或曬乾。

性能 苦、辛，平。活血祛瘀，舒筋接骨。

應用 用於骨折，跌打損傷，乾血勞傷，扁桃腺炎，哮喘。用量 9～15g。外用適量。

文獻 《大辭典》上，0283。

3265 松下蘭

來源 鹿蹄草科植物松下蘭 Hypopitys monotropa Crantz 的全草。

形態 多年生腐生草本，高達 20cm。具分枝繁密的根系，根外包有一層菌根。植株淡白色或淡黃色，稍肉質，乾後變黑。葉鱗片狀，20～30 片，近直立，上部稀，下部密，寬卵狀圓形或寬披針形，長 1～1.5cm，寬 5～7mm，上部的常有不整齊的鋸齒。總狀花序，花 3～8 朵；萼筒狀鐘形，長 1～1.5cm；花瓣 4～5，淡黃色，稍為肉質，基部囊狀，頂端鈍，有不整齊的鋸齒；雄蕊 8～10。蒴果橢圓狀球形。

分佈 生於針闊混交林下、林緣半陰濕土壤處。分佈於東北、西北、西南等地區。

採製 夏季採挖，鮮用或泡酒服用。

成分 含冬綠甙 (Gaultherin, Monotropitin, Monotropitoside)、水晶蘭甙 (Monotropein)、葡萄糖、蔗糖、棉子糖，尚含 6 種類熊果甙。

性能 鎮咳，消炎。

應用 用於痙攣性咳嗽，氣管炎等。用量 5～10g。

文獻 《長白山植物藥誌》，856。

3266 擬水晶蘭

來源 鹿蹄草科植物擬水晶蘭 Monotropastrum macrocarpum H. Andres 的全草。

形態 多年生腐生草本。根多而密，在土中結成塊狀。莖高 8～15cm，肉質，淡白色，乾後變黑。鱗片狀葉互生，寬矩圓形至寬卵形，多脈全緣，向莖頂的排列緊密，過渡到花瓣。花白色，無毛，俯垂；花瓣寬條形，基部囊狀；雄蕊 8～10，花絲扁平，花藥橙黃色；子房瓶形，花柱極短，柱頭鉛藍色。漿果粗橢圓形，俯垂；種子寬橢圓形。

分佈 生於高山林下陰濕處。分佈於四川、雲南。

採製 夏、秋採收。鮮用或曬乾。

性能 甘，平。養陰潤肺，止咳。

應用 用於虛弱，虛咳。用量 20～30g。

文獻 《峨嵋山藥用植物研究》一，72。

3267 長白擬水晶蘭

來源 鹿蹄草科植物長白擬水晶蘭 Monotropastrum tschanbaischanicum Y.L. Chang et Chou 的全草。

形態 多年生腐生草本，白色，高 10～15cm。根細而多分枝。葉鱗片狀，無柄，互生，廣橢圓形，在莖基部較密。花頂生，單一，下垂；花萼葉狀；花瓣 3，白色，長橢圓形；雄蕊 10；子房上位一室，側膜胎座 12～13，幾無花柱，柱頭微有長毛。漿果近球形，下垂；種子多數，橢圓形，有網狀突起。

分佈 生於針葉林、針闊混交林下潮濕地。分佈於東北地區。

採製 7～8 月採挖，晾乾。

成分 含傘形梅笠草素 (chimaphilin) 0.05～0.26%、水晶蘭甙 (monotropein)、葡萄糖、蔗糖和棉子糖 (raffinose)。

性能 微鹹，平。補虛。

應用 用於虛咳。用量 30g，水煎或炖肉服。

文獻 《長白山植物藥誌》，858。

3268 草靈芝

來源 杜鵑花科植物巖鬚 Cassiope selaginoides Hook. f. et Thoms. 的全株。

形態 常綠矮小半灌木，高 10～40 cm，常叢生。莖細，直立，多分枝。葉細小，卵形至披針形，長 2～3mm，覆瓦狀密集於小枝上，4 行排列，葉背肥厚，略具稜，頂端鈍，幼時具紫紅色芒刺，葉緣有褐色細毛。花單生葉腋，下垂，花梗有毛；花萼 5 裂，紫紅色，花冠鐘形，乳白色，裂片反卷；雄蕊 10，花絲有毛，花藥紫色，頂孔開裂。蒴果球形，萼及花柱宿存。

分佈 生於高山脊上或坡地灌叢中。分佈於四川、雲南、西藏。

採製 秋季採集，陰乾。

性能 辛、微苦，平。行氣止痛，安神。

應用 用於肝胃氣痛，食慾不振，神經衰弱。用量 10～20g。

文獻 《滙編》下，443。

3269 中華吊鐘花

來源 杜鵑花科植物中華吊鐘花 Enkianthus chinensis Fr. 的花。

形態 灌木或小喬木，高 4～10m。老枝深灰色，幼枝灰綠色，葉紙質，長圓形或長圓狀橢圓形，長 3～7cm，先端急尖或鈍，基部近圓形，邊緣具圓鋸齒，兩面無毛或近於無毛，總狀花序傘形狀；花梗細長，長 2～4cm；花下垂，黃綠色或先端帶紫色；萼三角形，先端漸尖；花冠寬鐘狀，長寬均為 1cm；雄蕊 10 枚；子房上位。蒴果圓卵形，長 4～5mm，彎轉向上。

分佈 生於灌木林中。分佈於長江流域以南各地。

採製 夏季採收，曬乾。

性能 甘、淡，平。清熱，止血。調經。

應用 用於口乾舌燥，胃熱傷津，鼻血，便血，婦女月經不調等。用量 3～10g。

文獻 《四川省中藥資源普查名錄》，130。

3270　狹葉南燭

來源　杜鵑花科植物狹葉南燭 Lyonia ovalifolia Drude var. lanceolata (Wall.) Hand. -Mazz. 的枝葉。

形態　常綠或落葉灌木或小喬木，高 2～10m。葉互生，橢圓狀披針形或矩圓狀披針形，長 8～12cm，頂端具漸尖頭或銳尖頭，基部楔形；總狀花序腋生，近基部有少數葉或葉狀苞片；花梗長 3～4mm，下垂；萼裂片淡綠色，披針形，長達 4mm；花冠白色，長橢圓狀壺形，長約 1cm；花絲長而彎曲，被毛，頂端有 2 距。蒴果近球形，徑約 4mm；種子多數。

分佈　生於向陽草坡及灌叢。分佈於中國南方各地。

採製　秋季採收，曬乾。

性能　甘，溫。有毒。活血祛瘀，強筋益氣，止瀉，止痛。

應用　用於跌打損傷，腰膝酸軟，腹瀉等。用量 3～6g。

文獻　《中國高等植物圖鑒》三，177。

3271　黃山杜鵑

來源　杜鵑花科植物黃山杜鵑 Rhododendron anwheiense Wils 的根。

形態　常綠灌木。枝條幼嫩時有疏叢卷毛。葉簇生枝頂，革質，卵狀披針形，頂端有短尖頭，上面亮綠色，網脈明顯，通常下陷，網孔凸出。傘形花序頂生，花 6～10 朵，花梗直立，被叢生卷毛；花萼小，碟形，5 裂，裂片三角形，邊緣有腺狀睫毛；花冠鐘形，直徑 4～5cm，5 裂，上方一裂片內面基部有紅色斑點；雄蕊10；子房有疏叢卷毛和腺體，柱頭大，紫色。蒴果圓柱形，幼時有腺毛。

分佈　生於山地林中。分佈於江西、安徽。

採製　秋季採挖支根，切片，曬乾。

成分　含黃酮類。

性能　澀，溫。祛風解表，活血止痛。

應用　用於皮膚潰爛，跌打損傷。用量 12～30g。

文獻　《浙藥誌》下，961。

3272　腺果杜鵑

來源　杜鵑花科植物腺果杜鵑 Rhododendron davidii Fr. 的花。

形態　常綠灌木或小喬木，高 4～8m。葉集生於枝頂，革質，倒披針形或長圓狀倒披針形，長 10～15cm，寬 2～4.5cm，先端急尖，基部楔形，上面綠色，下面淡黃綠色；葉柄長 1～2cm。總狀花序頂生，有花 6～12 朵；花梗長 1～2 cm，密被腺體；花萼長 1～2 mm，密被短柄腺體；花冠寬鐘形，長 4～5cm，粉紅色至薔薇色，裂片 7～8，先端圓形或微凹；雄蕊 14～16，長 2.5～4cm；子房卵狀圓錐形，密被有柄腺體，花柱細長。蒴果短圓柱形，長約 2cm，有腺體。

分佈　生於山地灌木林中。分佈於四川、雲南。

採製　夏季採收，鮮用或陰乾。

性能　甘，微寒。清熱解毒，止血，調經。

應用　用於熱腫，瘡癰，月經不調。用量 5～8g。

文獻　《峨嵋山藥用植物研究》一，73。

3273 長蕊杜鵑

來源 杜鵑花科植物長蕊杜鵑 Rhododendron stamineum Fr. 的葉或花。

形態 常綠灌木或喬木，高 2～7m；幼枝纖細。葉散生或 3～5 聚生於幼枝頂端近似輪生，薄革質，橢圓形或橢圓狀披針形，長 6～11cm，寬 1.8～4.5cm，先端漸尖，基部楔形，兩面葉脈不明顯，葉柄長 0.5～1.5cm。花常 3～5 朵簇生於枝頂葉腋；花梗淡紅色，長 2～3cm；花萼 5 裂；花冠漏斗形，白色，有時薔薇色，長 3～3.5cm，裂片倒卵形或長圓狀倒卵形，具黃色斑點；雄蕊 10，細長，伸出於花冠外很長，花絲下部被微柔毛；子房圓柱狀，花柱比雄蕊長，柱頭頭狀。蒴果圓柱形長 2.5～7cm，微彎拱，具 7 條縱肋。

分佈 生於山坡灌叢或疏林中。分佈於江西、湖北、湖南、陝西、四川、貴州。

採製 夏季採收，曬乾或陰乾。

性能 苦，微寒。清熱解毒，止痛。

應用 用於狂犬病。用量 5～8g。

文獻 《四川省中藥資源普查名錄》，113。

3274　圓葉杜鵑

來源　杜鵑花科植物圓葉杜鵑 Rhododendron Williamsianum Rehd. et Wils. 的葉或花。

形態　常綠灌木，高 0.8～3m；幼枝疏生長柄腺毛，後近於無毛。葉革質，闊卵形或近圓形，長 2.5～5cm，先端圓形，具小尖頭，基部心形或圓形，疏生紅色小腺體；葉柄圓柱狀常帶紫紅色，長 1～1.5cm。短總狀花序頂生，有花 2～6 朵；花梗粗壯，長 0.7～1.5cm；花萼小，波狀 5～6 裂，外面及邊緣疏生腺毛；花冠寬鐘狀，淡薔薇色，裂片先端近圓形；雄蕊 10～12，不等長；子房卵狀圓錐形，花柱有腺毛。蒴果圓柱形，具腺體。

分佈　生於高山林緣及灌叢中。分佈於四川、貴州、雲南。

採製　夏季採收，曬乾或陰乾。

性能　辛，溫。祛風，活血，調經。

應用　用於頭痛，身痛，月經不調，閉經。用量 5～8g。

文獻　《四川省中藥資源普查名錄》，133。

3275　皺皮杜鵑

來源　杜鵑花科植物皺皮杜鵑 Rhododendron wilsonii Hemsl. et Wils. 的葉。

形態　常綠灌木，高 1.5～3m；株體各部幼時密被黃灰色毛或腺毛。葉厚革質，倒卵狀長圓形或倒披針形，長 5～11cm，寬 2～4cm，先端鈍，基部楔形，邊緣微反卷，上面因葉脈深凹入而呈泡狀粗皺紋，下面密被淡棕色厚毛；葉柄長 1.5～2cm。短總狀花序頂生，有花 8～10 朵；花梗長 1.5～2cm；花萼小，5 裂；花冠寬鐘狀，長 3～4.5cm，白色或淺肉紅色，管內有紅色斑點，裂片圓形；雄蕊 10，花絲基部被毛；子房密生紅褐色絨毛。蒴果圓柱形，長 1.5～2cm，密被棕色毛，花萼宿存。

分佈　生於山地林中。分佈於四川。

採製　夏、秋採收，曬乾。

性能　辛，溫。祛風活血，調經。

應用　用於傷風頭痛，月經不調，痛經。用量 5～8g。

文獻　《四川省中藥資源普查名錄》，133。

3276 米飯花

來源 杜鵑花科植物米飯花 Vaccinium sprengelii Sleumer 的果實和葉。

形態 常綠灌木或小喬木，高達 2m。葉互生，革質。小花多數成總狀花序，生於葉腋，集生於枝端，苞片披針形，早落；花萼 5 裂，裂片三角形；花冠筒狀卵形，5 淺裂。漿果球形。

分佈 生於山區、半山區。分佈於長江流域各省。

採製 秋後果實呈紅色時採下，7 月份採葉，均曬乾。

性能 酸、澀、微甘，平。健脾益腎，明目烏髮。

應用 用於久瀉，夢遺，赤白帶下，消化不良。用量 3～5g。

文獻 《浙藥誌》下，968。

3277 紅涼傘

來源 紫金牛科植物紅涼傘 Ardisia bicolor Walker 的根。

形態 灌木，高約 0.8m。根粗壯。葉互生。革質或堅紙質，橢圓狀披針形或披針形，長 7～14cm，寬 2～3.5cm，邊緣皺波狀，兩面均為紫紅色或僅葉背面為紫紅色。花小，長 4～6mm，花梗紫紅色；花萼及花瓣淡紫紅色，無毛。果球形，直徑 5～7mm，鮮紅色，具腺點。無毛。

分佈 生於山地林間陰濕處。分佈於台灣、浙江、安徽、江西、湖南、湖北、四川、福建、廣東、廣西。

採製 四季可採，挖取根，除去莖葉，洗淨，曬乾。

性能 苦、辛，涼。清熱解毒，散瘀止痛。

應用 用於感冒，扁桃體炎，白喉，丹毒，淋巴結炎，勞傷吐血，心胃氣痛，風濕骨痛，跌打損傷。用量 1～2g。外用適量。

文獻 《大辭典》上，1836。

3278 血黨

來源 紫金牛科植物矮莖朱砂根 Ardisia brevicaulis Diels 的根或全株。

形態 小灌木，高 10～20cm。根粗壯。幼莖被微柔毛。單葉互生，少對生，橢圓狀披針形或長橢圓形，長 7～13cm，邊緣波狀，具腺點。傘形花序頂生；花長 4～5 mm，花萼裂片 5，矩圓形；花冠白色或粉紅色，具腺點；雄蕊 5；子房球形，具腺點。果紅色或紫紅色，具疏腺點。

分佈 生於林下陰處，分佈於湖北、四川、貴州、江西、廣西。

採製 四季可採，除去泥沙雜質，曬乾。

性能 辛、微苦、澀，平。祛風清熱，散瘀消腫。

應用 用於咽喉腫痛，風火牙痛，風濕筋骨疼痛，腰痛，跌打損傷，無名腫毒等。用量 1～2g。

文獻 《大辭典》下，5192。

3279 峨嵋紫金牛

來源 紫金牛科植物尾葉紫金牛 Ardisia caudata Hemsl. 的全株。

形態 灌木，高達 1.2m。莖常分枝。葉膜質，橢圓形至矩圓狀披針形或卵狀披針形，長 4～8mm，先端尾狀漸尖，邊緣皺波狀淺圓齒，具邊緣腺點。傘形或複傘房狀花序，被微柔毛；花長 5～6mm；花萼具腺點及微柔毛；花冠粉紅色，裂片寬卵形，尾狀漸尖，具腺點；雄蕊 5，與花冠近等長；子房球形，具腺點。果球形，紅色。

分佈 生於常綠闊葉林中。分佈於廣東、廣西、貴州、雲南及四川。

採製 四季可採，除去泥沙雜質，曬乾。

性能 苦、辛，平。清熱解毒，利喉。

應用 用於咽喉腫痛，牙痛等。用量 1～2g。

文獻 《峨嵋山藥用植物研究》一，73。

3280 江南紫金牛

來源 紫金牛科植物月月紅 Ardisia faberi Hemsl. 的全株。

形態 小灌木，高 10～40cm。具匍匐莖。莖不分枝，下部近無毛，上部及葉均被捲曲分節毛。單葉對生或輪生，橢圓形至披針狀橢圓形，長 5～13cm，邊緣具粗鋸齒及腺點。亞傘形花序腋生；花長 4～5mm，花萼 5，近分離，花冠白色或帶紅色；雄蕊 5，具腺點。果球形，鮮紅色。

分佈 生於林下陰處。分佈於湖北、湖南、廣東、廣西、貴州、四川。

採製 四季可採，去除泥沙雜質，曬乾。

性能 苦、辛，溫。活血通絡。

應用 用於跌打損傷，風濕筋骨疼痛，腰痛等。用量 1～2g。

文獻 《大辭典》上，0892。

3281 虎舌紅

來源 紫金牛科植物乳毛紫金牛 *Ardisia mamillata* Hance 的全株。

形態 小灌木，高 10～20cm。具匍匐根莖。幼莖被鏽色卷曲分節毛。葉長橢圓形或倒卵形，長 6～13cm，全緣或具疏圓齒，上面淡紫色，具疣狀突起，背面紫紅色，兩面被卷曲分節毛及黑腺點。傘形花序；花長 4～6mm，花萼 5 裂片；花瓣粉紅色，裂片卵形，具黑腺點；雄蕊 5；子房球形，具黑腺點。果球形，鮮紅色，具腺點。

分佈 生於山地林下。分佈於福建、廣東、廣西、貴州、雲南、四川。

採製 夏、秋採收，除去泥沙雜質，曬乾。

性能 苦、辛，涼。清熱利濕，活血祛瘀。

應用 用於痢疾，肝炎，膽囊炎，風濕，跌打勞傷，咳血，婦女痛經，血崩，小兒疳積，瘡瘍癰腫疼痛等。用量 1～2g。

文獻 《大辭典》下，2071。

3282 酸藤果

來源 紫金牛科植物長葉酸藤果 *Embelia longifolia* (Benth.) Hemsl. 的果實。

形態 攀援灌木，長 2～6m。葉堅紙質，倒披針形或橢圓狀披針形，長 7～13cm，先端漸尖或鈍，基部楔形，邊緣全緣。總狀花序；花 4 基數，長 2～3mm；花萼裂片卵形或披針形，具腺點；花瓣淺綠色或粉紅色，橢圓形，具腺點；雄蕊在雄花中伸出花冠之外，花藥具腺點；雌蕊在雌花中，與花冠等長，子房瓶形。果球形，紅色，具腺點。

分佈 生於灌叢中，分佈於四川、貴州、雲南、廣西、廣東、江西、福建。

採製 夏季採收，曬乾。

成分 含信筒子醌 (embelin) 及威藍精 (vilangin) 等。

性能 甘、酸，平。強壯，補血。

應用 用於血虛貧血，閉經，胃酸缺乏等。用量 6～10g。

文獻 《滙編》下，669。

附註 根入藥，治風濕關節炎，手腳麻木等。

3283 針齒鐵仔

來源 紫金牛科植物針齒鐵仔 Myrsine semiserrata Wall. 的果實。

形態 小喬木，高 4～7m。葉革質，橢圓狀披針形，長 3～8cm，先端漸尖或尾狀漸尖，基部漸狹，邊緣疏生針狀齒，背面有腺點。花簇生於葉腋，花黃綠色，4 數性；萼裂片卵狀三角形，具腺點及睫毛；花冠裂片長圓形，具腺點；雄蕊長於花冠，花藥卵形；子房卵形，具腺點。果球形，紅色或紫紅色，變白色，具腺點；種子球形。

分佈 生於山地林中。分佈於西藏、雲南、貴州、四川、湖北、湖南、江西、廣東、廣西。

採製 秋季採收，曬乾。

性能 甘、微酸，平。強壯，補血。

應用 用於補腎壯陽，強筋壯骨，血虛頭昏等。用量 5～10g。

文獻 《中國民族藥誌》一，621。

3284 細梗排草

來源 報春花科植物細梗排草 Lysimachia capillipes Hemsl. 的全草。

形態 一年生草本，高 30～70cm。莖上部多分枝，具狹翅。葉薄紙質，卵形或卵狀披針形，長 2～4cm，先端漸尖或急尖，基部近圓形，全緣或微波狀。花單生於葉腋，葉梗細弱，長 2～4cm，花黃色；花萼 5 深裂，裂片披針形；花冠 5 深裂，裂片長圓形，長 6～10mm，反卷；雄蕊與花冠近等長，花藥大，頂孔開裂；子房近球形。蒴果近球形，直徑約 3mm。

分佈 生於陰濕的溝邊、荒坡灌叢中。分佈於台灣、廣東、廣西、湖北、四川、雲南。

採製 夏季採收，曬乾。

性能 甘，平。祛風，止咳，調經。

應用 用於感冒咳嗽，風濕筋骨痛，氣管炎，哮喘，月經不調，神經衰弱等。用量 6～10g。

文獻 《滙編》下，539。

3285 大過路黃

來源 報春花科植物裸頭過路黃 *Lysimachia gymnocephala* Hand. -Mazz. 的全草。

形態 多年生草本。莖直立，下部匍匐，紫紅色，疏被長毛。葉對生，莖下部的較小，頂端的密集成輪生狀，其中有 3～4 枚最大；卵形或寬卵形，先端銳尖，基部漸狹或圓形，全緣，兩面有黑色腺點，被短柔毛。花 3～8 朵集生於頂端，花梗短；花萼 5 深裂，有黑色腺條；花冠黃色，鐘狀，裂片橢圓形，反曲；雄蕊 5 枚，花絲基部合生成筒狀；柱頭顯著突出。蒴果球形。

分佈 生於山地林下、林沿。分佈於西南、華南、華東。

採製 夏季採收，鮮用或曬乾。

性能 辛、甘，微溫。清熱解毒。

應用 用於感冒咳嗽，頭痛，腹瀉。用量 10～30g。

文獻 《四川省中藥資源普查名錄》，136。

3286 豆葉參

來源 報春花科植物鄂西粗葉報春花 *Primula epilosa* Craib. 的根。

形態 多年生草本。根狀莖粗狀，被褐色鱗片。葉基生，葉柄較葉片稍短，有寬翼；葉片紙質，倒闊卵形或近圓形，長 6～12cm，邊緣具深鋸齒，上面深綠，粗糙，下面淺綠，僅脈上有疏黃毛。花葶單一，被黃色毛，傘形花序頂生，有花 4～6 朵；苞片條形或條狀披針形，膜質；花萼鐘狀，5 裂，外面被黃色毛；花冠漏斗狀，裂片 5，倒卵形，紫紅色，先端 2 裂，近喉部具暗紫色條紋，喉部有黃色絨毛；雄蕊 5；子房球狀。蒴果球形，包於宿存擴大的花萼內；種子圓形，黑色，有疣狀突起。

分佈 生於山坡林陰下。分佈於湖北、四川。

採製 7～9 月採挖，洗淨，曬乾。

性能 甘、辛，涼。清濕熱，祛風痰。

應用 用於頭昏，耳聾，濕熱黃疸，尿少色黃。用量 9～18g。

文獻 《滙編》下，288。

3287 卵葉報春

來源 報春花科植物卵葉報春 Primula ovalifolia Fr. 的全草。

形態 多年生草本，高 20～25cm。葉基生，長卵形至近圓形，長 7～9cm，寬 4～6cm，先端圓鈍，基部楔形或圓形，近全緣，上面有網狀起伏皺紋，下面被剛毛；葉柄長 2～4cm。花葶高 10～20cm，有時被剛毛；傘形花序，花 4～8 朵；苞片薄膜質，狹披針形，被剛毛；花萼鐘狀，裂片長三角形，被剛毛；花冠紫色至淡紫色，高腳碟狀，裂片倒卵形，頂端 2 淺裂；雄蕊着生於花冠筒上；花柱細長。蒴果圓球形。

分佈 生於山坡、林下。分佈於湖北、四川、雲南。

採製 夏、秋採收，除去雜質，曬乾。

性能 苦、辛，平。清熱解毒，消腫止痛。

應用 用於心悸，肺癆咳嗽及風濕關節痛。用量 5～8g。

文獻 《貴州中草藥名錄》，424。

3288 峨嵋雪蓮花

來源 報春花科植物苣葉報春 Primula sonchifolia Fr. 的全草。

形態 多年生草本，高 15～30cm。根狀莖粗短，鬚根肉質。葉基生，倒長卵形，長 20～27cm，寬 3～7cm，邊緣具不規則的淺裂，裂片有鋸齒，上面綠色，下面具稀疏斑點；葉柄長 2～3 cm。傘形花序，花 3～15 朵，苞片披針形，花梗短；花萼鐘狀，裂片 5；花冠紫紅色至藍紫色，鐘形，長約 2cm，花冠管基部圓筒狀，向上逐漸擴大，先端 5 裂片，卵形，喉口具黃色環膜，喉部密生白色柔毛；雄蕊 5，着生於花冠管基部；子房卵形。蒴果近球形。

分佈 生於山地草坡或潮濕崖石縫中。分佈於四川。

採製 夏、秋採收，洗淨，曬乾。

性能 苦、辛，涼。除濕熱，止汗。

應用 用於五淋癃閉，男子白濁及女子白帶等症。用量 6～12g。

文獻 《大辭典》下，3769。

3289 藍花丹

來源 藍雪科植物藍雪花 Plumbago auriculata Lam. 的全株或根。

形態 多年生半灌木，高 2～3m。莖基部木質，上部多分枝，具稜槽。單葉互生，卵形或橢圓形，長 3～6cm，先端鈍或短尖，基部楔形；有短柄，基部擴大抱莖。穗狀花序頂生或腋生，苞片短於萼；花萼筒狀，綠色，具 5 稜，外被腺毛；花冠高腳碟狀，淺藍色，先端 5 裂，裂片平展；雄蕊 5；花柱合生，基部無毛。蒴果膜質，蓋裂。

分佈 各地庭園有栽培。

採製 夏、秋季採收，陰乾或曬乾。

性能 微苦，溫。祛風，散瘀，解毒。

應用 用於風濕疼痛，血瘀經閉，疥癬。用量 5～15g。外用適量。

文獻 《四川常用中草藥》，359。

3290 白花丹

來源 藍雪科植物白花丹 Plumbago zeylanica L. 的全草。

形態 多年生灌木狀草本，高 2～3m。基部莖木質，上部莖綠色，有縱稜。單葉互生，卵形，長 4～9cm，基部漸狹而成一短柄。穗狀花序頂生或腋生，苞片較小，邊緣膜質；花萼管狀，綠色，5 裂，外被腺毛；花冠白色，高腳碟狀，先端 5 裂，裂片長卵形；雄蕊 5，貼生於花冠管喉部；子房上位。蒴果膜質，蓋裂。

分佈 生於山坡灌叢中。分佈於西南、華南。

採製 四季可採，曬乾。

成分 根含礬松素 (plumbagin)、蛋白酶、蔗糖酶。

性能 辛、苦，溫。有毒。祛風濕，散寒，解毒。

應用 用於風濕關節痛，跌打損傷，血瘀經閉，惡瘡腫毒。用量 5～15g，外用適量。

文獻 《大辭典》上，1418。

3291　山礬

來源　山礬科植物山礬 Symplocos caudata Wall. ex A. DC. 的根。

形態　喬木或小喬木，高達 7m。幼枝被柔毛，後變無毛。葉薄革質，橢圓形或狹橢圓形，長 5～7cm，先端尾狀漸尖，基部闊楔形，邊緣有淺圓齒，兩面無毛。總狀花序被短柔毛，花梗短；花萼長 2～2.5mm，裂片 5，三角狀卵形，被柔毛；花冠白色，長 4～4.5mm，5 裂達基部，裂片倒卵狀橢圓形，被柔毛；雄蕊多數，花絲絲狀，伸出花冠外，花藥卵形；子房無毛，花柱長約 4mm，柱頭頭狀。核果罈狀，頂端具宿存萼片；核無縱稜。

分佈　生於山間喬、灌木林中。分佈於長江流域以南各地。

採製　四季可採，洗淨，曬乾。

性能　辛、苦，平。清熱利濕，理氣化痰。

應用　用於黃疸，小便不利，腹瀉，咳嗽痰多，關節炎等。用量 6～10g。

文獻　《滙編》下，801。

附註　花及葉也入藥，治急性扁桃體炎，鵝口瘡等。

3292　白檀

來源　山礬科植物白檀 Symplocos paniculata (Thunb.) Miq. 的根及枝葉。

形態　落葉灌木或小喬木，高達 8m。嫩枝和葉背通常疏生白色毛。葉卵狀橢圓形或倒卵狀橢圓形，長 3～5cm，寬 2～3.5cm，邊緣具銳鋸齒。圓錐花序頂生或腋生；花白色，微芳香；萼片 5，有睫毛；花冠 5 深裂，雄蕊長短不一，花絲基部合成 5 體；子房頂端圓錐狀，2 室。核果斜卵狀球形，成熟時藍黑色，宿萼裂片直立。

分佈　生於山地林中。分佈於東北、華北及南方各地。

採製　夏、秋季採收。切段曬乾。

性能　苦、澀，微寒。消炎軟堅，調氣。

應用　用於乳腺炎，淋巴腺炎，疝氣，腸癰，胃癌，瘡癤。用量 10～20g。

文獻　《滙編》下，801。

3293 四川山礬

來源 山礬科植物四川山礬 Symplocos setchuanensis Brand 的根。

形態 常綠小喬木，高達 10m。嫩枝有稜。葉革質，長橢圓形或倒卵狀長橢圓形，長 4～10cm，先端尾狀漸尖，基部楔形，邊緣近全緣或疏生鋸齒，兩面無毛。密傘形花序腋生；花萼裂片 5，被微細毛；花冠白色，5 深裂，裂片倒卵狀長圓形，為萼片長的 2 倍；雄蕊約 25 枚，伸出花冠裂片之外；子房 3 室，具長柔毛，花柱較雄蕊為短，柱頭 3 裂。核果卵狀橢圓形，黑褐色，長 6～12mm，直徑約 6mm。

分佈 生於山地林間。分佈於長江流域各地。

採製 四季可採，洗淨，曬乾。

成分 含山礬脂素 (Symplocosigenin) 等。

性能 苦，寒。止咳定喘，消脹。

應用 用於咳嗽，喘逆，水腫脹滿等。用量 3～10g。

文獻 《滙編》下，801。

附註 莖、葉入藥，治咳嗽等。

3294 水冬瓜

來源 安息香科植物鴉頭梨 Melliodendron xylocarpum Hand.-Mazz. (M. wangianum Hu) 的枝葉。

形態 落葉喬木，高達 20m。小枝紅褐色，具縱稜。葉橢圓形或倒卵形，長 5～12cm，先端漸尖，基部廣楔形，邊緣具細齒，兩面被星狀毛，脈上有柔毛；葉柄長 0.5～1cm。花 1～2，聚生二年生枝上；萼筒 5 淺裂，被毛；花冠淡黃色，5 裂至基部，裂片長圓形，微具毛；雄蕊 10，花絲下部貼生花冠管上；雌蕊子房橢圓形，花柱細長。核果倒卵形，具縱稜，被星狀毛。

分佈 生於山坡疏林中。分佈於江西、湖南、福建、四川、貴州、雲南、廣東、廣西。

採製 夏、秋季採摘，曬乾。

性能 苦，微寒。清熱，殺蟲。

應用 用於口臭，口苦，蛔蟲。用量 3～6g。

文獻 《四川省中藥資源普查名錄》，139。

3295 木瓜紅

來源 安息香科植物木瓜紅 Rehderodendron macrocarpum Hu 的花序。

形態 落葉喬木，高達 20m。單葉互生，卵狀橢圓形或橢圓形，長 6～11cm，先端漸尖，基部楔形常下延，葉緣淺鋸齒；葉背主脈紅色，被毛；葉柄被毛。花 4～8 朵成圓錐花序，花序軸與花梗密被柔毛；花萼筒先端 5 淺裂，密被毛；花瓣 5，白色，先端 5 深裂，裂片長 1～1.5cm，被柔毛；雄蕊 10，生於花管上，5 長 5 短；子房下位，花柱長約 1.7cm。核果，具 8～10 肋；果柄被毛，長約 2cm。

分佈 生於山地的陰濕常綠闊葉林中；分佈於中國西南及廣西。

採製 春末夏初採花序，鮮用或曬乾。

性能 微苦，涼。清熱解毒，殺蟲。

應用 用於瘡毒，癰腫，大便秘結，蟲症。用量 3～8g；外用適量。

文獻 《四川省中藥資源普查名錄》，139。

3296 野茉莉

來源 安息香科植物野茉莉 Styrax japonica Sieb. et Zucc. 的花。

形態 小喬木，高達 8m。小枝褐色，多皮孔。葉橢圓形至長圓狀橢圓形，長 4～10cm，寬 1.5～5cm，先端急尖或鈍，基部近圓形或寬楔形，邊緣具有密細齒，兩面近無毛或有時具少數星狀毛。總狀花序腋生，通常 2～4 花組成；花柄短，花長 15～17mm；萼筒具微小星狀毛或近無毛；花冠裂片橢圓形；雄蕊 10 枚，稍短於花冠裂片；子房半下位。蒴果橢圓形或長圓狀卵形，基部為宿存花萼筒所包圍，常開裂。

分佈 生於山間林中。分佈於黃河流域以南地區。

採製 夏、秋季採收，曬乾。

性能 辛，溫。清火，祛風除濕。

應用 用於喉痛，牙痛，風濕關節炎，四肢癱瘓等。用量 6～15g。

文獻 《滙編》下，801。

附註 果入藥，治風濕筋骨痛。

3297 雪柳

來源 木犀科植物雪柳 Fontanesia fortunei Carr. 的嫩葉。

形態 落葉灌木，高達 5m。幼枝四稜形。葉對生，披針形、卵狀披針形或狹卵形，長 3～12cm，先端漸尖，基部楔形，全緣，無毛。圓錐花序生於當年枝頂或腋生，花淡紅白色；花萼微小，杯狀，4 裂；花瓣 4，卵狀披針形，長約 2mm，頂端鈍，基部合生；雄蕊 2，花絲伸出花冠外；子房上位，花柱圓筒狀，柱頭 2 叉。果實寬橢圓形，扁平，長 8～9mm，寬 4～5mm，周圍有狹翅，先端凹入，有小尖頭。

分佈 生於平地路旁、溪邊或栽培。分佈於河北、河南、山西、陝西、山東、江蘇、安徽、浙江、江西、廣東。

採製 春、夏採嫩葉，曬乾或鮮用。

性能 淡、微澀，涼。清熱瀉火。

應用 用於咳嗽，咽喉腫痛等。用量 6～10g。

文獻 《長島縣中藥資源普查綜合報告》，47。

3298 大葉梣(秦皮)

來源 木犀科植物大葉梣 Fraxinus rhynchophylla Hance 的樹皮。

形態 落葉喬木，樹皮灰褐色。奇數羽狀複葉，小葉通常 5，寬卵形或倒卵形，頂端 1 片最大，基部 1 對最小，先端尾狀漸尖，邊緣有鈍粗鋸齒或近全緣。圓錐花序頂生於當年枝頂端或葉腋，花序較短，花軸節上有淡黃色短柔毛；花單性，雌雄異株或雜性，小花綠白色，花萼鐘狀或杯狀，無花冠。翅果倒披針形，先端鈍或凹。

分佈 生於闊葉林中或栽培。分佈於東北、華北及陝西、山東、湖北。

採製 春、秋季剝下樹皮或枝皮，曬乾。

成分 含馬栗樹皮甙 (aesculin)、馬栗樹皮素 (aesculetin)。

性能 苦，寒。清熱燥濕，止痢，明目。

應用 用於腸炎，痢疾，白帶，慢性氣管炎，目赤腫痛，迎風流淚。外用於牛皮癬。用量 5～9g。外用適量。

文獻 《大辭典》下，3628；《藥典》一，236。

3299 小酒瓶花

來源 木犀科植物紅茉莉 Jasminum beesianum Forr. et Diels 的地上部分。

形態 多年生纏繞小灌木，長 40～100 cm。莖四稜形，綠色，蔓延地面。單葉對生，柄極短，有柔毛；葉片卵形，長圓狀卵形或卵狀披針形，長 2.5～5cm，先端漸尖，基部闊楔形。花紫紅色或淡紅色，1～3 朵生於小枝頂端；直徑 1.2～1.8cm；萼具 4～5 線狀齒；花冠高腳碟狀，長約 1.5cm，頂端 4～5 裂，裂片寬橢圓形；雄蕊 2。漿果球形，成熟時黑紫色。

分佈 生於灌叢、路邊、坡地。分佈於中國西南地區。

採製 秋季採收，曬乾。

性能 苦、澀，平。通經活絡，利尿。

應用 用於閉經，風濕麻木，小便不利。用量 15～30g。

文獻 《滙編》下，81。

3300 白背風

來源 馬錢科植物駁骨丹 Buddieja asiatica Lour. 的全株。

形態 小灌木，高 1～1.5m，全株被白色絨毛。幼莖呈四稜形。單葉對生，有短柄；葉片披針形或卵狀披針形，長約 12cm，先端漸尖，基部楔形，全緣或疏生小鋸齒。花序頂生或近腋生，成圓錐花序，花小；花萼鐘形，頂端 4 裂；花冠管狀，白色，頂端 4 裂；雄蕊 4；子房 2 室，柱頭 2 裂。蒴果橢圓形，長約 6mm，萼宿存。

分佈 生於村邊、溪旁或山坡灌木叢中。分佈於福建、台灣、湖北、廣東、廣西、四川、雲南。

採製 全年均可採，曬乾或鮮用。

性能 辛、苦，溫。有小毒。祛風利濕，行氣活血。

應用 用於婦女產後頭風痛，胃寒作痛，風濕關節痛，跌打損傷，骨折。外用於皮膚濕疹，陰囊濕疹，無名腫毒。用量 10～15g。外用適量。

文獻 《滙編》下，210。

3301 粗莖秦艽

來源 龍膽科植物粗莖秦艽 Gentiana crassicaulis Duthie ex Burkill 的根。

形態 多年生草本，高 25～65 cm。根圓柱形，肉質。莖粗壯。葉卵狀披針形，長 10～22cm，先端急尖，基部連合抱莖；營養枝上的葉大，蓮座狀；花莖上的對生葉較小；莖頂部的葉集似輪生，總苞狀。聚傘花序；花藍紫色或淡白色，萼裂片 5；花冠筒狀漏斗形，長 2～3cm，裂片卵狀三角形；具褶；雄蕊5；子房上位，柱頭頭狀。蒴果長圓形，具明顯的柄。種子表面網紋狀。

分佈 生於山坡草地或高山草甸。分佈於四川、雲南、西藏。

採製 秋季採挖，洗淨，曬乾。

性能 苦、辛，平。祛風除濕，和血舒筋，清熱利尿。

應用 用於風濕痹痛，筋骨拘攣，黃疸，便血，骨蒸潮熱，小兒疳積，小便不利等。用量 3～10g。

文獻 《大辭典》下，3627。

3302 峨嵋龍膽

來源 龍膽科植物峨嵋龍膽 Gentiana omeiensis T.N. Ho 的根及根莖。

形態 多年生草本，高 30～40 cm。根莖上叢生多數肉質根。基生葉狹長橢圓形，長 5～12cm，寬 1～2cm，莖生葉 2～4 對，向上漸短小，葉柄漸短至幾無柄。花 3～5 朵聚生葉腋或枝頂成輪傘花序，花萼筒有小齒，花冠藍色，筒形，無條紋和斑點，裂片下部有細齒，雄蕊 5，生花冠管上；子房狹長，有長柄，柱頭 2 裂。蒴果包於宿存萼內。

分佈 生於高山灌叢或草坡。分佈於四川峨嵋山。

採製 夏、秋季採挖。去除莖葉，洗淨，曬乾。

性能 苦，寒。清肝利膽，健胃除濕。

應用 用於肝炎黃疸，消化不良。用量 5～8 g。

文獻 《峨嵋山藥用植物研究》一，77。

3303 深紅龍膽

來源 龍膽科植物深紅龍膽 Gentiana rubicunda Fr. 的全草。

形態 一年生草本，高 8～17cm。莖上部具分枝。基生葉較大；莖生葉長圓形或長圓狀卵形，長 1～2cm，先端鈍或急尖，基部稍狹，連合成鞘狀。花單生於莖頂或腋生；花萼 5 齒裂，裂片披針形；花冠深紅色或紫紅色，漏斗狀，先端 5 裂，裂片卵形；褶卵形，先端嚙蝕狀；雄蕊 5；子房上位，具柄。蒴果外露，壓扁狀，兩側具狹翅，柄長約 2cm；種子橢圓形，褐色。

分佈 生於山坡、溝邊、路旁灌木林中。分佈於湖北、四川、雲南。

採製 春、夏採收，曬乾。

性能 苦，涼。活血祛瘀，消積。

應用 用於跌打損傷，外傷出血，紅腫疼痛，清胃熱，助消化，健脾胃等。用量 3～10g。

文獻 《滙編》下，824。

3304 龍膽地丁

來源 龍膽科植物灰綠龍膽 Gentiana yokusai Burkill 的全草。

形態 一年生草本，高 2～8cm。莖上部多分枝。葉卵形或卵狀長圓形至長圓形，長 4～10mm。先端鈍，具短尖頭，基部鈍，邊緣具短睫毛及細乳突。花單生於枝頂，藍色或帶紫色；花萼倒錐狀筒形，裂片披針形，先端漸尖，具小尖頭；花冠漏斗狀，長 6～10mm；褶整齊；雄蕊着生於冠筒中下部；子房橢圓形，花柱線形。蒴果卵圓形，兩側具狹翅；種子橢圓形，表面具細網紋。

分佈 生於荒坡或草叢中。分佈於長江流域各地。

採製 春末夏初採收，曬乾。

性能 苦、辛，寒。清熱解毒，利濕消腫。

應用 用於目赤，咽喉腫痛，黃疸，闌尾炎，痢疾，腹瀉，白帶，瘡瘍腫毒，淋巴結核等。用量 3～15g。外用適量。

文獻 《四川省中藥材標準》，84。

3305 纏竹黃

來源 龍膽科植物峨嵋雙蝴蝶 Tripterospermum cordatum (Marq.) H. Smith 的全株。

形態 多年生纏繞藤本，長 1～4m。莖常扭轉。葉卵狀心形或卵狀披針形，長 3～10cm，先端漸尖，基部心形或近圓形，邊緣微波狀。花單生或成對着生於葉腋。花萼筒長 0.8～1.3cm，具翅，裂片線狀披針形；花冠紫色或淡紫色，鐘狀，長 3～4cm，裂片卵狀三角形；褶寬三角形；雄蕊着生於冠筒下部；子房橢圓形，柱頭 2 裂。漿果橢圓形，紫紅色；種子橢圓形，無翅。

分佈 生於山地林中或荒坡草叢中。分佈於雲南、四川、陝西、湖北、貴州、湖南。

採製 夏季採收，曬乾。

性能 苦，涼。清熱利濕，健脾，殺蟲。

應用 用於痢疾，腹瀉，濕熱帶下，小便不利，消化不良，驅蛔蟲等。用量 3～6g。

文獻 《峨嵋山藥用植物研究》一，77。

附註 本種曾誤訂為 Crawfurdia japonica Sieb. et Zucc.。

3306 川山橙

來源 夾竹桃科植物川山橙 Melodinus hemsleyanus Diels 的果實。

形態 木質藤本，長達 6m，具乳汁；莖皮黃綠色；小枝、幼葉、葉柄、花序密被短絨毛，老葉上面被毛稍脱落。葉對生，橢圓形或矩形、橢圓狀披針形，長 7～15cm，寬 4～5cm，頂漸尖，基部楔形或鈍。花序頂生，花蕾矩圓形，頂端鈍頭；花萼裂片 5 枚，矩圓形，頂端急尖，具尖頭；花冠裂片 5，矩圓狀披針形或長刺刀形，通常比花冠筒為短，稀等長；雄蕊 5。漿果長橢圓形，長達 7.5cm，直徑約 2.9cm，頂端具尖頭，成熟時橙黃色或橘紅色；種子多數，長橢圓形，兩端扁平。

分佈 生於山地疏林中、山坡路邊或巖石上。分佈於四川南部和東南部。

採製 9～10 月採果，曬乾。

性能 甘、苦，平。清熱解毒，涼血止血，通經下乳。

應用 治癰腫瘡毒，蛇傷，痔瘡，腸風下血，月經不調，乳汁不通。用量 6～10g。外用適量。

文獻 《萬縣中草藥》，353。

3307 霹靂蘿芙木

來源 夾竹桃科植物霹靂蘿芙木 Rauvolfia perakensis king et Gamble 的根。

形態 灌木，無毛。葉對生或三葉輪生，膜質，橢圓狀卵形或倒卵狀，先端漸尖或急尖，基部楔形，全緣，兩面光滑，中脈在背面凸起，側脈 16～20 對，弧曲上升。聚傘花序頂生，傘房狀；花萼鐘狀；裂片披針形；花冠淡紅色，花冠筒圓筒狀，在中間的上部膨大，內被長柔毛，裂片廣橢圓形；雄蕊 5，着生於花冠筒中部稍上，花藥背部着生，花絲頂端膨大，花盤環狀；花柱柔弱，柱頭棒狀。核果紅色，離生，橢圓形。

分佈 分佈於馬來西亞、泰國。中國海南、雲南有引種栽培。

採製 全年均可採挖，曬乾。

成分 含多種生物鹼。

性能 苦，涼。祛風，散熱。

應用 用於高血壓，頭暈等。用量 6～10g。

文獻 《新華本草綱要》二。

3308 戟葉牛皮消

來源 蘿藦科植物戟葉牛皮消 Cynanchum bungei Decne. 的根。

形態 多年生纏繞草本。塊莖粗壯。莖細弱，灰紫色。葉對生，戟形，先端漸尖，基部心形，有短腺毛。傘形聚傘狀花序腋生；花萼 5 深裂，裂片披針形；花冠白色，裂片長圓狀披針形，反卷；副花冠 5 深裂，裂片披針形，裏面中央有舌狀片，花粉塊每室 1 枚；子房上位，柱頭基部 5 裂，頂端全緣。蓇葖果長角狀；種子卵形，頂端有白色絹毛。

分佈 生於山谷、山坡、河岸或路旁灌叢中。分佈於遼寧、華北及河南、山東、陝西、甘肅。

採製 冬季枯萎時採收，切片，曬乾。

成分 含磷脂酰膽鹼 (phosphatidylcholine) 等。

性能 甘、微苦，微溫。補肝腎，益精血，強筋骨，止心痛，健脾益氣。

應用 用於肝腎陰虛所致的頭昏眼花，失眠健忘，鬚髮早白，腰膝酸軟，筋骨不健，胸悶心痛，消化不良等。用量 6～12g。

文獻 《中藥誌》二，328。

3309 醉魂藤

來源 蘿藦科植物醉魂藤 Heterostemma alatum Wight 的根。

形態 藤本，長 2～5m，具乳汁。莖具 2 列柔毛。葉寬卵形或長圓狀卵形，長 4～12cm，先端急尖或鈍，基部闊楔形或近圓形，邊緣全緣，兩面近無毛。聚傘花序腋生；花黃色，輻狀；花萼 5 深裂，裂片披針形；花冠裂片 5，三角狀卵形；副花冠 5 裂，長舌形，從合蕊柱伸出平展於花冠上；花粉塊近圓形或卵形，直立。蓇葖果雙生，條狀披針形，長 8～16cm；種子寬卵形，頂端具絹質種毛。

分佈 生於溝邊、林下陰濕處。分佈於四川、雲南、廣東、廣西。

採製 夏、秋季採收，洗淨，曬乾。

性能 辛，平。除濕，解毒，截瘧。

應用 用於風濕腳氣，風濕關節痛，外傷，蟲咬傷，胎毒，瘧疾等。用量 3～10g。

文獻 《滙編》下，807。

3310 烏騷風

來源 蘿藦科植物青蛇藤 Periploca calophylla (Wight.) Falc 的莖。

形態 多年生攀援灌木。幼枝灰白色，老枝黃褐色，密生皮孔。葉對生，半革質，披針形或長圓狀披針形，長 4.5～6cm，先端長尾狀漸尖，全緣或波狀，基部狹楔形。聚傘花序腋生或頂生；苞片卵圓形，具纖毛；萼深 5 裂，裂片卵圓形，具纖毛，基部有細小腺體 5 個；花冠深紫色，5 深裂，裂瓣略向右旋轉，互相叠合，內表面密具白色柔毛，長圓形，鈍尖；副花冠環狀，5 裂，裂瓣線形，具長柔毛；雄蕊 5，花絲短，分離，藥卵圓形，漸尖；花柱聯合。蓇葖果長圓柱形。

分佈 生於林緣、溝邊。分佈於湖北、廣西、四川、雲南。

採製 夏、秋季採割，切段，曬乾。

性能 辛、微苦，溫。發表散寒，祛風散血。

應用 用於腰痛，風濕麻木，跌打損傷，蛇咬傷。用量 6～9g。

文獻 《大辭典》上，0958。

3311 田間菟絲子

來源 旋花科植物田間菟絲子 Cuscuta campestris Yuncker. 的種子。

形態 一年生寄生草本。莖淡黃色，粗不到 1cm ，光滑，纏繞，無葉。花序球狀，有花 3～8朵；花徑約 8mm；苞片披針形，花柄長 2mm；花萼碗狀，5 裂，裂片廣卵形，頂端鈍；花冠鐘形，白色或淡綠色，長於萼片一倍，5 深裂，裂片寬三角形，頂端尖銳，常反折；鱗片橢圓形，邊緣長流蘇狀，與筒部等長；雄蕊 5；子房 2 室，花柱 2，不等長。蒴果近球形，直徑 3～3.5mm，不整齊開裂；種子 2～4，淡褐色，表面粗糙。

分佈 生於田間，常寄生在栽培作物和田間雜草上。分佈於新疆。

採製 秋季果實成熟時，割下全草，打下種子，去除雜質，曬乾。

性能 甘，溫。補肝腎，益精，明目。

應用 治腰膝酸痛，陽痿，遺精，尿頻，目眩。用量6～12g。

文獻 《新疆藥用植物誌》二，114。

3312 琉璃草

來源 紫草科植物大琉璃草 Cynoglossum zeylanicum (Vahl) Thunb. ex Lehm. 的根皮或根。

形態 二年生或多年生草本，高 30～100cm。主根粗壯，黑褐色。莖密被短柔毛。基生葉和下部葉有柄，長可達 9cm；葉片橢圓形，長達 25cm，先端鈍或急尖，基部楔形，上面灰綠，被短糙毛，背面色淡，被絨毛。上部葉卵狀披針形或披針形，葉柄漸短或無。蝎尾狀聚傘花序頂生或腋生，總梗被毛；花梗長 1～1.5mm，果時不增長；花萼裂片卵形，外面密被短毛；花冠淡藍色，長 4～5mm，冠檐與冠管近等長；雄蕊 5。小堅果 4，卵形，密生錨狀刺。

分佈 生於山地草坡、路邊、灌叢。分佈於安徽、江西、陝西、甘肅、西南、華南及台灣。

採製 春、夏採挖，洗淨，鮮用或曬乾。

性能 甘、苦，寒。清熱解毒，生肌。

應用 用於瘡癤癰腫，毒蛇咬傷，勞傷吐血，肝炎，痢疾。用量 10～15g；外用適量。

文獻 《萬縣中草藥》，93。

3313 巖青蘭

來源 唇形科植物巖青蘭 Dracocephalum rupestre Hance 的全草。

形態 多年生草本，高 15～40cm。莖斜生，四稜，有細毛。基生葉柄細長，葉片闊卵圓形或心狀長橢圓形，先端圓鈍，邊緣有規則的圓齒，兩面有毛，上面綠色，下面白色，網狀脈明顯；莖生葉對生，具短柄。輪傘花序密集，通常呈頭狀，稀疏離而排列成長達 9cm的假穗狀；苞片倒卵形至倒披針形，每側有帶刺的小齒；花萼常帶紫色，近唇形，上唇 3 裂，下唇 2 裂；花冠藍色，長 3.8～4cm，下唇裂片扁長圓形。小堅果長卵圓形。

分佈 生於石質山坡、路旁或河谷濕潤處。分佈於東北及西北各地。

採製 7～8 月採收全草，曬乾。

性能 甘、辛，涼。清熱消炎，涼血止血。

應用 用於風熱頭痛，喉痛咳嗽，黃疸型肝炎，吐血，衄血。用量 3～9g。

文獻 《大辭典》上，2784。

3314 野草香

來源 唇形科植物野草香 Elsholtzia cyprianii (Pavol.) S. Chow ex Hsu 的全草。

形態 草本，高 0.5～1m。莖四稜形，密被短柔毛。葉卵形或卵狀長圓形，長 3～7cm，先端急尖，基部楔狀下延，邊緣具圓齒，兩面被短柔毛。穗狀花序圓柱形；苞片線形，被毛；花萼管狀鐘形，被毛；花冠粉紅色，被毛，二唇形，上唇全緣或微凹，下唇 3 裂；雄蕊 4；花柱 2 裂。小堅果長圓狀橢圓形，黑褐色，被毛。

分佈 生於山坡、林邊草叢或耕地中。分佈於陝西、河南、安徽、湖北、湖南、貴州、四川。

採製 夏、秋季採收，曬乾。

性能 辛、微苦，平。發汗解表，利濕止癢。

應用 用於傷風感冒，頭痛，腸炎，痢疾，腎炎，濕疹，腳癬等。用量 6～20g。外用適量。

文獻 《中國植物誌》六十六，329。

3315 四輪香

來源 唇形科植物四輪香 Hanceola sinensis (Hemsl.) Kuda 的全草。

形態 多年生草本，高 0.5～1.2m，被微柔毛。莖四稜形。葉披針形或卵狀披針形，長 8～22cm，先端急尖或漸尖，基部下延，邊緣具鋸齒，兩面被微柔毛，背面具腺點。輪傘花序排成圓錐狀；花白色或黃色至紫色；花萼近鐘狀，5 齒裂，果時增大；花冠筒弧狀彎曲，被微柔毛，頂端 2 唇形，上唇 2 圓裂，下唇較長，3 圓裂；2 強雄蕊，花絲被微柔毛；花柱 2 淺裂。小堅果長圓形，具條紋。

分佈 生於林下或陰濕的溝邊。分佈於四川、雲南、貴州、廣西、湖南。

採製 夏季採收，曬乾。

性能 微苦，平。清熱，消腫，止痛。

應用 用於風熱咳嗽，腹瀉，口乾舌燥，跌打損傷，瘀血作痛，風濕關節痛等。用量 6～10g。

文獻 《峨嵋山藥用植物研究》一，81。

3316 神香草

來源 唇形科植物硬尖神香草 Hyssopus cuspidatus Boriss 的地上部分。

形態 半灌木，高 30～60cm。莖基部粗大，木質，褐色，常扭曲，多分枝，具四稜。葉線形，無柄，具腺點。花序輪傘狀，頂端呈穗狀、密集，常偏向一側；苞片及小苞片線形；花萼管狀，萼齒 5，頂端具錐狀尖頭；花絲絲狀；花柱近等於或稍長於雄蕊，頂端二裂。小堅果長圓形。

分佈 生於礫石質山坡及河灘上。分佈於新疆北部阿爾泰山。

採製 夏秋割取全草，陰乾。

成分 含揮發油，主要為月桂烯 (myrcene)、去甲基丁香酚 (demethyleugenol)，松莰酮 (pinocamphone) 等。另含有黃酮類化合物。

性能 辛，涼。鎮咳祛痰，清熱解毒，消炎。

應用 用於感冒發燒，氣管炎咳嗽。用量 3～9g。

文獻 《新疆藥用植物誌》二，132。

3317 樟腦草

來源 唇形科植物心葉荊芥 Nepeta cataria L. 的全草。

形態 多年生直立草本。莖高 40～150cm，被白色短柔毛。葉柄細弱，葉片卵狀至三角狀心形，兩面被短柔毛，下面白綠色。聚傘花序二歧狀分枝，組成頂生分枝圓錐花序，苞片葉狀，或上部為披針形；小苞片鑽形；花萼筒狀，5 齒，鑽形，後齒較長；花冠白色，筒極細，下唇有紫斑點，3 裂，中裂片近圓形，基部心形，邊緣具粗牙齒，上唇頂端淺凹；雄蕊 4，二強，內藏或略伸出。小堅果三稜狀卵圓形。

分佈 生於山坡或草叢中。分佈於山西、山東、陝西、甘肅、河南、湖北、四川、貴州、雲南、新疆。

採製 夏季採收，曬乾。

性能 淡，涼。散瘀消腫，止血止痛。

應用 用於跌打損傷，吐血，衄血，毒蛇咬傷，疔瘡癰腫。用量 15～25g。外用適量。

文獻 《滙編》下，840。

3318 白花益母草

來源 唇形科植物白花益母草 Leonurus artemisia (Lour.) S.Y. Hu var. albiflorus (Migo) S.Y. Hu 的全草。

形態 二年生草本，高 30～70 cm，被倒向糙伏毛。莖方形。莖下部葉輪廓卵形，中部葉常三裂成長圓形，全緣或有牙齒。輪傘花序，具刺狀苞片；花萼筒狀鐘形，5 齒裂，前 2 齒靠合；花冠白色，2 唇形，筒內有毛環，上唇外被柔毛，下裂 3 裂；2 強雄蕊，與花柱近等長。小堅果長圓狀三稜形。

分佈 生於荒坡草叢中。分佈於江蘇、福建、廣東、廣西、貴州、雲南、四川。

採製 夏季採收，曬乾。

性能 苦、辛，涼。活血，祛瘀，調經，消水。

應用 用於月經不調，胎漏難產，胞衣不下，產後血暈，瘀血腹痛，崩中帶下，尿血，瘡毒等。用量 3～15g。

文獻 《大辭典》下，4016。

3319 鼻血草

來源 唇形科植物滇荊芥 Melissa axillaris (Benth.) Bakh. f. 的全草。

形態 一年或多年生草本，高 30～50cm，全體被柔毛。莖直立，四方形，略帶紫色。單葉對生，卵形或卵狀披針形，長 2～4.5cm，邊緣有鈍鋸齒。輪傘花序或總狀花序，腋生，白色或淡黃色；苞片線形或線狀披針形；萼長鐘形，萼管狹，2 唇形；花冠彎曲，2 唇形，上唇直立，凹入，下唇擴展，3 裂，內面疏生白毛；雄蕊 4；花柱短，2 裂。小堅果廣卵形。

分佈 生於山坡草叢中。分佈於中國西南部至東部。

成分 含鞣質、揮發油。

採製 夏、秋季採集，陰乾或曬乾。

性能 苦、澀，溫。清熱解毒，收斂。

應用 用於風濕麻木，麻風，吐血，鼻出血，皮膚瘙癢，瘡疹，崩帶。用量 20～30g。

文獻 《大辭典》下，5353。

3320 四稜香

來源 唇形科植物峨嵋冠唇花 Microtoena omeiensis C.Y. Wu et Hsuan 的全草。

形態 多年生草本。莖直立，四稜形，不分枝，密被短腺毛。葉對生，葉片三角形，先端漸尖，基部心形，邊緣具牙齒，兩面密被短腺毛；葉柄細長，被短腺毛。輪傘花序疏離，組成假總狀花序，頂生，基部常有 2 個側生小花序和兩片苞葉；花萼鐘狀，綠色；花冠唇形，淡黃色，上唇頂端微凹，下唇 3 裂；雄蕊 4，近等長。

分佈 生於高山林下、林緣。分佈於四川。

採製 夏、秋季採收，鮮用或曬乾。

性能 辛，溫。發表，散寒。

應用 用於外感風寒。用量 5～10g。

文獻 《峨嵋山藥用植物研究》一，82。

3321 野香薷

來源 唇形科植物瘿花香茶菜 Rabdosia rosthornii (Diels) Hara 的全草。

形態 多年生草本，高 0.5～1.3m。莖四稜形，密被短柔毛，下半部近木質。葉卵圓形或近寬卵形，長 4～10cm，先端漸尖，基部漸狹，邊緣具圓齒，兩面被短柔毛及疏腺點，側脈 4～5 對。聚傘花序組成狹圓錐花序式；花萼二唇形，果時增大，或內生蟲而膨大成囊狀長圓形，長達 1cm。花白色或淡紫色至紫藍色，上唇 4 圓裂，下唇近圓形，內凹，舟狀；雄蕊 4，花絲下部被髯毛；花柱絲狀。小堅果卵狀球形，具腺點。

分佈 生於山坡、荒地草叢中。分佈於四川、貴州。

採製 夏季採收，曬乾。

性能 辛、苦，涼。清熱解毒，化痰，散寒解表。

應用 用於喉炎，扁桃體炎，風熱咳嗽，頑痰不化，外感風寒，周身疼痛，四肢無力等。用量 6～15g。

文獻 《峨嵋山藥用植物研究》一，83。

3322 滇丹參

來源 唇形科植物滇丹參 Salvia yunnanensis C.H. Wight 的根。

形態 多年生草本，高 30～60cm。根肥厚，紅色。莖四稜，被長柔毛。下部常為三出複葉，頂生小葉卵形或橢圓狀心形，長 5～7cm，上面被密而貼生的剛毛，下面沿脈上被疏柔毛，側生小葉較小。輪傘花序，疏離，排列成總狀；苞片小，披針形或狹卵圓形；萼鐘狀，二唇裂；花冠藍紫色，上唇盔狀，外被短柔毛，下唇 3 裂，具白斑；能育雄蕊 2，棒狀；花柱先端 2 裂。小堅果長橢圓形。

分佈 生於山坡陽處。分佈於中國西南地區。

採製 秋、冬季採挖，去除莖葉及鬚根，曬乾。

性能 苦，微溫。活血祛瘀，安神寧心，排膿。

應用 用於冠心病，月經不調，痛經，閉經，血崩帶下，癥瘕積聚，瘀血腹痛，骨節疼痛，心悸不眠，惡瘡腫毒。用量 5～10g。外用適量。

文獻 《大辭典》上，0977；《中國植物誌》六十六，142。

3323 滇黃芩

來源 唇形科植物西南黃芩 Scutellaria amoena C.H. Wright 的根。

形態 多年生草本，高 10～25cm。主根粗壯，黃色。莖四方形，節間有兩列白柔毛及腺毛。單葉對生，長卵形或長橢圓形，長 3.5cm，兩面具微柔毛。總狀花序頂生，花萼鐘狀，5 齒裂，外面被柔毛及腺毛；花冠唇形，藍紫色，外被柔毛及腺毛；雄蕊 4，2 强；子房 4 深裂。小堅果橢圓形，被柔毛。

分佈 生於山坡灌叢或疏林間。分佈於四川、雲南、貴州。

採製 春、秋季採挖，除去莖葉，曬乾。

成分 含黃芩甙 (baicalin)、漢黃芩甙 (wogonoside) 等。

性能 苦，寒。瀉火，除濕熱，止血，安胎。

應用 用於壯熱煩渴，肺熱咳嗽，濕熱瀉痢，黃疸，目赤腫痛，淋瀝下血，胎動不安，癰腫疔瘡等。用量 3～9g。外用煎水洗或研末撒佈。

文獻 《大辭典》下，4147。

3324 狹葉黃芩

來源 唇形科植物狹葉黃芩 Scutellaria regeliana Nakai 的全草。

形態 多年生草本，高 25～35cm。根直伸或斜升，纖細。莖直立，四稜形，有短柔毛。葉有短柄；葉片披針形或三角狀披針形，先端鈍，基部淺心形，兩面均有毛。花單生莖上部葉腋；花萼 4～6mm，盾片小；花冠紫色，外面有短柔毛，冠檐二唇形，下唇中裂片大；雄蕊 4，前對較長，花絲扁平；花柱細長；花盤環狀，子房與花盤間有白色泡狀體；子房 4 裂。小堅果卵球形，黃褐色。

分佈 生於河岸、沼澤地。分佈於黑龍江、吉林、內蒙古、河北。

採製 夏季採收，洗淨，曬乾。

性能 微苦，涼。清熱解毒。

應用 用於治肺熱咳嗽，目赤腫痛，癰腫疔毒。用量 10～20g。外用適量。

文獻 《吉林省中藥資源名錄》，135。

3325 筒冠花

來源 唇形科植物筒冠花 Siphocranion macranthum (Hook. f.) C.Y. Wu 的全草。

形態 多年生草本，高 25～80cm，密被長柔毛，有時近無毛。葉卵狀披針形或矩圓狀披針形，長 5～10cm，兩面僅脈上具微柔毛。輪傘花序組成頂生假總狀或圓錐狀花序；小苞片披針形；花萼寬鐘形，5 齒裂，近等大，呈二唇形，果時增大；花冠粉紅色、紫色至淡紫藍色，長管狀，長約 2.5cm，上唇 4 裂近等大，下唇稍大而近圓形；二強雄蕊，着生於花冠管上。小堅果卵形。

分佈 生於陰濕的溝邊或林下。分佈於西南及廣西。

採製 夏季採收，陰乾。

性能 微苦，平。清熱解毒，止痛。

應用 用於燒傷，燙傷，熱毒生瘡，紅腫疼痛等。用量 3～9g。外用適量。

文獻 《峨嵋山藥用植物研究》一，84。

3326 馬尿泡

來源 茄科植物唐古特馬尿泡 Przewalskia tangutica Maxim. 的種子及根。

形態 多年生草本，高 15～35cm。根粗壯，莖粗短，被柔毛及腺毛。葉蓮座狀互生，長橢圓形，長 6～20cm，寬 2～4cm，兩面被柔毛和腺毛。花 1～3 朵聚生葉腋；萼圓筒狀，5 齒裂，結果時增大成橢圓球形的囊，囊外具縱肋和網脈；花冠管狀，黃色，藏於萼筒內；雄蕊 5，內藏。蒴果類球形，環裂。

分佈 生於乾旱草原或高山砂礫地。分佈於四川、青海、西藏。

採製 夏季挖根，秋季採種子。洗淨，曬乾。

成分 含天仙子胺 (hyoscyamine) 等生物鹼。

性能 苦、辛，寒。有毒。消腫，鎮痛。

應用 用於無名腫毒，瘡毒，消化道痙攣性疼痛。用量 0.1～0.2g。外用適量。

文獻 《大辭典》下，3941。

3327 毛地黃(洋地黃葉)

來源 玄參科植物紫花洋地黃 Digitalis purpurea L. 的葉。

形態 多年生直立草本，高 30～50 cm。除花冠外，全體被灰白色短柔毛和腺毛。基生葉蓮座狀，葉柄長 2～8cm，葉片長卵形，長 5～15cm，兩端急尖或鈍，邊緣具圓齒或鋸齒；莖生葉下部的與基生葉同形，向上漸小。總狀花序頂生；萼鐘狀，長約 1cm，5 裂幾達基部，裂片矩圓狀卵形，頂生圓鈍至急尖；花紫紅色或白色，長 3～4cm，筒狀鐘形，上唇 2 淺裂，下唇 3 裂，中唇片較長；雄蕊 4；柱頭 2 裂。蒴果卵形，頂端尖，密被腺毛；種子短棒狀，被毛。

分佈 原產歐洲，中國有栽培。

採製 初夏採收，曬乾。

成分 含洋地黃毒苷 (digitoxinum) 等活性物質。

性能 強心。

應用 用於提取洋地黃毒苷的原料，主治充血性心力衰竭等。

文獻 《藥典》二，337。

3328 幌菊

來源 玄參科植物幌菊 Ellisiophyllum pinnatum (Wall.) Makino 的全草。

形態 匍匐小草本，除花冠外全體被短柔毛。匍匐莖纖弱，長達1m，節上生根。單葉互生，具長柄；葉片卵形或矩圓形，羽狀深裂，葉片 5～9，倒卵狀楔形，中部以上具大圓齒。花單生葉腋，花梗纖細，與葉柄等長；萼鐘狀，長 5～7mm；花瓣白色，長 7～12 mm，漏斗狀，近輻射對稱，內面密被短柔毛，裂片 5 枚，匙形；雄蕊 4；花柱略比花冠短，基部被短柔毛。蒴果藏於萼內，圓球形。

分佈 生於田野、草地。分佈於河北、江西、甘肅、四川、貴州、雲南、台灣。

採製 秋季採收，曬乾。

性能 甘，寒。滋陰潤燥，平肝明目。

應用 用於頭暈目眩，肺熱咳嗽，黃疸。用量 10～15g。

文獻 《貴州中草藥名錄》，519。

3329 旱田草

來源 玄參科植物旱田草 Lindernia ruellioides (Colsm.) Pennell 的全草。

形態 一年生草本，高 8～16cm。莖四方形。葉長圓形或卵形，長 2～4cm，尖端近圓形而有齒，基部寬楔形，邊緣密生鋸齒。總狀花序；花萼果時增長，裂片鑽狀長漸尖；花冠白色帶紫或紫紅色，長 10～14mm；雄蕊 2 枚，不育，無附屬物；子房圓柱形。蒴果披針形，長達 2cm；種子具有格狀瘤突。

分佈 生於潮濕的溝邊、田坎或林下。分佈於台灣、福建、江西、廣東、廣西、貴州、雲南、四川、湖北等地。

採製 夏季採收，洗淨，曬乾。

性能 甘、淡，平。理氣活血，消腫止痛。

應用 用於閉經，痛經，乳腺炎，頸淋巴結結核，跌打損傷，狂犬咬傷等。用量 10～20g。外用適量。

文獻 《大辭典》下，3784；《滙編》下，332。

3330 崖白翠

來源 玄參科植物崖白翠 Mazus omeiensis Li 的全草。

形態 多年生草本。根狀莖縮短或伸長而橫走，無毛或疏被多細胞白色柔毛。葉基生，蓮座狀，革質，倒卵狀匙形，長 3～15cm，漸狹成短柄，邊緣疏具粗齒，齒端具胼胝質短突尖。花葶常單生，高 10～30cm，總狀花序有花數朵；苞片長 0.6cm；花梗被腺毛；萼鐘狀，萼齒長為萼筒之半，卵狀三角形；花冠紫色或藍色，長約 2～3cm，上唇直立，略比下唇短，2 裂，裂片寬 0.4cm，頂端鈍圓，下唇 3 裂，裂片頂端叉狀凹缺。蒴果卵圓形，包於萼筒內。

分佈 生於濕潤崖石上。分佈於四川、貴州。

採製 夏、秋季採收，曬乾。

性能 苦，微寒。解毒。

應用 用於狂犬病。用量 3～5g。

文獻 《中國高等植物圖鑒》四，15；《峨嵋山藥用植物研究》一，86。

3331 天目地黃

來源 玄參科植物天目地黃 Rehmannia chingii Li 的根。

形態 多年生草本，全體疏被白柔毛。根肉質，枯黃色，略帶紅色，多彎曲。基生葉發達，蓮座狀，柄長 6cm，邊緣有不規則的鈍鋸齒，莖生葉自下而上逐漸變小，柄亦變短。花單生葉腋，花梗和花比苞片長；花萼鐘狀，具 5 齒裂；花冠紫紅色，外面具柔毛，長 6～7cm；雄蕊 4，二強，着生於花冠筒內，花絲細長，基部具白色柔毛；子房卵形，柱頭寬圓形稍大。蒴果卵圓形，包於宿存花萼內；種子橢圓形，褐色。

分佈 生於山谷和草叢中。分佈於浙江和安徽。

採製 夏、秋季採挖，鮮用或曬乾。

成分 含地黃素、梓醇和多糖類。

性能 甘、苦，寒。清熱涼血，潤燥生津。

應用 治血熱吐衄，咽喉腫痛，高熱煩渴。用量 12～30g。外用適量。

文獻 《浙藥誌》下，1157。

3332 水韓信草

來源 玄參科植物光葉翼萼 Torenia glabra Osheck 的全草。

形態 一年生平臥或披散小草本。莖柔弱，四稜形，節上生根，多分枝，無毛或幼莖及花柄被疏毛。葉對生，具柄；葉片卵形，長 2～3cm，先端銳尖，基部闊楔形，邊緣有鈍鋸齒。花常生於近頂部的葉腋內；花柄粗壯；萼片長 1～1.2cm，有翅 5，結果時長可達 2cm；花冠紫藍色，長約 2cm，上唇 2 裂，下唇 3 裂；雄蕊 4，花藥兩兩黏貼。蒴果，藏於宿存萼內。

分佈 生於潮濕草地上。分佈於中國南方各地。

採製 夏、秋季採收，一般鮮用。

性能 甘，涼。清熱利濕，解毒，化瘀。

應用 用於熱咳，黃疸，瀉痢，疔毒，跌打損傷。用量 9～30g；外用適量。

文獻 《大辭典》上，1145。

3333 紫萼蝴蝶草

來源 玄參科植物紫萼蝴蝶草 Torenia violacea (Azaola) Pennell 的全草。

形態 一年生草本，高 10～35 cm。莖四方形。葉卵形或卵狀長圓形，長 2～5cm，尖端急尖，基部近圓形，邊緣具鈍齒。傘形花序，有 2～4 朵花；花白色或淡黃色；花萼長卵形，翅寬達 3mm，果期變紫紅色，萼齒略唇形；花冠長 1.5～2cm，上唇截形，下唇 3 淺裂，有時具紫斑及黃斑；花絲無附屬物，花藥成對靠合；子房上位。蒴果包於宿存萼內。

分佈 生於陰濕的溝邊、路旁草叢中。分佈於華東、華南、華中、西南及台灣。

採製 夏季採收，洗淨，曬乾。

性能 微苦，涼。清熱解毒，止咳化痰，利濕消腫。

應用 用於口苦心煩，目赤紅腫，風熱咳嗽，黃疸，血淋，腹瀉，四肢水腫，蛇傷，疔毒等。6～15g。外用適量。

文獻 《萬縣中草藥》，612。

3334 寬葉溝酸漿

來源 玄參科植物寬葉溝酸漿 *Mimulus tenellus* Bge. var. *platyphyllus* (Fr.) Hong 的全草。

形態 多年生草本，高 20～30cm。莖直立，具 4 稜。葉對生，柄極短；葉片廣卵形至狹卵形，先端短銳尖，基部近圓形至闊楔形，邊緣僅上部具粗鋸齒。花單生於枝頂或葉腋；花柄細長；花萼鐘狀，裂片 5，長短不一；花冠淡黃色，唇形，上唇 2 裂，下唇 3 裂，有黃褐色斑和兩條突起的脈；雄蕊 4。蒴果。

分佈 生於山中較陰濕處。分佈於四川、雲南。

採製 夏秋季採收，鮮用或曬乾。

性能 澀，平。收斂，止瀉。

應用 用於濕熱痢疾，脾虛泄瀉，婦女白帶。用量 12～25g。

文獻 《大辭典》下，4581。

3335 爬崖紅

來源 玄參科植物爬崖紅 *Veronicastrum axillare* (Sieb. et Zucc.) Yamazaki 的全草。

形態 多年生草本。莖弓曲，長達 1m，具稜。單葉互生；葉片長 7～14cm，寬 2.5～6cm，先端漸尖至尾尖，葉緣具齒，葉兩面脈上均被硬毛。穗狀花序腋生，花管狀；花萼 5 裂，裂片長約 2mm；花冠紅色；雄蕊 2，伸出花冠；雌蕊心皮 2，子房上位，柱頭伸出花冠，但短於雄蕊。蒴果圓錐狀卵形，種子多數。

分佈 生於林下、石隙等陰濕處。分佈於四川、貴州。

採製 夏季採收，陰乾或曬乾。

性能 苦，涼。清熱，行水，消腫，解毒。

應用 用於肺熱咳嗽，水腫，淋病，目赤，跌打損傷，燙傷。

文獻 《大辭典》上，2821；《植物誌》六十七，239。

3336 寬葉腹水草

來源 玄參科植物寬葉腹水草 *Veronicastrum latifolium* (Hemsl.) Yamazaki 的全草。

形態 多年生草本，莖細長，弓曲，長達 1m。單葉互生，葉片闊卵形，長 5～12cm，先端漸尖，基部寬楔形或圓形，葉緣具鋸齒，葉脈無毛。穗狀花序腋生，花管狀；花萼 5 裂，裂片長不足 1mm；花冠白色或淡紫色；雄蕊 2，伸出花冠；雌蕊 1，子房上位。蒴果，種子多數。

採製 夏季採收，陰乾或曬乾。

性能 苦，涼。清熱，行水，消腫解毒。

應用 用於肺熱咳嗽，水腫，淋病，目赤，跌打損傷，燙傷。

文獻 《大辭典》上，2821；《植物誌》六十七，239。

3337 黃筒花

來源 列當科植物黃筒花 Phacellathus tubiflorus Sieb. et Zucc. 的全草。

形態 寄生小草本，高 5～14cm，肉質。莖直立，單生或簇生。葉鱗片狀，覆瓦狀排列，長 0.5～1cm，卵狀三角形，先端尖。花通常 5～11朵，生莖的上端，白色或淡黃白色，無花柄；苞片寬卵形至長橢圓形，長達 1.5cm，先端圓鈍；花萼退化；花冠筒狀，唇形，長 2.5～3cm，通常直立，先端 5 裂，上唇 2 淺裂，下唇 3 裂，裂片近相等；雄蕊 4，稀 3，着生於花冠筒中部以下；心皮 3，花柱長，柱頭 2 裂。蒴果橢圓形。種子多數。

分佈 寄生於木本植物根部，常生在林下濕潤處。分佈於吉林、陝西、湖北、湖南、四川、浙江。

採製 秋季採挖，晾乾。

性能 滋補強壯。

應用 用於病後體虛等病症。用量 10～25g。

文獻 《吉林省藥用植物名錄》，48。

3338 大一面鑼

來源 苦苣苔科植物大一面鑼 Didissandra sesquifolia C.B. Clarke 的全草。

形態 多年生草本，全體密被淡黃色粗毛。莖直立，稍肉質。葉 1 枚，生於莖的頂端，幾無柄；葉片廣卵狀橢圓形，長 22cm，寬 12.5cm，先端尖，邊緣有大小不等的鋸齒，基部心形或圓形，莖頂有時具 1～2 枚鱗片狀小葉。花排列成傘形花序或單生於莖頂；花萼 5 裂，裂片長橢圓形；花冠藍紫色，先端 2 唇形，管內有毛 2 列；雄蕊 4，花粉散出後花絲捲曲；雌蕊子房長柱形。蒴果長柱狀，縱裂。

分佈 生於林下陰濕處。分佈於四川西部。

採製 夏、秋季採收。洗淨，曬乾或鮮用。

性能 甘，平。強心，利尿，固腎澀精。

應用 用於心臟衰弱，紅崩白帶，小便淋瀝，夜夢遺精。用量 15～30g。

文獻 《大辭典》上，0235。

3339 大石澤蘭

來源 苦苣苔科植物川西吊石苣苔 Lysionotus wilsonii Rehd. 的全草。

形態 附生攀援小灌木。莖無毛，葉柄殘痕突出。葉對生，無毛，狹橢圓形或矩圓狀倒披針形，先端邊緣有鋸齒 3～5，基部圓形，近全緣，上面葉脈凹陷。聚傘花序腋生，有長梗，花 1～4 朵；花萼 5 裂近基部，裂片披針狀條形；花冠白色，唇形，上唇 2 裂，下唇 3 裂；能育雄蕊 2，花藥連着；退化雄蕊 3。蒴果細長，近圓柱形。

分佈 生於山地石崖上或樹上。分佈於四川。

採製 秋季採收，切成短節，曬乾。

性能 甘、苦，溫。涼血止血，祛瘀化滯，通絡止痛。

應用 用於風濕痹痛，跌打損傷，內傷咳喘。用量 10～20g。

文獻 《峨嵋山藥用植物研究》一，88。

3340 白接骨

來源 爵床科植物白接骨 Asystasiella chinensis (S. Moore) E. Hossain 的根莖或全草。

形態 多年生草本。根狀莖白色，有白色黏液。莖高達 1m，略呈方形，節膨大。葉卵形至橢圓狀矩圓形，先端尖至漸尖，邊緣微波狀或具淺齒。總狀花序頂生，密被絳紫色腺毛；花萼裂片 5；花冠淡紫紅色，漏斗狀，花冠筒細長，裂片 5，略不等；雄蕊 2 強；雌蕊基部有蜜盤。蒴果上部有種子 4 粒。

分佈 生於山坡林下或溪邊。分佈於浙江、江蘇、河南、四川、雲南。

採製 夏、秋採收，洗淨，鮮用或曬乾。

性能 甘、淡，平。止血，去瘀，清熱解毒。

應用 用於吐血，便血，咽喉腫痛，外傷出血，扭傷，癧腫。用量 3～10g。

文獻 《大辭典》上，1459。

附註 本種學名曾訂為 Asystasiella neesiana (Wall.) Lindau。

3341 假耳草

來源 茜草科植物假耳草 Anotis ingrata (Wall.) Hook. f. 的全草。

形態 多年生草本，高 20～40cm。莖下部橫臥，上部直立。單葉對生，長卵形，長 4～6cm，寬約 2 cm；托葉卵形，邊緣有刺毛狀分裂。聚傘花序頂生，花白色，花萼 4 裂，裂片三角狀披針形；花冠筒狀，長約 3.5mm，先端 4 裂，筒內有柔毛；雄蕊 4，生於筒壁；子房下位，柱頭 2 裂。蒴果近球形，直徑約 2mm。

分佈 生於林下或草坡陰濕處。分佈於中國西南部。

採製 夏、秋季採收，洗淨，曬乾。

性能 辛，涼。清熱散瘀。

應用 用於火眼腫痛，無名腫毒。用量 5～8g。

文獻 《大辭典》上，0012。

3342　東北豬殃殃

來源　茜草科植物東北豬殃殃 Galium manshuricum Kitag. 的全草。

形態　多年生草本，蔓生或攀援。莖纖弱，四稜形，多分枝，有倒生小刺。葉為 5～6 枚輪生，近無柄；葉片紙質或近膜質，長圓狀倒卵形或狹長圓形，通常長 1.3～1.7cm，寬 3～5.5mm，先端圓形或有短突尖。聚傘花序着生枝端，多分枝；花小，黃綠色，4 數，有短梗；花冠輻狀，無毛。果有 1 或 2 個近球狀果爿，密生鈎毛。

分佈　生於路旁、草甸或林緣。分佈於東北、華北等地區。

採製　夏季採收，曬乾或鮮用。

性能　辛、苦，涼。清熱解毒，利尿消腫。

應用　用於感冒，闌尾炎，尿路感染，水腫，痛經，崩漏，白帶，牙齦出血，白血病，乳腺炎初起，瘡癤腫毒，跌打損傷。用量 30～60g。外用適量。

文獻　《長白山植物藥誌》，1052；《吉林省中藥資源名錄》，143。

3343　白常山

來源　茜草科植物玉葉金花 Mussaenda parviflora Miq. 的根。

形態　常綠蔓狀小灌木，高可達 5m。單葉對生，具短柄；葉片卵狀矩圓形或卵狀披針形，先端漸尖，基部平截或稍偏斜，上面深綠色，疏生柔毛，下面淡綠色，密被白色柔毛，葉脈背面隆起；托葉 2 深裂，披針形至線形。傘房花序頂生；萼 5 深裂，裂片線形，有 1～2 枚擴大成葉狀，廣卵形或圓形，白色；花冠金黃色，漏斗狀，先端 5 裂；雌蕊 1，柱頭 2 歧。漿果球形，烏紫色。

分佈　生於山地灌叢、溝谷。分佈於長江以南各地。

採製　8～10 月採挖，洗淨，曬乾。

性能　苦，寒。有毒。散寒瀉火，截瘧。

應用　用於瘧疾。用量 5～8g。

文獻　《大辭典》上，1460。

3344 蝦子草

來源 茜草科植物纖花耳草 Oldenlandia tenelliflora (Bl.) O. Ktze. 的全草。

形態 纖弱草本，高 15～40cm。莖無毛，節明顯。單葉對生，柄極短；葉線形，長 2.5～5cm，先端尖，全緣，革質；托葉膜質，合生，長 3～6mm，邊緣具剛毛。花 1～3 朵聚生葉腋，無柄，花萼長約 3mm，4 裂，裂片具睫毛；花冠白色，長約 3mm；雄蕊 4；子房 2 室。蒴果卵圓形，長 2.5mm，頂部開裂；種子多數。

分佈 生於田野、坡地向陽處，分佈於中國江南各地。

採製 夏、秋季採收，鮮用或曬乾。

性能 微苦，寒。活血祛瘀，清熱瀉火。

應用 用於跌打損傷，疝氣，風火牙痛及婦女乾血癆。

文獻 《大辭典》下，3406。

3345 小紅藤

來源 茜草科植物小紅藤 Rubia maillardi Lévl. et Uan. 的根莖。

形態 多年生草質藤本，長 30～60 cm。根莖橫生，紅色，節上生多數鬚根。莖四稜形，多分枝，綠色。四葉輪生，卵形至橢圓形，長 1～3cm，上面綠色，有細刺毛，下面灰綠色；葉柄短。圓錐狀聚傘花序頂生及腋生；花小，萼齒 5；花冠 5，黃色，下部聯合；雄蕊 5，黃白色；子房 2 室。漿果球形，成熟時黑色。

分佈 生於荒坡及灌叢中。分佈於四川、貴州。

採製 秋季採收，洗淨，曬乾。

性能 甘，溫。健胃。

應用 用於小兒疳積。用量 15～20g。

文獻 《滙編》下，811。《西昌中草藥》下，1040。

3346 狹葉茜草

來源 茜草科植物狹葉茜草 Rubia truppeliana Loes. 的根。

形態 多年生攀援草本。根叢生，棕紅色。莖方形，有明顯的四稜，稜上生多數倒生的小刺。4 葉輪生，葉柄和葉片幾等長，狹披針形，長 2.5～3.5cm，寬不及 1cm，尖端長漸尖，基部楔形，全緣，基出脈 3，聚傘花序常排列成大而疏鬆的圓錐狀；花小，黃綠色；花冠 5 裂。漿果球形。

分佈 生於路邊、荒坡。分佈於山東。

採製 秋季採挖，除去莖葉及雜質，曬乾。

成分 含蒽醌等。

性能 苦，寒。涼血止血，祛瘀，通經。

應用 用於吐血，衄血，崩漏，閉經，跌打損傷。用量 6～9g。

文獻 《山東經濟植物》，424。

3347 隴塞忍冬

來源 忍冬科植物隴塞忍冬 Lonicera tangutica Maxim. 的花蕾。

形態 小灌木，高達 2m。葉倒卵形，橢圓形至倒卵狀矩圓形，長 1～4(～5) cm，邊緣具睫毛。總花梗通常細長、下垂，長 1.5～3cm；相鄰兩花的萼筒⅔以上至全部合生；花冠黃白色或略帶紅色，筒狀漏斗形至半鐘狀，長 10～12 mm，裂片直立；雄蕊 5，着生花冠筒中部；花柱伸出花冠之外。漿果紅色，直徑 6～7mm。

分佈 生於林下或灌叢中。分佈於西藏、雲南、四川、甘肅、陝西、湖北。

採製 夏季採含苞待放的花蕾，曬乾。

性能 甘，寒。清熱解毒。

應用 治瘧疾，痢疾，瘡瘍。用量 15～25g。

文獻 《四川省中藥資源普查名錄》，175。

3348 馬尿燒

來源 忍冬科植物毛接骨木 Sambucus williamsii Hance var. miquelii (Nakia) Y.C. Tang 的根和枝葉。

形態 落葉灌木。樹皮有較厚的木栓層，小枝褐色至赤褐色，有棱，幼枝有短柔毛。奇數羽狀複葉對生，托葉小，退化成突起物，小葉5，披針形、闊披針形至倒卵狀矩圓形，基部楔形，先端漸尖，兩面被毛。傘房花序組成圓錐狀，頂生，花軸、花梗和小花梗均被毛，花淡綠白色或黃綠色，花藥黃色，柱頭紫色。核果球形，熟時紫紅色；種子有皺紋。

分佈 生於山區林間或林外灌叢間。分佈於遼寧、吉林、黑龍江等地。

採製 夏、秋季採收，曬乾。

成分 含接骨木甙和齊墩果酸。

性能 甘、苦，平。接骨續筋，活血止痛，祛風利濕。

應用 用於骨折，跌打損傷，風濕關節痛。用量 15～30g。

文獻 《大辭典》上，0597；《中國植物誌》七十二，11。

3349 吊白葉

來源 忍冬科植物水紅木 Viburnum cylindricum Buch. -Ham. ex D. Don 的葉。

形態 常綠灌木至小喬木，高達7m。根木質。葉革質，對生，橢圓形至矩圓形，長 7～15cm，先端漸尖，邊緣全緣或疏生淺齒，兩面無毛，背面具腺點，側脈 3～4 對。花序複傘形狀，花白色；萼筒長約 1.5mm，具小腺點；花冠筒狀鐘形，長 4～6mm，裂片長約 1mm，或不明顯；雄蕊 5，伸出花冠之外，花藥寬卵形，粉紅色；子房下位，花柱短。核果扁，背面具 2、腹面具 1 淺槽。

分佈 生於林下或灌叢中。分佈於雲南、四川、貴州、廣西、廣東、湖南、湖北、甘肅。

採製 四季可採，曬乾。

性能 淡、澀，涼。清熱涼血，化濕通絡。

應用 用於燥咳，痢疾，風濕疼痛，跌打損傷，瘡瘍疥癬。用量 10～15g。外用適量。

文獻 《大辭典》上，1777。

3350 心葉莢蒾根

來源 忍冬科植物顯脈莢蒾(心葉莢蒾)Viburnum nervosa D. Don (V. cordifolium Wall. et DC.) 的根。

形態 落葉小喬木，高 3～5m。幼枝、葉柄、葉背脈和花序軸、花梗均被糠粃狀簇毛。單葉對生，闊卵形至距圓形，長 10～15cm，寬 8～12cm，先端漸尖，基部心形，邊緣鈍鋸齒，葉背有星狀毛；葉柄粗壯，有托葉。聚傘花序無總梗，花與葉同時開放；花萼鐘狀，5 淺裂；花冠白色微紅，5 深裂；雄蕊花藥紫紅色。果實卵形，直徑約 6mm，成熟時先紅色後變黑。

分佈 生於高山針闊葉混交林中。分佈於湖南、四川、廣西、雲南、西藏。

採製 四季可採，挖取枝根，洗淨，曬乾。

性能 澀，溫。祛風除濕，通經活絡，止痛。

應用 用於風濕筋骨痛。用量 10～15g。

文獻 《大辭典》上，1027。

3351 堅莢樹

來源 忍冬科植物堅莢樹 *Viburnum sempervirens* K. Koch. 的葉。

形態 常綠灌木，高達 2m。小枝略四稜形。葉革質，長圓形或長圓狀披針形，稀卵形，長 5～9cm，先端漸尖或急尖，邊緣全緣或有少數疏淺齒，有時具明顯的離基三出脈，背面具腺點，有時基部兩側有少數腺體。複傘形狀聚傘花序，總花梗短；萼筒長約 1mm，先端 5 齒；花冠白色，輻狀；雄蕊 5，明顯長於花冠。核果球形，紅色；核扁，兩面具淺槽。

分佈 生於山地林中。分佈於浙江、福建、江西、廣東、廣西、湖南、貴州、四川、雲南。

採製 夏、秋季採收，曬乾。

性能 澀，溫。活血，消腫，接骨。

應用 跌打損傷，紅腫疼痛，關節腫痛，骨折，勞傷等。用量 3～10g。

文獻 《四川省中藥資源普查名錄》，176。

3352 糙葉敗醬

來源 敗醬科植物糙葉敗醬 *Patrinia scabra* Bunge 的根。

形態 多年生草本，高 20～40 cm。莖叢生，莖上部多分枝，分枝處有節紋。葉對生；革質，羽狀分裂，裂片倒披針形、狹披針形或長圓形，有牙齒，頂端裂片較側裂片略大，葉緣及葉面有毛。聚傘花序頂生，傘房狀排列；花軸及花梗上生細毛；苞片狹窄，離生；花小，黃色，花冠上部 5 裂；雄蕊 4；子房 3 室，柱頭頭狀。果實翅狀，卵形或近圓形。

分佈 生於墓地及荒地邊。分佈於東北、華北、西北。

採製 秋季採挖，去淨莖苗及泥土，曬乾。

性能 辛，溫。斂肝燥濕，止血，祛瘀，消腫。

應用 用於溫瘧，婦女崩中，赤白帶下，跌打損傷。用量 6～9g。外用煎水洗。

文獻 《大辭典》下，5107。

3353 菜瓜

來源 葫蘆科植物菜瓜 *Cucumis melo* L. var. *conomon* (Thunb.) Makino 的果實。

形態 一年生攀援或匍匐狀草本。莖有棱，被刺毛。單葉互生，掌狀 3～5 淺裂，基部心形，兩面被毛；葉柄長，有刺毛。花單性同株。雄花具長梗，雄蕊 3，分離，花絲短；雌花單生，花梗較短，子房下位，柱頭 3。瓠果肉質，長圓筒形，有縱長淺溝紋，綠白色或淡綠色，長 20～50cm，無香味和甜味；種子白色。

分佈 各地均有栽培。

採製 果實近成熟時採收，鮮用。

性能 甘，寒。利小便，解酒毒，去煩熱。

應用 用於煩熱口渴，酒醉，小便不利。煮食或腌食。用量 50～100g 或隨意。

文獻 《大辭典》下，4845；《中國高等植物圖鑒》四，362。

3354 雪膽

來源 葫蘆科植物雪膽 Hemsleya chinensis Cogn. 的塊根。

形態 多年生草質藤本。塊根肥大。莖細長；捲鬚常2分叉。葉鳥足狀，具小葉5～7，葉片膜質，矩圓狀披針形或寬披針形，中間小葉長7～12cm。邊緣鋸齒，頂處有尖頭。雌雄異株，圓錐花序疏散；花萼裂片披針形；花冠橙黃色，裂片向後反折成球形，徑約1～1.3cm；雄蕊5；花藥卵形；花柱3，柱頭2裂。果實筒狀倒圓錐形；種子具薄膜質翅，徑約1cm。

分佈 生於林下及灌叢中。分佈於四川、湖北、湖南、浙江、廣西。

採製 秋季採挖，切片，曬乾。

成分 含雪膽素、雪膽皂苷，其苷元主要為齊墩果酸(coleanolic acid)。

性能 苦，寒。有小毒。清熱解毒，消腫止痛。

應用 用於咽喉腫痛，牙痛，目赤腫痛，菌痢，腸炎，胃痛，肝炎，尿路感染，疔腫。用量6～10g。外用適量。

文獻 《大辭典》上，2809。

3355 峨嵋雪膽

來源 葫蘆科植物峨嵋雪膽 Hemsleya omeiensis L.T. Shen et W.J. Chang 的塊根。

形態 多年生草質藤本。塊根肥厚，呈不規則扁圓形。小枝纖細柔弱；捲鬚與葉對生，先端2岐。葉鳥足狀，小葉5～7，橢圓狀披針形，中間小葉長達15cm，先端尾尖或銳尖；邊緣具疏鋸齒，頂處有短尖頭。雌雄異株；花萼裂片5，披針形；花冠5深裂，黃綠色，裂片反折緊貼於背面呈扁球形，中央微凹；雄蕊5，花藥橢圓形；花柱3，柱頭2裂；蒴果卵球形；種子卵狀三角形，長約1cm，寬約0.8cm。

分佈 生於山地林中。分佈於四川。

採製 秋季採挖，切片，曬乾。

成分 含雪膽素、雪膽皂甙。

性能 苦，寒。有小毒。清熱解毒，消腫止痛。

應用 用於咽喉腫痛，牙痛，目赤腫痛，菌痢，腸炎，胃痛，肝炎，尿路感染，疔腫。用量6～10g。外用適量。

文獻 《植物分類學報》1983：2，191。

3356 馬㼎兒

來源 葫蘆科植物馬㼎兒 Melothria indica Lour. 的莖葉。

形態 細弱藤本，長1～3m。卷鬚不分叉。葉多變，通常為三角形或三角狀心形，長2～6.5cm，先端急尖，基部戟形或截形，邊緣有鋸齒，有時3～5裂。雌雄同株，雄花單生或組成總狀花序，花萼裂片鑽形，花冠白色，裂片卵狀長圓形，長2～2.5mm，雄蕊3，分離；雌花單生或雙生，子房紡錘形，柱頭3。果卵狀長圓形，長1～1.5cm，青綠色，熟時紅色；種子光滑。

分佈 生於荒坡或灌叢中。分佈於河南以南及長江流域以南各省區。

採製 夏季採收，曬乾。

性能 甘、淡，涼。消腫拔毒，除痰散結，清肝利水。

應用 用於瘰癧癭腫，皮膚濕疹，咽喉腫痛，腮腺炎，尿道感染，結石，急性結膜炎，小兒疳疾。用量10～20g。

文獻 《大辭典》上，0604。

3357 小扁瓜

來源 葫蘆科植物小扁瓜 Sicyos angulatus L. 的種子。

形態 一年生草質藤本，長 3～10m，被長柔毛及短柔毛。卷鬚 3(～4)分叉。葉掌狀 3～7 淺裂，長 5～16cm，兩面密被短柔毛及長柔毛。雌雄同株，雄花 3～12 朵組成總狀花序；萼裂片披針形；花冠輻狀，淡黃色或淡白色，直徑 8～10mm，裂片三角狀披針形；雄蕊 3～5，連合；雌花 5～13 朵組成頭狀花序，花萼、花冠同雄花；子房紡錘形，被長柔毛，柱頭 2～3 裂。果實卵狀長圓形，側向壓扁，長 8～15mm，具小瘤突起，被長柔毛及長硬刺；種子 1 枚，扁卵形，黑褐色。

分佈 生於山地林邊向陽處。分佈於四川峨嵋山。

採製 秋季採收，曬乾。

性能 微苦，平。清熱，殺蟲。

應用 用於清胃熱，口苦，易饑多食，心煩喜嘔，蛔蟲病，鈎蟲病等。

文獻 《川藥校刊》1989：3，29。

3358 王瓜根

來源 葫蘆科植物光赤爮 Thladiantha glabra Cogn. ex Oliv. 的根。

形態 攀援狀藤本，全體近無毛，捲鬚 2 分叉。葉片寬卵狀心形，長 7～20 cm，先端漸尖，基部近心形，邊緣有小齒，上面密佈顆粒狀小凸點；葉柄長 5～15cm。雌雄異株；雄花 5～10 朵，組成總狀花序，花梗長 1～3cm，花托寬鐘狀，花萼裂片條形，具 1 脈；花冠黃色，裂片長圓狀卵形，具 5 脈；雄蕊 5；雌花單生或雙生，花梗長 2～5cm，子房卵形，光滑，花柱長 4～5mm，柱頭 3 裂。果實卵球形；種子多數。

分佈 生於山間或路旁灌木叢中。分佈於甘肅、陝西、湖北、四川、雲南、貴州。

採製 夏、秋季採挖，洗淨，曬乾。

性能 苦，寒。消腫排膿，通經下乳。

應用 用於瘡毒腫痛，排膿生肌，筋骨疼痛，乳房脹痛，乳汁不下等。用量 6～15g。

文獻 《峨嵋山藥用植物研究》一，94。

3359 蛇瓜

來源 葫蘆科植物蛇瓜 Trichosanthes anguina L. 的果實。

形態 草質藤本，莖多分枝，被短柔毛，捲鬚常分三叉，有短柔毛。葉具長柄，葉片常5淺裂，圓腎形、寬卵形或近五角形，兩面被短柔毛，脈上有稀疏剛毛。雌雄同株，雄花序總狀，花梗基部苞片條形；雌花單生，花萼裂片長約2mm，花冠白色，裂片流蘇狀，退化雌蕊長15～17mm，子房狹紡錘形，有柔毛。果實綠白色，長1～2m，條狀或圓柱狀，呈各式扭曲；種子扁壓，淡褐色，邊緣波狀。

分佈 中國部分地區有栽培。

採製 秋季採收，切片，曬乾。

性能 甘、苦，寒。清熱解毒。

應用 用於痰熱咳嗽，便秘，癰腫瘡毒。用量9～12g。

文獻 《中國植物誌》七十三(一)，248。

3360 雙邊栝樓(瓜蔞)

來源 葫蘆科植物雙邊栝樓 Trichosanthes uniflora Hao 的果實。

形態 多年生草質藤本。主根粗壯，肉質。莖具稜；捲鬚先端2歧。單葉互生，寬卵狀心形，長8～16cm，通常3～9深裂，裂片披針形或狹倒卵形，基部淺心形，邊緣具疏齒，葉面有糙點；葉柄長4～6cm。花單性，雌雄異株；雄花3～4朵，排成總狀花序，萼筒狀，5裂，裂片線形，反卷；花冠白色，5裂，裂片先端流蘇狀；雄蕊3；雌花單生於葉腋，花冠同雄花；子房下位，花柱3裂，柱頭頭狀。瓠果寬橢圓形或球形，直徑6.5～10cm，橙黃色，光亮。

分佈 生於山地林中或林緣及竹林內。分佈於廣東、廣西、四川。

採製 秋季果實成熟時，連果梗剪下，置通風處，陰乾。

成分 含皂甙、蛋白質及有機酸。

性能 甘、微苦，寒。清熱滌痰，寬胸散結，潤燥滑腸。

應用 用於肺熱咳嗽，痰濁黃稠，胸痹心痛，結胸痞滿，乳癰，肺癰，腸癰腫痛，大便秘結。用量10～15g。

文獻 《藥典》一，90。《大辭典》下，3656。

3361　展枝沙參

來源　桔梗科植物展枝沙參 Adenophora divaricata Fr. et Sav. 的根。

形態　多年生草本，高達 1m。莖生葉全部輪生，極少錯開，葉片常菱狀卵形至菱狀圓形，先端急尖或鈍，極少短漸尖，邊緣具鋸齒，齒不內彎。花序常為寬金字塔狀，花序分枝長而幾乎平展，少見少花而為狹金字塔狀，分枝部分輪生或全部輪生；花萼筒部圓錐形，基部急尖，最寬處在頂部，裂片橢圓狀披針形，長 5～8mm，寬可達 3mm；花冠漏斗狀鐘形，藍色、藍紫，極少近白色，花盤細長，長 1.8～2.5mm，超過寬度。蒴果卵狀橢圓形；種子棕色，橢圓狀，稍扁。

分佈　生於林緣、林下草地或草甸中。分佈於東北及山西、河北、山東。

採製　秋季採挖，曬乾。

性能　甘、微苦，涼。養陰清肺，祛痰止咳。

應用　用於肺熱燥咳，陰傷咽乾。用量 9～15g。

文獻　《大辭典》下，3260。

3362　袋果草

來源　桔梗科植物袋果草 Peracarpa carnosa (Wall.) Hook. f. et Thoms. 的全草。

形態　細弱、匍匐狀小草本，具乳汁。莖細弱，長 3～7cm，無毛。葉通常集中於莖上部，互生，膜質，圓形或寬卵形，長 3～8mm，先端圓鈍，基部平截或鈍，邊緣波狀或圓齒狀，無毛。花單生於莖頂的葉腋內，極似頂生狀，花梗細而伸直，長 2～5cm；花白色，花萼筒部倒卵狀圓錐形，裂片三角形，長約 1mm；花冠筒短，裂片條形或條狀橢圓形，無毛；雄蕊 5，分離；子房下位，3 室，胚珠多數，柱頭 3 裂。果不開裂，橢圓形，具縱條棱，種子條形。

分佈　生於陰濕的巖壁或路旁濕地。分佈於西藏、雲南、四川、貴州、湖北、江蘇、浙江、台灣。

採製　5～6 月採收，洗淨，曬乾。

性能　淡，平。祛風除濕。

應用　用於風濕關節炎，筋骨疼痛，濕疹，腹瀉，小便不利等。用量 3～10g。

文獻　《四川省中藥資源普查名錄》，182。

3363 藍花參

來源 桔梗科植物藍花參 Wahlenbergia marginata (Thunb.) A. DC. 的根或全草。

形態 小草本，高 10～35cm。根纖細。莖下半部葉為匙形或倒披針形，莖上部葉條狀披針形或線形，長 1～3.5cm，寬 2～5mm，全緣或具波狀疏鋸齒，兩面近無毛。花單生於細長的分枝頂，鐘狀，藍色或變白色；花萼筒倒卵狀圓錐形，裂片三角狀鑽形；花冠長 4～7mm，裂片長圓形；雄蕊 5，花絲上部絲狀，基部擴大，邊緣具柔毛，花藥長圓形；子房下位，3 室，柱頭 3 裂。蒴果倒圓錐形，先端 3 瓣裂；種子多數，長圓形。

分佈 生於山坡、荒地淺草叢中。分佈於長江流域以南各地。

採製 夏季採收，洗淨，曬乾。

性能 甘、微苦，平。補虛，解表。

應用 用於虛損勞傷，自汗，盜汗，婦女白帶，咳血，外感風寒，咳嗽等。用量 10～15g。

文獻 《大辭典》上，1548。

3364 寬翅香青

來源 菊科植物寬翅香青 Anaphalis latialata Ling et Y.L. Chen 的全草。

形態 多年生草本，高 30～50cm。基部具短匍枝，地上莖被絲狀毛和腺毛。葉條狀披針形或條狀矩圓形，長 3～5cm，寬 4～8mm，基部下延成楔形的翅，先端漸尖，有小尖頭，全部葉密被絲狀毛和腺毛。頭狀花序集成複傘房狀，總苞鐘狀，長 6～7mm，總苞片白色，膜質，內層苞片爪部上端有腺點；花冠長 3.2～3.5mm，冠毛與花冠近等長。瘦果長矩圓形，長約 1mm，疏具腺點。

分佈 生於山坡向陽處。分佈於四川、青海、甘肅。

採製 夏、秋季採集，去除泥沙雜質，曬乾。

性能 辛、苦，平。活血散瘀，平肝。

應用 用於跌打損傷，頭目昏眩。用量 5～10g。

文獻 《四川省中藥資源普查名錄》，183。

3365 菴藺

來源 菊科植物菴藺 Artemisia keiskeana Miq. 的地上部分。

形態 多年生草本，莖高 30～90cm。葉互生，基部葉有柄，葉片闊卵形，邊緣有大小不等的缺刻狀粗鋸齒；莖生葉幾無柄，倒卵形，齒端有刺尖；梢部葉披針形，兩面均被毛。頭狀花序小，球形，集成總狀圓錐花叢，常彎垂；總苞 3～4 列；外圍小花雌性，中間小花兩性，均為管狀，淡黃色。瘦果長約 2mm。

分佈 生於林下、山坡、原野陰濕地。分佈於東北及河北、山東、江蘇、浙江、安徽。

採製 夏季割取地上部分，曬乾。

性能 辛、苦，溫。行瘀，祛濕。

應用 用於婦女血瘀經閉，跌打損傷，風濕痹痛。用量 15～30g，

文獻 《大辭典》下，4111。

3366 牛尾蒿

來源 菊科植物牛尾蒿 Artemisia subdigitata Mattf. 的全草。

形態 多年生草本，高 80～100cm。莖直立，基部木質。莖下部葉指狀或羽狀深裂，長 5～8cm，上部葉 3 深裂或不裂，較下部葉短小，基部有線狀假托葉，葉背有短毛。頭狀花序於頂部密生成複總狀，總苞倒卵形，直徑約 2mm，總苞片 4 層，邊緣膜質；花外層雌性，內層兩性。瘦果倒卵形，長 0.6mm，無毛。

分佈 生於荒坡草叢中。分佈於中國北部、中部及西南部。

採製 夏、秋採集地上部分，曬乾。

性能 辛、苦，溫。清熱止血，化痰止咳。

應用 用於鼻衄，肺熱咳嗽。用量 5～10g。

文獻 《峨嵋山藥用植物研究》一，97。

3367 小舌紫菀

來源 菊科植物小舌紫菀 Aster albescens (DC.) Hand. -Mazz. 的枝葉。

形態 灌木，高 30～180cm。幼枝有柔毛。葉卵形、橢圓形或矩圓狀披針形，長 3～17cm，頂端漸尖，基部楔形或近圓形，全緣或有淺齒；上部葉稍小；葉上面無毛或有短柔毛，下面有白色蛛絲狀毛。頭狀花序直徑 5～7mm，排列成複傘房狀；總苞倒錐形，長約 5mm；總苞片 3～4 層，邊緣寬膜質；舌狀花白色、淺紅色或紫紅色；管狀花黃色。瘦果矩圓形，污白色，後紅褐色。

分佈 生於路邊或灌木叢中。分佈於陝西、甘肅、湖北、四川、貴州。

採製 夏、秋季採割，曬乾。

性能 苦，微寒。退黃，利水消腫。

應用 用於黃疸，水腫。用量 5～10g。

文獻 《中國高等植物圖鑒》四，429；《峨嵋山藥用植物研究》一，97。

3368 菊柴胡

來源 菊科植物菊柴胡 Aster juchaifu Zhu et Min 的全草。

形態 多年生草本，高 60～80cm。莖叢生，上部多分枝，幼時被柔毛。葉長披針形，長 3～6cm，先端急尖，基部寬楔形，莖上部葉漸狹小，葉兩面無毛，邊緣有疏鋸齒和緣毛；葉柄短至無。頭狀花序頂生和腋生，總苞錐狀，直徑 4～6mm，總苞片 4～6 層，具緣毛；外圍舌狀花舌片條形，白色，後變藍白色，管部黃白色，有短毛；管狀花黃色，後變紫紅色，裂片三角狀披針形；聚藥雄蕊長於花冠；子房被短毛，冠毛白色，與花冠等長。瘦果長圓形，有短毛。

分佈 生於低山向陽坡地或灌叢中。分佈於四川。

採製 夏、秋季採收，曬乾。

性能 苦，平。解表，疏肝。

應用 用於感冒風寒，肝氣不舒，胸肋疼痛等。用量 10～15g。

文獻 《川藥校刊》1987：4，25。

3369 土柴胡

來源 菊科植物鑽形紫菀 Aster subulatus Michx. 的全草。

形態 草本，高 50～80cm。根狀莖短，具分枝。莖上部多分枝。葉紙質，莖下部為長圓狀披針形或長圓形，長 7～13cm，寬 1.5～2.5cm，先端鈍或渾圓，基部漸狹成不明顯的柄；中上部為線形，往上漸變狹小。頭狀花序圓錐傘房狀排列；總苞鐘狀；總苞片 3 層；舌狀花冠白色或帶藍色；管狀花冠黃色，先端 5 裂片；冠毛白色；花柱 2 裂。瘦果小。

分佈 生於荒坡、路旁草叢中。分佈於江蘇、江西、湖南、雲南、貴州、四川。

採製 夏季採收，曬乾。

性能 苦、酸，涼。清熱解毒。

應用 用於濕疹，無名腫毒。用量 10～20g。外用適量。

文獻 《滙編》下，816。

3370 鬼針草

來源 菊科植物鬼針草 Bidens bipinnata L. 的全草。

形態 一年生草本，高 50～100 cm。莖直立，略呈 4 棱形。葉對生，具長柄，2 回羽狀深裂，長 5～14cm，裂片三角形或卵狀披針形，邊緣具不規則的細尖齒或鈍齒，兩面略具柔毛。頭狀花序直徑 6～10mm，有梗，長 1.5～8cm。總苞杯狀，苞片線狀橢圓形。花雜性，舌狀花黃色，不育；管狀花黃色，5 裂，全育。瘦果線形，具 3～4 棱，有短毛；冠毛芒狀，3～4 枚。

分佈 生於路邊，荒野或住宅旁。分佈於中國大部分地區。

採製 夏、秋間採地上部分，曬乾。

成分 全草含生物碱、皂甙、黃酮甙。莖葉含揮發油、膽碱等。

性能 苦，溫。清熱，解毒，散瘀，消腫。

應用 用於瘧疾，腹瀉，肝炎，胃痛，咽喉腫痛，跌打損傷。用量 25～50g。外用適量。

文獻 《大辭典》下，3491；《中藥誌》四，745。

3371 長葉天名精

來源 菊科植物長葉天名精 Carpesium Longifolium Chen et C.M. Hu 的全草。

形態 多年生草本，高 60～110 cm。莖中下部的葉為橢圓狀披針形，長 9～24cm，先端漸尖，基部漸狹，全緣或具稀疏胼胝尖頭，兩面近無毛，或具稀疏的細長毛，上面中脈紫紅色，背面具小腺點，上部葉披針形。頭狀花序排成穗狀；苞葉 2～4，披針形；總苞半球形；總苞片 4 層；外層卵圓形，中層長圓形，內層條狀披針形。雌花 3～4層；兩性花筒狀，頂端 5 齒裂。瘦果圓柱形，長約 3mm。

分佈 生於山坡、路旁淺草叢中。分佈於甘肅、四川、湖北、貴州、雲南。

採製 夏季採收，曬乾。

性能 苦、辛，寒。清熱解毒，消腫止痛。

應用 用於咽喉腫痛，牙痛，痢疾，尿道澀痛，小便不利，瘡癧腫毒，蛇蟲咬傷等。用量 6～10g。外用適量。

文獻 《四川省中藥資源普查名錄》，187。

3372　紅釣桿

來源　菊科植物四川天明精 Carpesium szechuanense Chen et C. M. Hu 的全草。

形態　多年生草本，高 50～80 cm。莖密布柔毛，上部分枝較多。莖下部葉寬卵形，長 9～12 cm，寬 6～12cm，先端銳尖，基部心形或圓楔形，邊緣具疏齒；葉柄長 3～8cm，被毛；莖上部葉漸小，長卵形至披針形，近全緣，幾無柄。頭狀花序單生枝端及葉腋，總苞半球形，直徑 8～10mm，苞片 4 層，卵狀披針形；雌花窄筒狀，長 1.5mm；兩性花筒狀，長 3mm，先端 5 齒裂。瘦果長 3mm。

分佈　生於山地草坡及林緣。分佈於四川。

採製　夏、秋季採收，曬乾。

性能　苦，寒。清熱利尿。

應用　用於熱淋，濕熱黃疸。用量 3～9g。

文獻　《四川省中藥資源普查名錄》，187。

3373　鵝不食草

來源　菊科植物石胡荽 Centipeda minima (L.) A. Br. et Aschers. 的帶花全草。

形態　一年生匍匐狀柔軟草本，高 8～20cm。枝多廣展，禿淨或稍被綿毛。葉互生，葉片小，匙形，長 7～20mm，寬 3～5mm，先端鈍，基部楔形，邊緣有疏齒。頭狀花序，直徑 3～4mm，腋生；總苞片 2 裂，邊緣膜質；花雜性，淡黃色或黃綠色，管狀；雌花位於頭狀花序的外圍，多列，花冠短；兩性花數朵，位於頭狀花序的中央，花冠頂端 4 裂；雄蕊 4；花柱裂片短，鈍或截形。瘦果四稜形。

分佈　生於田野潮濕處。分佈於中國大部分地區。

採製　開花時採收，去淨泥沙、雜質，曬乾。

成分　全草含多種三萜成分、蒲公英賽醇 (taraxerol)、蒲公英甾醇 (taraxasterol) 等。

性能　辛，溫。祛風，散寒，勝濕，去翳。

應用　用於感冒，寒喘，喉痹，百日咳，痧氣腹痛，痔瀉，鼻淵，目翳澀癢，疥癬等。用量 5～10g。

文獻　《大辭典》下，4994。

3374　魁薊

來源　菊科植物魁薊 Cirsium leo Nakai et Kitag. 的全草。

形態　多年生草本，高 40～100 cm。根伸直，粗壯。莖有縱稜，被長節毛。莖下部葉長橢圓形或長倒卵形，長 10～25cm，寬 4～7 cm，羽狀深裂，裂片斜三角形，先端具長針刺；莖上部葉漸小，多披針形，無柄或基部擴大半抱莖；葉兩面被長節毛，背脈毛甚密。頭狀花序單個或幾個排成傘房狀；總苞鐘狀，總苞片 5 層，鑽狀披針形，先端和邊緣有針刺；花紫紅色，花冠長 2.4cm。瘦果灰黑色，扁橢圓形，冠毛污白色，基部連合成環。

分佈　生於山地草叢或林緣。分佈於河北、河南、山西、陝西、甘肅、寧夏、四川。

採製　秋、冬季採挖，洗淨，曬乾。

性能　辛、甘，涼。涼血，止血，祛瘀，消腫。

應用　用於衄血，痔瘡出血，肺膿瘍。用量 10～15g。

文獻　《四川省中藥資源普查名錄》，188。

3375 萬丈深

來源 菊科植物萬丈深 Crepis lignea (Van.) Babc. (Lactuca lignea Van.) 的根。

形態 多年生草本，高 20～40cm，有白色乳汁。根甚長。莖直立叢生，數次 2 歧分枝，有明顯稜線。基生葉倒披針形，長 3～4.5cm，具短尖，易脱落；莖葉互生，線形，先端漸尖，基部楔形，抱莖。頭狀花序排列成聚傘狀；總苞鐘狀，苞片 2 列，線外短內長；舌狀花，花冠黃色。瘦果細柱狀，長約 4mm，深棕色，有細稜線，具白色冠毛。

分佈 生於山坡向陽處。分佈於中國西南地區。

採製 夏、秋季採挖，洗淨，曬乾。

性能 微甘、苦，涼。潤肺止咳，清熱解毒，消食理氣，催乳。

應用 用於支氣管炎，肺炎，癰疽，小兒疳積，乳汁不足，結膜炎。

文獻 《大辭典》上，0305。

3376 三七草

來源 菊科植物菊三七 Gynura segetum (Lour.)Merr. 的葉或全草。

形態 多年生直立草本，根肉質肥大。莖帶肉質，高 60～90cm，嫩時紫紅色，具細線紋。基生葉叢生，有鋸齒或作羽狀分裂，莖生葉互生，輪廓卵形，長 8～14cm，羽狀分裂，邊緣淺裂或具疏齒；葉柄基部具托葉一對。頭狀花序傘房狀；花冠筒狀，黃色，5 裂，裂片長卵形；雄蕊 5，藥連合；雌蕊1，子房下位，柱頭分叉，呈鑽狀，有短毛。瘦果線形，表面有稜，褐色，冠毛白色。

分佈 生於山野或草叢中，亦有栽培。分佈於中國大部分地區。

採製 7～8 月採挖，洗淨，曬乾。

性能 甘，平。活血，止血，解毒。

應用 用於跌打損傷，衄血，咳血，吐血，乳癰，無名腫毒，毒蟲螫傷。用量 15～30g。

文獻 《大辭典》上，0100。

附註 本植物的根入藥治跌打損傷吐血。

3377 新疆漏蘆

來源 菊科植物新疆藍刺頭 Echinops ritro L. 的根。

形態 多年生草本，高 30～80 cm。根圓錐形，外皮土棕色。莖密披蛛絲狀白絨毛。莖生葉互生，無柄；基生葉有柄，半抱莖；葉片二回羽狀分裂，裂片尖刺狀，上面生少量蛛絲狀毛，下面密生白色絨毛。頭狀花序生於枝頂，球形，徑約 3～4cm；全為管狀花；外總苞片剛毛狀，基部連合；花冠裂片 5，條形，灰藍色。瘦果圓柱形，冠毛蓴片狀並有黃色剛毛。

分佈 生於山地草原、乾旱山坡。分佈於新疆。

採製 春、秋採挖，洗淨，曬乾。

成分 果實含藍刺頭任鹼 (echinorine)，種子含藍刺頭鹼(echinopsine)和藍刺頭寧鹼 (echinine)。

性能 苦、鹹，寒。清熱解毒，消腫排膿，下乳，通筋脈。

應用 用於流行性腮腺炎，乳腺炎，瘰癧腫毒，乳汁不通，骨節疼痛，血痢，痔瘡出血。用量 6～10 g。

文獻 《新疆藥用植物誌》三，176；《大辭典》下，5397。

3378 大花旋覆花

來源 菊科植物歐亞旋覆花 Inula britannica L. 的花序。

形態 多年生草本，高 20～70 cm。莖直立，分枝少，被長柔毛。葉長圓形或橢圓狀披針形，基部寬大，心形或有耳，半抱莖，具腺點。頭狀花序 1～8，頂生，傘房狀，直徑 3～5cm，總苞片 4 層；舌狀花黃色，舌片寬線形，長 1～2cm；管狀花黃色，長約 5 mm。瘦果有淺溝，冠毛 1 層，白色。

分佈 生於溪邊、田邊或山野。分佈於東北、華北及新疆、青海。

採製 夏秋採將開放的花序，曬乾。

成分 地上部含大花旋覆花素 (britanin) 和旋覆花素 (inulicin)。花含槲皮素 (quercetin)、咖啡酸 (caffeic acid) 及蒲公英甾醇 (tararasterol) 等。

性能 苦、辛、鹹，微溫。消淡，降氣，止嘔，行水。

應用 用於胸中痰結，脅下脹滿，咳喘，呃逆，風寒咳嗽，水腫等。用量 3～9g。

文獻 《大辭典》下，4608；《藥典》一，280。

3379 馬蘭

來源 菊科植物馬蘭 Kalimeris indica (L.) Schulz-Bip. 的根或全草。

形態 多年生草本，高 30～50 cm。具匍匐莖。單葉互生，長卵形或倒披針形，長 7～10cm，寬 1.5～2.5cm，先端短尖或漸尖，基部漸窄，下延成短柄，葉緣中部以上具不規則鋸齒，葉背常具短柔毛；莖上部葉漸小，全緣。頭狀花序頂生，總苞半球形，苞片 2～3 列，邊緣具毛，周緣舌狀花 1 列，藍紫色，雌性；中央管狀花黃色，兩性。瘦果扁平狀倒卵形，長約 2 mm。

分佈 生於田野、山坡。分佈於全國大部分地區。

採製 夏、秋季採收，洗淨，曬乾或鮮用。

性能 辛，涼。清熱，利濕。

應用 用於食積脹滿，黃疸水腫，淋濁。用量 10～15g，鮮用 15～30g。

文獻 《大辭典》上，0578。

3380 萵苣菜

來源 菊科植物萵苣 Lactuca sativa L. 的莖、葉。

形態 一年或二年生草本。莖直立，嫩時呈棍棒狀，肥大如筍。基生葉叢生，莖生葉基部抱莖。多數頭狀花序排成傘房狀圓錐花序；花兩性，全為舌狀花，淡黃色，先端 5 齒裂。瘦果狹卵形，灰色、肉紅色或褐紅色，有縱棱 7～8 條；冠毛白色。

分佈 全國各地栽培，品種較多。

採製 春季嫩莖肥大時採收。

成分 含多糖類、維生素 C、U 等。種子含酚酶 (phenolase)。

性能 苦、甘，涼。清熱，利尿，和胃，解毒。

應用 治小便不利，尿血，胃腸潰瘍，目赤腫痛。生用適量。

文獻 《大辭典》下，3703。

附註 瘦果入藥稱萵苣子，有活血，祛瘀，通乳等功能。

3381 四川橐吾

來源 菊科植物四川橐吾 Ligularia hodgsoni Hook. var. sutchuenensis (Fr.) Henry 的根及根莖。

形態 多年生草本，高 40～90cm。莖密被蜘蛛網狀毛。基生葉具長柄，腎形或腎狀心形，長 5～8cm，寬大於長，邊緣微波狀齒，兩面疏生蜘蛛網狀毛；莖生葉較小，葉柄擴大抱莖。頭狀花序組成傘房狀；總苞長圓形，總苞片 1 層，披針形；舌狀花黃色，雌性，舌片長 2～3cm；管狀花多數，兩性，聚藥雄蕊 5；柱頭 2 裂。瘦果有棱，圓柱形，長 6～7mm，冠毛棕紅色。

分佈 生於山坡、溝邊草叢中。分佈於四川、雲南、貴州、湖北、安徽。

採製 秋季挖採，洗淨，曬乾。

性能 甘，涼。活血行瘀，止咳。

應用 用於勞傷咳嗽，吐血，跌打損傷，瘀血作痛等。用量 3～15g。

文獻 《大辭典》下，3251。

3382 鰭薊

來源 菊科植物鰭薊 Olgaea leucophylla Iljin 的全草。

形態 多年生草本，高 30～70cm，不分枝或分枝，有白色綿毛。葉矩圓狀披針形，長 6～17cm，寬 2～4cm，頂端具刺尖，邊緣具疏齒和不等長的針刺，上面綠色，無毛，下面密生灰白色綿毛。頭狀花序單生枝端，直立；總苞片多層，披針形 ，邊緣有刺狀緣毛；花冠紫紅色，5 裂。瘦果矩圓形,長約1cm；冠毛多數，粗糙，淺黃色，基部結合。

分佈 生於沙地、山坡。分佈於東北、華北、西北等地。

採製 秋季採挖，晾乾。

性能 甘，涼。破血行瘀，涼血，止血。

應用 用於外傷，出血，吐血，鼻出血，子宮功能性出血。用量 15～20g。外用於瘡毒癰腫，鮮葉適量，搗爛外敷。

文獻 《滙編》下，821。

3383 秋分草

來源 菊科植物秋分草 Rhynchospermum verticillatum Reinw. 的全草。

形態 多年生草本，高 25～100cm。莖單生或叢生，被柔毛。莖下部葉倒披針形至矩圓形，稀匙形，長 4.5～14cm，寬 2.5～4cm，兩面被伏毛，邊緣中上部具疏鋸齒；葉柄長，有翅；上部葉漸小。頭狀花序單生於葉腋或近總狀排列，花梗被鏽色短柔毛；總苞 2～3層，寬鐘狀或果期半球形，寬 0.3～0.4cm；外圍雌花 2～3 層，舌狀，白色，中部有多數兩性黃色的管狀花。瘦果有縱稜，先端有喙或無喙；冠毛纖細易脫落。

分佈 生於溝邊、林緣或林下陰濕處。分佈於湖北、湖南、四川、雲南、福建、廣東、廣西。

性能 微苦，寒。清熱，除濕，解毒。

應用 用於濕熱黃疸，瘡毒。用量 5～10g。

文獻 《峨嵋山藥用植物研究》一，101。

3384 雪蓮花

來源 菊科植物雪蓮 Saussurea involucrate (Kar. et Kir.) Sch. Blp. 的地上部分。

形態 多年生草本，高15～35 cm，莖直立，粗壯，中空，無毛。葉密集，近革質，廣披針形或卵狀長圓形，邊緣有鋸齒，無柄；最上部有苞葉，兩列膜質，超出花序。頭狀花序在莖端密集成球狀，無梗；總苞半球形；管狀花紫紅色，柱頭2裂。瘦果長卵形，具灰白色冠毛。

分佈 生於高山冰磧礫石坡地及巖縫中。分佈於新疆天山及昆侖山上。

採製 7～8月割取地上部分，用繩將苞葉包紮花序，陰乾。

成分 全草含芸香甙 (rutoside)、高車前素 (hispidulin)、雪蓮內酯 (xueliaulactone) 等倍半萜內酯化合物、生物鹼及揮發油。

性能 辛、微苦，熱。祛風勝濕，通經活血，暖宮散瘀。

應用 用於風濕性關節炎，婦女小腹冷痛，月經不調，腎虛腰痛。用量6～15g。

文獻 《中國民族藥誌》一，448。

3385 苞葉雪蓮

來源 菊科植物苞葉風毛菊 Saussurea obvallata (DC.) Edgew. 的全草。

形態 多年生草本，高 20～35 cm。莖直立，不分枝。基生葉倒卵形，長 10～20cm，先端鈍尖，基部有鞘狀葉柄，邊緣有細齒，兩面有腺毛；上部葉漸小，無柄；最上部 6～8 個膜質苞葉黃綠色，較寬大。頭狀花序 6～10 個集成球形，總苞片披針形，邊緣黑色；花冠紫色。瘦果矩圓形，冠毛淡褐色，外層短，內層羽狀。

分佈 生於高山草地。分佈於四川、雲南、西藏。

採製 夏、秋季採收，去淨泥沙雜物，曬乾。

性能 辛，溫。理氣，調經。

應用 用於經閉，痛經。用量 2～5g。

文獻 《新疆中草藥》上，75。

3386 傘花鴉葱

來源 菊科植物傘花鴉葱 Scorzonera albicaulis Bunge var. macrosperma Kitag. 的全草。

形態 多年生草本，高 1～1.2m。莖直立，有分枝，中空。葉長條形，無毛，基生葉長達 40cm，上部葉漸短。頭狀花序頂生或側生，排成傘房狀；總苞圓柱狀，花期長達 4.5cm，總苞片多層，和花梗有蛛絲狀毛，外層三角狀卵形，內層條狀披針形；花全部為舌狀，黃色。瘦果長 2.5cm，有多數縱肋；冠毛污黃色，羽狀，基部連合成環狀。

分佈 生於草地、灌叢、山坡、路旁。分佈於東北地區。

採製 秋季採收，切段，曬乾。

性能 甘，微溫。祛風濕，理氣活血。

應用 用於外感風寒，發熱頭痛，跌打損傷，疔瘡。用量 10～15g。外用適量。

文獻 《大辭典》上，1369。

3387 山青菜

來源 菊科植物峨嵋千里光 Senecio faberi Hemsl. 的花序。

形態 多年生草本，高 70～160cm。地下莖粗短，稍彎曲。莖直立，中空，具縱溝紋。基生葉通常心形，寬大；莖中部葉長達 30cm，兩邊羽狀撕裂，基部擴大抱莖，兩側具圓耳，邊緣具不規則鋸齒，頂裂片三角狀斧形，先端漸尖，上部葉羽狀撕裂，裂片條形，兩面均無毛。頭狀花序密集成複傘房狀，總苞狹鐘狀，總苞片條形，一層；舌狀花黃色，舌片條形；筒狀花黃色，花柱頂端 2 裂。瘦果圓柱形，頂端具白色冠毛。

分佈 生於山地林邊、溝邊草叢中。分佈於四川、雲南、貴州、廣西。

採製 夏、秋季採收，曬乾。

性能 微苦，涼。清熱解毒，清肝明目，涼血。

應用 用於感冒，扁桃體炎，咽喉炎，眼結膜炎，痢疾，腸炎，丹毒，癤瘡，濕疹等。用量 6～15g。

文獻 《峨嵋山藥用植物研究》一，101。

3388 羽葉千里光

來源 菊科植物羽葉千里光 Senecio jacobaca L. 的全草。

形態 多年生草本，高20～100cm，全株有絲狀毛或近光滑。莖有縱稜。基生葉蓮座狀，在花期枝萎；莖中部葉大頭羽狀分裂；上部葉羽狀全裂，基部抱莖。頭狀花序多數，複傘狀排列；舌狀花 12～15 個，黃色；管狀花多數。瘦果圓柱形，長 2～3mm；邊緣瘦果冠毛少，易脫落；裏面瘦果有毛，冠毛多而宿存。

分佈 生於山地、河谷疏林、山坡、路旁、田邊。分佈於新疆、內蒙古、甘肅。

採製 7～8 月採收，曬乾。

成分 含雙稠吡咯啶生物鹼 (pyrrolizidine alkaloide)。

性能 苦、辛，寒。有小毒。清熱明目。

應用 治咽喉炎，結膜炎。外敷治瘡癤腫毒，蛇蟲咬傷。用量 10～20g。外用適量。

文獻 《新疆藥植誌》三，184；《中國有毒植物》，172。

3389 野青菜

來源 菊科植物長梗千里光 Senecio kaschkarovii C. Winkl. 的花序。

形態 多年生草本，高達 1.2m。根狀莖粗短，多鬚根。莖直立，中空。下部的葉花時常枯萎；中上部的葉，長 10～15cm，羽狀深裂或全裂，裂片披針形，4～6 對，先端急尖，邊緣有不規則的淺齒；兩面無毛；基部有抱莖的圓耳。頭狀花序排成稀疏的複傘房狀；總苞片 1 層，條狀披針形，邊緣膜質；舌狀花 3～4，黃色，長圓狀披針形；管狀花約 8 個，先端 5 裂；子房下位。瘦果近圓柱形，具縱肋，頂端具白色冠毛。

分佈 生於陰濕的荒坡、溝邊草叢中。分佈於四川、甘肅、青海。

採製 夏季採收，曬乾。

性能 微苦，涼。清熱解毒，明目。

應用 用於感冒，身痛，咳嗽，咽喉腫痛，腸炎，痢疾，口舌生瘡，眼霧，目赤紅腫等。用量 6～15g。

文獻 《四川省中藥資源普查名錄》，195。

3390 林蔭千里光

來源 菊科植物林蔭千里光 Senecio nemorensis L. 的全草。

形態 多年生草本，高 50～120 cm。根狀莖短，斜生。莖單一或叢生，近無毛。下部葉在花期常枯萎，中部葉較大，長 10～20cm，寬 3～5cm，兩面披疏毛或近無毛。頭狀花序排成複傘房狀，苞葉條形；總苞片 1 層，10～12 個；舌狀花 8～13 個，黃色；管狀花多數。瘦果圓柱形，有縱溝；冠毛白色，不等長。

分佈 生於林緣蔭濕地、草甸、河谷水邊。分佈於黃河流域以北地區。

採製 8～9 月開花時採收，曬乾。

成分 含大葉千里光鹼 (macrophylline)、瓶千里光鹼 (sarracine) 以及洋薊素 (cynarin) 和綠原酸等。

性能 苦、辛，寒。清熱解毒，涼血消腫，清肝明目。

應用 治熱痢，眼腫，瘡癤腫毒。用量 6～12g。

文獻 《大辭典》下，4154；《滙編》上，123。

3391 紫毛千里光

來源 菊科植物紫毛千里光 Senecio villiferus Fr. 的全草。

形態 多年生草本，高 15～35 cm。莖通常不分枝。莖下部葉具長柄，葉片近圓形或闊卵形，先端漸尖，基部近心形，邊緣具疏齒或淺裂，掌狀脉，背面有時淡紫色，葉柄紫紅色，被長柔毛。頭狀花序 3～10 個排成傘房狀，苞葉披針形；總苞片條形，先端尖，邊緣膜質，基部被短絨毛；舌狀花黃色，舌片條形；管狀花多數，黃色，先端 5 齒裂；花柱頂端 2 裂。瘦果圓柱形，具白色冠毛。

分佈 生於山坡、路旁林緣或灌叢中。分佈於貴州、四川。

採製 夏季採收，曬乾。

性能 微苦，涼。清熱解毒，明目，涼血消腫。

應用 用於扁桃體炎，咽喉炎，肺炎，腸炎，痢疾，目赤腫痛，眼翳，痔瘡，丹毒，濕疹等。用量 6～15g。

文獻 《貴州中草藥名錄》，621。

3392 一枝黃花

來源 菊科植物一枝黃花 Solidago decurrens Lour. 的全草。

形態 多年生草本，高 30～70 cm，具根狀莖及鬚根。莖單一，通常不分枝。葉互生，披針形或倒披針狀長圓形至橢圓形，稀卵形或窄卵形，先端急尖，基部楔形或寬楔形，邊緣具淺鋸齒，兩面近無毛。頭狀花序排成圓錐式；總苞鐘狀，總苞片 3～4 層，膜質；邊緣的舌狀花黃色，為雌性；中間為管狀花，兩性。瘦果無毛，稀頂端有疏毛。

分佈 生於山坡、路旁草叢中。分佈於華東、華中、西南、華南及台灣。

採製 秋、冬季採收，洗淨，陰乾。

性能 辛、苦，平。有小毒。疏風清熱，解毒消腫。

應用 用於呼吸道感染，扁桃體炎，咽喉腫痛，支氣管炎，肺炎，肺結核咳血，腎炎，小兒疳積，跌打損傷，毒蛇咬傷，癰癤瘡毒等。用量 3～15g。外用適量。

文獻 《滙編》上，3。

3393 續斷菊

來源 菊科植物大葉苣蕒菜 Sonchus asper (L.) Hill. 的全草。

形態 一年生草本，高 30～70cm。主根圓錐形。莖直立，下部無毛，上部有腺毛。葉近革質，長 6～15cm，寬 2～8cm，不分裂或不規則羽狀分裂，葉緣有大小不等的尖齒，中上部葉無柄，基部有擴大的圓耳。頭狀花序排列成傘房狀；總苞片 2～3 列，暗綠色；花冠舌狀，黃色。瘦果長卵形，棕褐色；冠毛白色。

分佈 生於河谷、山坡和田野路邊。全國大部分地區有分佈。

採製 春、夏採收，曬乾或鮮用。

性能 苦，寒。清熱解毒，消腫化瘀，涼血止血。

應用 用於急性咽炎，菌痢，尿血，便血，衄血。用量 15～30g。鮮用適量外敷治燙火傷，無名腫毒等。

文獻 《新疆藥植誌》三，182。

3394 南川斑鳩菊

來源 菊科植物南川斑鳩菊 Vernonia bockiana Diels. 的枝葉。

形態 灌木或小喬木，高 3～6m。枝具細條紋，被灰色或淡黃褐色絨毛；葉長橢圓狀披針形，長 12～22cm，頂端漸尖或長漸尖，基部楔形，上面具乳頭突起，下面被灰色柔毛和銀白色腺點；葉柄長 1.2～1.5cm，密被灰色或淡黃褐色絨毛；頭狀花序，直徑 0.6～0.8cm，在枝端或上部葉腋排列成複傘房狀；花序梗被灰色絨毛；總苞近球形，總苞片 5 層，革質，卵狀長圓形或長圓狀倒卵形，具暗褐色或紫紅色增厚的小尖；花淡紅紫色或白色，花冠管狀，長 0.7cm，裂片線狀披針形。瘦果圓柱形。

分佈 生於山坡灌叢中。分佈於中國西南各地。

採製 秋季採收，曬乾。

性能 苦，寒。清熱解毒，祛風。

應用 用於癰疽，丹毒。用量 10～15g。

文獻 《中國植物誌》七十四，16；《四川省中草藥資源普查名錄》，196。

3395 眼子菜

來源 眼子菜科植物眼子菜 Potamogeton distincts A. Benn. (P. franchetii A. Benn. et Baag) 的全草。

形態 多年生水生草本。根狀莖匍匐，莖長約 50cm。葉互生，花序下的對生，寬披針形至卵狀橢形，長 5～10cm，柄長 6～15cm；沉水葉披針形或條狀披針形，柄短於浮水葉柄；托葉膜質，長 3～4cm，早落。穗狀花序生於浮水葉的葉腋，穗長 4～5cm；密生黃綠色小花；雄蕊 4，無柄，花藥向外展裂；雌蕊 4，分離，1 室。小堅果卵形。

分佈 生於靜水池沼中。分佈於中國大部分地區。

採製 春季採收，曬乾。

性能 苦，寒。清熱，利水，止血，消腫，驅蛔。

應用 用於痢疾，黃疸，淋病，血崩，痔血，蛔蟲病，瘡瘍紅腫。用量 10～15g。

文獻 《大辭典》下，4326；《中國高等植物圖鑒》五，7。

3396 糯稻根

來源 禾本科植物糯稻 Oryza sativa L. var. glutinosa Matsum. 的根。

形態 草本，高達 1m。稈直立，中空，有節。葉具鞘，葉片線形，長 30～60cm，無毛或少毛。圓錐花序短，穗軸節短，使小花密集重疊着生；小花密被短而直的毛；雄蕊 6；子房長圓，光滑，花柱 2 枚。穎果粗圓；種子具線狀種臍。

分佈 水生或陸生，全國多有栽培。

採製 夏、秋採挖，洗淨，曬乾。

性能 甘，平。養陰，健胃，止汗。

應用 用於自汗，盜汗，肝炎。用量 10～20g。

文獻 《滙編》上，705。

3397 粟米

來源 禾本科植物粟 Setaria italica (L.) Beauv. 的種仁及發芽的穎果。

形態 一年生草本，高 60～150 cm。葉片披針形或線狀披針形，先端尖長，基部近圓形，葉鞘無毛，鞘口處有柔毛。頂生圓錐花序穗狀，通常下垂，穗軸密被細毛；不孕小花的外稃橢圓形，結實小花外稃平凸狀橢圓形，表面有皺紋，邊緣內卷，包着內稃。谷粒卵狀或圓球狀，具細點狀皺紋。

分佈 中國北方廣為栽培。

採製 秋季成熟，打下粟粒，脱皮。粟芽取穎果發芽至 2～3mm 長，曬乾。

成分 種子含脂肪、蛋白質、澱粉，還原糖及脂肪酸。蛋白質有穀蛋白、球蛋白等。種子蛋白質含多量穀氨酸、脯氨酸、丙氨酸和蛋氨酸。

性能 甘、鹹，涼。陳粟米：苦，溫。和中，益腎，除熱，解毒。

應用 用於脾胃虛熱，反胃嘔吐，消渴，泄瀉。陳粟米：用於止痢，解煩悶。用量 15～33g。

文獻 《大辭典》下，4841。

3398 高粱

來源 禾本科植物高粱 Sorghum vulgare Pers. 的種子。

形態 一年生高大草本，高 2～3 m。葉片長約 50cm，寬 4～5cm，葉鞘無毛或披白粉，葉舌硬膜質。圓錐花序長達 30cm，分枝輪生，無柄小穗卵狀橢圓形，長 5～6mm，成熟時下部硬革質而光滑；芒自第二外稃裂齒間伸出；有柄小穗不孕。穎果倒卵形，成熟後露出穎外，赤褐色。

分佈 全國大部地區有栽培。

採製 夏季種子成熟時採收。

成分 幼芽、果實含 p-羥基扁腈－葡萄糖甙 (p-hydroxymandelonitril–glucoside)。

性能 甘、澀，溫。溫中，補氣，止泄，祛痰。

應用 用於體虛咳嗽，濕熱下痢，消化不良。用量 5～15g。

文獻 《大辭典》下，3929；《滙編》下，858。

3399 三楞草

來源 莎草科植物碎米莎草 Cyperus iria L. 的全草。

形態 一年生草本，高 8～25cm，稈叢生，扁三稜狀。葉基生，短於稈，寬 2～5mm；鞘紅棕色。苞片 3～5，葉狀，複穗狀花序聚生於頂端成傘狀，有輻射枝 4～9，長達 12cm，每枝有 5～10 個穗狀花序；穗狀花序矩圓狀卵形，有 5～22 小穗，具 6～22 朵花，小穗軸近無翅；鱗片黃色，寬倒卵形，背面有龍骨突，頂端有乾膜質邊緣；雄蕊 3；柱頭 3。小堅果卵形或橢圓形，有三稜，與鱗片等長，褐色，密生突起細點。

分佈 生於田間、山坡、路旁。分佈於東北、河北、華中、華東、華南、西北、西南。

採製 夏、秋採收。洗淨，鮮用或曬乾。

性能 苦，溫。祛風除濕，調經，利水。

應用 用於風濕痹痛，水腫，月經不調。用量 3～6g。

文獻 《峨嵋山藥用植物研究》一，106。

3400 水蜈蚣

來源 沙草科植物水蜈蚣 Kyllinga brevifolia Rottb. 的全草。

形態 多年生草本，高 8～20cm。根狀莖橫走。稈散生，扁三稜形。葉線形，長 5～15cm，基部具葉鞘。穗狀花序，近球形，長 5～10 mm，生於 3 枚葉狀苞片中；小穗極多，長圓狀披針形，具 1 花；鱗片白色，具鏽斑，長 2.8～3mm，龍骨狀突起，具刺，先端具外彎的短尖；雄蕊1～3；柱頭 2。小堅果倒卵狀長圓形，密佈細點。

分佈 生於溝邊、路旁潮濕處。分佈於安徽、浙江、江西、福建、華南、西南及湖北。

採製 夏季採收，洗淨，曬乾。

性能 辛，平。解表散寒，活血，解毒，止咳。

應用 用於感冒風寒，寒熱頭痛，筋骨疼痛，痢疾，瘡瘍腫毒，跌打，咳嗽等。用量 6～15g。

文獻 《大辭典》上，1122。

3401　異葉天南星(天南星)

來源　天南星科植物異葉天南星 Arisaema heterophyllum Bl. 的塊莖。

形態　多年生草本。塊莖近球形，上部扁平，常有側生小塊莖。葉常 1 片，葉柄圓柱形，下部鞘狀。葉片趾狀分裂，裂片 11～19，倒披針形或窄長圓形，全緣，中裂片比側裂片短小。花序柄比葉柄短，佛焰苞管部長 3～8cm，喉部斜形，檐部卵形或卵狀披針形；花序軸與佛焰苞分離；雌雄同株或雄花異株；附屬器細長，鼠尾狀，伸出佛焰苞外呈"之"字形上升；雄花在上，雌花在下，子房球形，花柱明顯。漿果熟後紅色。

分佈　生於林下、灌叢中陰濕地。分佈於吉林、遼寧及華東、中南、西南。

採製　秋季採挖，曬乾或烘乾。

成分　含有 β-谷甾醇及其葡萄糖甙。

性能　苦、辛，溫。有毒。祛風定驚，化痰，散結。

應用　用於中風，口眼歪斜，半身不遂，癲癇，破傷風。一般炮製後用。生者外用於癰腫。用量 3～9g。外用適量。

文獻　《中藥誌》二，27。

3402　花南星

來源　天南星科植物花南星 Arisaema lobatum Engl. 的塊莖。

形態　多年生草本，高 25～40cm。塊莖近球形，直徑 1～4cm。鱗葉膜質。葉 1～2，柄黃綠色，肉質，有紫斑，狀如花蛇；葉片 3 全裂，中裂片長圓形，長 8～22cm；側裂片不對稱，外側寬為內側的 2 倍，先端均長漸尖。花序柄常短於葉柄，佛焰苞黃綠色或淡紫色，喉部無耳，檐部卵形，先端尾尖；肉穗花序單性，附器長 4～5cm，前部較粗，棒狀；花藥 2～3，頂孔縱裂；子房倒卵形，柱頭無柄。漿果紅色，內有種子 3 枚。

分佈　生於林下陰處或草叢中，分佈於黃河以南各地。

採製　秋、冬季採挖，洗淨，曬乾或炕乾。

性能　辛，溫。有毒，祛風定驚，化痰，散結。

應用　用於癲癇，中風，口眼歪斜，半身不遂，外治毒蛇咬傷。用量 2～4g。外用適量。

文獻　《中藥誌》二，33。

3403　偏葉南星

來源　天南星科植物偏葉天南星 Arisaema lobatum Engl. var. rosthornianum Engl. 的塊莖。

形態　多年生草本，高 30～50 cm。塊莖近球形，直徑 3～4cm。膜質鱗葉狹披針形，先端銳尖。葉 2 枚，葉柄肉質，有花斑，葉片 3 全裂，中裂片倒卵形，長 15～25 cm，側裂片極不對稱，外側寬為內側的 2～3 倍，基部具寬耳，葉面常具白斑。花序柄略長於葉柄，佛焰苞黃綠色或紅紫色，檐片寬卵形，先端長尾尖；肉穗花序單性，附器前部棒狀；花藥頂孔縱裂；子房倒卵形，柱頭無柄。漿果紅色，內有種子 3 枚。

採製　生於林下陰處。分佈於陝西、四川。

性能　辛、苦，溫。有毒。祛痰，解毒。

應用　用於癲癎痰涎堵塞，毒蛇咬傷及惡瘡腫毒。用量 3～6g。外用適量。

文獻　《大辭典》上，0656。

3404　峨嵋南星

來源　天南星科植物峨嵋南星 Arisaema omeiense P.C. Kao 的塊莖。

形態　多年生草本，高 16～24cm。塊莖近球形，直徑 1～1.6cm。葉 1～2，基生，柄長 15～21cm，有斑點；葉片掌狀，鳥足狀或 3 裂，裂片 3～7，披針形，中裂片長 4.5～7cm，寬 2～2.7cm，側裂片較小。佛焰花序，佛焰苞淡黃色，具斑紋，長 4～5cm，喉部兩側具耳狀裂片；花單性，雌雄異株；雄花序有短柄，花藥 4，頂孔橢圓形；雌花序無柄，子房卵形，柱頭有白毛；附器長尾狀，伸出苞外甚長。果序圓錐形，下垂，果實卵形，紅色。

分佈　生於山地混交林下或箭竹林下。分佈於四川。

採製　秋季採挖，去除莖葉，洗淨，曬乾。

性能　辛、苦，溫。有毒。祛痰，解毒。

應用　用於寒痰咳嗽，皮膚瘡毒。用量 3～5g。外用適量。

文獻　《四川中藥資源普查名錄》，205。《雲南植物研究》1989：3，308。

附註　本種曾誤訂為大耳南星 Arisaema auriculatum Buchet.。

3405　水芋

來源　天南星科植物水芋 Calla palustris L. 的根莖。

形態　多年生草本，高達 20cm。根狀莖長，直徑達 2cm。葉根生，柄長達 20cm；葉片心形，長寬幾相等，長 5～12cm，先端突尖。花序生於葉間，長 10～20cm；佛焰苞寬卵形至橢圓形，長 3～6cm，頂端突尖至短尾尖，宿存；肉穗花序短圓柱形，長 1.5～2cm，徑 5～10mm；花梗長 7～10cm；花常兩性，僅花序頂端者為雄性，無花被；雄蕊 6。果序直徑達 2cm；漿果緊靠合，橙紅色。

分佈　生於水邊、沼澤地中。分佈於東北。

採製　夏秋季採挖，曬乾。

成分　根莖含皂甙、樹脂、澱粉、糖。地上部分含皂甙、黃酮、黏液質、甾醇、有機酸、游離糖、維生素 C 等。

性能　消腫解毒。

應用　用於蛇咬傷，水腫。外用適量。

文獻　《長白山植物藥誌》，1313。

3406 紫芋

來源 天南星科植物紫芋 Colocasia tonoimo Nakai 的塊莖。

形態 濕生草本。塊莖近球形，有側生小球莖。葉自塊莖頂部抽出，高 1～1.2 m；葉柄圓柱形，紫褐色；葉片盾狀，卵狀箭形，長 40～50cm，寬 25～30cm，基部具彎缺。花序自葉叢中抽出，佛焰苞管長 5～8cm，紫色，檐片金黃色，先端卷曲；肉穗花序兩性，雌花在下，子房黃綠色，雄花在上，黃色，附器長錐狀，黃白色，長約 2cm。

分佈 生於林下潮濕處。分佈於貴州、雲南、南方各地有栽培。

採製 秋季採挖，去除莖葉及鬚根，洗淨，切片，曬乾或鮮用。

性能 辛、澀，寒。消腫，解毒。

應用 用於無名腫毒，瘡毒。外用適量。

文獻 《貴州中草藥名錄》，659。

附註 本植物莖葉入藥可敷瘡毒。

3407 大半夏

來源 天南星科植物大半夏 Pinellia polyphylla S.L. Hu 的塊莖。

形態 多年生草本，高 30～40 cm。塊莖扁球形，直徑 4～6cm，具匍匐枝，枝端形成小塊莖。葉基生，三角狀卵形或廣卵形，長 6～33cm，寬 4～22cm，先端漸尖，基部耳狀心形，全緣；葉柄長 10～70cm。花序柄短於葉柄，佛焰苞黃綠色，檐部廣披針形；肉穗花序雄花在上，雌花在下，雄花蜜黃色，雌花序軸與佛焰苞管合生，外側着花；附器黃綠色，長 6～12cm，尾部自佛焰苞彎出。漿果卵形，綠白色。

分佈 生於疏林下或坡地。分佈於四川。

採製 秋季採挖，去除莖葉和鬚根，洗淨，曬乾或鮮用。

性能 辛，溫。有毒。消腫散結。

應用 用於瘡腫，丹毒。外用鮮品適量。

文獻 《藥學學報》1984：9，712。

3408 石氣柑

來源 天南星科植物石氣柑 Pothos cathcartii Schoott. 的全草。

形態 藤本。氣生根發達，攀貼於石上或樹上。莖纖弱，分枝多，節間距 1.2～2.5cm。葉互生，長 5～10cm，寬 1.5～3cm，先端漸尖，基部鈍，網狀脈兩面凸起；葉柄長 1～6cm，具扁平的翅，寬 0.5～1.2cm。花生於枝頂或葉腋，總花梗長 1.5～2.5cm；佛焰苞長 6～8mm；肉穗花序長7～12mm，兩性花，花被片 6；雄蕊 6。漿果橢圓形，紅色。

分佈 生於陰濕的石壁或大樹上，分佈於中國西南及廣西。

採製 四季可採，曬乾。

性能 淡，平。祛風除濕，活血散瘀，消積，止咳。

應用 用於跌打損傷，風濕性關節炎，小兒疳積，咳嗽；骨折，中耳炎等。用量 15～30g。

文獻 《滙編》下，182。

3409 川杜若

來源 鴨跖草科植物川杜若 Pollia omeiensis Hong 的全草。

形態 多年生草本。莖長，下部匍匐生長，上部直立，莖疏被毛。葉片卵狀披針形，長 5～15cm，基部漸窄成明顯的短柄，頂端漸尖，僅葉背中脈被微毛。圓錐花序頂生，總花序梗長2～7cm；蝎尾狀聚傘花序互生，短，具數朵花；苞片小，漏斗狀；花梗短直；萼片長 2.5mm；花瓣白色，微顯粉紅斑點，具爪，長約 4mm；雄蕊 6。果漿果狀，球形。

分佈 生於陰濕林下。分佈於西南、廣西、台灣。

採製 秋季採收，曬乾。

性能 甘，溫。補腎壯陽，止痛。

應用 用於陽痿，遺精，腎虛耳鳴，胃痛。用量 9～12g。

文獻 《四川省中藥資源普查名錄》，208。

3410 大百部(百部)

來源 百部科植物對葉百部 Stemona tuberosa Lonr. 的塊根。

形態 多年生攀援草本，高可達 5 m。塊根肉質，紡錘形或圓柱形，長 15～30cm。莖上部纏繞。葉對生，廣卵形，長 8～10cm，寬 2.5～10cm，基部淺心形，全緣；葉柄長 4～6cm。花腋生；花被 4 片，披針形，黃綠色，有紫色脈紋。雄蕊 4，花藥紫色。蒴果倒卵形而扁。

分佈 生於向陽的灌木林下。分佈於台灣、福建、廣東、廣西、湖南、湖北、四川、雲南。

採製 秋季採挖，洗淨，去鬚根，沸水浸燙後曬乾。

成分 百部碱、對葉百部碱、異對葉百部碱 (Isotuberostemonine)、斯替寧碱 (stenine)、次對葉百部碱 (hypotuberostemonine) 等。

性能 甘、苦，微溫。溫潤肺氣，止咳，殺蟲。

應用 治風寒咳嗽，百日咳，肺結核，老年咳喘，蛔蟲，蟯蟲，皮膚疥癬，濕疹。用量 3～9g。

文獻 《大辭典》上，1729；《藥典》，104。

3411 長梗薤

來源 百合科植物長梗薤 Allium neriniflorum Baker 的鱗莖。

形態 多年生草本，植物體無葱蒜味。鱗莖近球形，單生。葉基生，2～6 枚，線形中空，具縱條，與花葶近等長，寬 1～3mm。傘形花序疏散；花葶高 10～30cm，圓柱形；總苞片單側開裂，宿存；花梗長 10～14cm，具小苞片；花被片紅色或淡紫色，長 7～10mm，基部靠合成短管；花絲長約為花被片的 ½；子房圓錐形，3 室。蒴果膜質，內具多數種子。

分佈 生於山坡。分佈於東北、華北及山東。

採製 春季採挖鱗莖，去鬚根，洗淨，用沸水煮透，曬乾。

成分 含大蒜氨酸 (allia)、甲基大蒜氨酸、大蒜糖 (scorodose) 等。

性能 辛、苦，溫。溫中通陽，理氣寬胸。

應用 用於胸痛，心絞痛，胸肋刺痛，咳嗽，氣管炎，痢疾。用量 3～10g。

文獻 《滙編》上，920。

3412 鹿耳韮

來源 百合科植物卵葉韮 Allium ovalifolium Hand. -Mazz. 的全草。

形態 多年生草本，高 40～60cm。鱗莖圓柱狀，外具網狀纖維。葉 2 枚，近對生，卵狀矩圓形，長 8～15cm，寬 3～7cm，先端尾狀漸尖，基部心形或圓形，葉兩面及邊緣常具乳狀突起。花葶直立，傘形花序球狀，小花密集，白色，稀淡紅色，花被片卵形，長 4～5mm，內輪被片較狹長；雄蕊花絲等長，基部聯合，與花被片合生；子房具短柄。蒴果室背開裂；種子黑色，多稜形。

分佈 生於林下坡地或溝邊。分佈於陝西、甘肅、青海、四川、雲南。

採製 秋季採集，去除泥沙雜質，曬乾。

性能 辛，溫。消腫散瘀，止血，祛風。

應用 用於風濕疼痛，跌打損傷及瘡腫。用量 8～12g。

文獻 《峨嵋山藥用植物研究》一，109。

3413 輝韭

來源 百合科植物輝韭 Allium strictum Schrader 的鱗莖。

形態 草本，高 30～65cm，具根狀莖。鱗莖柱狀圓錐形，單生或 2 枚聚生，外皮褐色，網狀纖維質。花葶圓柱形，1/3 左右具葉鞘。葉 3～4 枚，狹條形，寬 2～5mm。總苞比花序短，2 裂，宿存；傘形花序半球形或球形，多花；花梗等長，比花被長 1.5～2 倍；花被片 6，淡紫色，具一深色中脈；花絲基部合生並與花被貼生，內輪花絲基部擴大，兩側各有 1～4 枚大小不等的齒；子房倒卵圓形，基部具 3 個凹穴，花柱略伸出花被，柱頭近頭狀。

分佈 生於山坡、砂地。分佈於東北和內蒙古。

採製 春、秋季挖取，晾乾。

性能 發散風寒，止痢。

應用 用於感冒風寒，頭痛發熱，身痛畏寒，痢疾。用量 10～15g。

文獻 《吉林省中藥資源名錄》，182。

3414 大趕山鞭

來源 百合科植物峨嵋蜘蛛抱蛋 Aspidistra omeiensis Z.Y. Zhu et J.L. Zhang 的根狀莖。

形態 多年生草本。根狀莖粗壯。葉 3～5 枚簇生，條形，長 0.8～1 m，寬 2～4cm，先端漸尖，基部漸狹，邊緣反捲。總花梗頂生一朵花；花被鐘狀，長 1.5～2cm，直徑 1.2～1.5cm，紫色或紫紅色，先端 6～8 裂，裂片三角狀卵形，內面具 6 條或 4 條縱向、肉質的脊狀隆起，中間 2～4 條較長，下延至花被筒的一半或近基部；雄蕊 6～8 枚，花藥橫橢圓形，雌蕊長約 6mm，花柱粗短，柱頭盾狀膨大，上面具白色花紋。果卵狀矩圓形；種子不規則，白色。

分佈 生於林下肥沃的腐殖質土壤中。分佈於四川。

採製 秋季採挖根狀莖，洗淨，曬乾。

性能 甘，溫。活血祛瘀，祛風除濕，化痰消積，解毒。

應用 用於跌打損傷，風濕麻木，勞傷咳嗽，頑痰不化，瘰癧，淋症等。用量 3～9g。

文獻 《植物分類學報》1981：3，386。

3415　金邊吊蘭

來源　百合科植物吊蘭 Chlorophytum capense (L.) Ktze. 的全草。

形態　多年生常綠草本。根莖粗短，根上部肉質肥大，簇生。葉叢生，條形或條狀披針形，長 15～30cm，先端長漸尖，全緣，邊部黃綠色，基部抱莖；常從老株基部抽出匍匐莖，下垂生長，頂部長出新的小葉叢。花葶細長，常簇生小葉叢；總狀花序，疏生於花序軸上；花被片 6，白色，矩圓形，2 輪；雄蕊 6，與花被等長；雌蕊略長於雄蕊。蒴果扁球形，具 3 鈍棱。

分佈　原產非洲，中國大部分地區有栽培。

採製　秋季採收，洗淨，曬乾。

性能　甘，涼。清熱解毒，祛瘀消腫。

應用　用於熱毒瘡腫，無名腫毒。用量 3～6g。

文獻　《四川省中藥資源普查名錄》，212。

3416　竹葉參

來源　百合科植物萬壽竹 Disporum cantoniense (Lour.) Merr. 的根及根莖。

形態　多年生草本，高 0.5～1m。根莖橫生，結節狀。單葉互生，披針形或卵形，長 3～8cm，頂端漸尖，基部近圓形，主脈 5～7 條。傘形花序與葉對生，基部有葉狀總苞 1 枚，小花 2～5 朵，鐘狀，下垂；花被片 6，2 輪，倒披針形，紫紅色；雄蕊內藏，花藥黃色；雌蕊與雄蕊等長。漿果肉質，黑色。

分佈　生於山地林下陰濕處。分佈於黃河流域以南各地。

採製　秋季採挖，洗淨，曬乾。

性能　苦，平。養陰，清熱，祛風濕。

應用　用於肺結核，風濕痛。用量 10～15g。

文獻　《大辭典》上，1811。

3417　大花萬壽竹

來源　百合科植物大花萬壽竹 Disporum megalanthum Wang et Tang 的根及根莖。

形態　多年生草本，高 30～60 cm。根莖橫生，鬚根多數，肉質。單葉互生，卵形至長卵形，長 4～8cm，先端漸尖，基部圓形。主脈 5～7 條；葉柄極短。花 (2) 4～8 朵聚生枝端，花被片 6，2 輪，白色，倒披針形，長 2～3.8 cm，內生短毛，基部有短距，雄蕊內藏，稍短於花被；柱頭 3 裂。漿果球形，直徑 1cm，黑色。

分佈　生於山地林下或林緣。分佈於四川、湖北、陝西、甘肅。

採製　秋季採挖，洗淨，曬乾。

性能　甘，平。潤肺止咳，補脾健胃。

應用　用於肺虛久咳，脾虛脹滿。用量 15～20g。

文獻　《中國植物誌》十五，45。

附註　四川部分地區作竹葉參藥用。

3418 寬葉麥冬

來源 百合科植物連藥沿階草 Ophiopogon bockianus Diels. 的全草。

形態 多年生常綠草本。根粗壯，末端具紡錘形的塊根。莖短粗，具每年殘存的葉鞘及部分纖維包裹，並長不定根，形如根狀莖。葉叢生，劍形或劍狀帶形，長 20～35(～80)cm，寬(7～)14～22mm，先端急尖，基部鞘狀，邊緣具細齒，背面粉綠色。總狀花序長 5～15cm；花葶長 8～20cm；花淡紫色；花被片卵形，長 6～7mm；花絲短，花藥卵形，長 2.5～3mm，連合成矩圓錐形。種子橢圓形或近球形，亮綠色。

分佈 生於山坡林下或溝邊陰濕處。分佈於四川及雲南。

採製 四季可採，洗淨，曬乾。

性能 甘、微苦，寒。清心，潤肺，瀉熱，生津止咳。

應用 用於心煩不安，肺燥乾咳，吐血，咯血，肺痿，熱病傷津，咽乾口燥等。用量 6～10g。

文獻 《峨嵋山藥用植物研究》一，111。

3419 球藥隔重樓

來源 百合科植物球藥隔重樓 Paris fargesii Fr. 的根狀莖。

形態 多年生草本，高 40～80cm。根狀莖具密節及鬚根。葉(3～)4～5 枚，輪生，寬卵圓形，長 8～15cm，先端長漸尖，基部淺心形，兩面無毛。花梗通常長 4～16cm，有時更長，從輪生葉中央抽出；外輪花被片 3～5 枚，淡綠色，卵狀披針形，先端長漸尖或長尾狀尖，基部漸狹成短柄；內輪花被片條形，為外輪花被片的½或更短，綠色或紫色；雄蕊 8～10 枚，低於雌蕊，花藥長約 3mm，藥隔突出部分圓頭狀，肉質，紫褐色，長約 1mm；子房卵球形，1 室，柱頭 4～5 分枝。

分佈 生於山地林下。分佈於湖北、湖南、廣西、貴州、雲南、四川等地。

採製 秋季採挖，洗淨，曬乾。

性能 苦，寒。有小毒。清熱解毒，消腫止痛。

應用 用於胃痛，闌尾炎，腮腺炎，乳腺炎，蛇蟲咬傷，各種瘡毒等。用量 3～6g。外用適量。

文獻 《貴州中草藥名錄》，681。

3420 老虎薑

來源 百合科植物捲葉黃精 Polygonatum cirrhifolium (Wall.) Royle 的根莖。

形態 多年生草本，高 80～150cm。根莖肥大成不規則的結節塊狀，莖痕明顯，呈圓盤狀。莖圓柱形，具條紋。葉 3～8，輪生，線狀披針形，先端捲曲，下面有粉。花序輪生，常具 1～4 花，總花梗長 0.3～1cm；花小，白色、綠色或帶紫色，花梗長 0.3～0.8cm，俯垂，苞片披針形，白色，膜質；花被筒狀，先端 6 裂，裂口有乳突狀短柔毛；雄蕊生花被筒中部以上，花絲有緣毛；花柱與子房等長。漿果球形，熟時黑色。

分佈 生於山地、林下或草叢中。分佈於陝西、甘肅、青海、寧夏、四川、西藏。山東有栽培。

採製 春、秋採挖，去莖葉及根，洗淨，曬乾。

性能 辛，平。潤肺養陰，健脾益氣，祛痰止血，消腫解毒。

應用 用於虛勞咳嗽，遺精，盜汗，崩漏帶下，咽喉腫痛，瘡腫等。用量 6～15g。

文獻 《大辭典》上，1691。

3421 康定玉竹

來源 百合科植物康定玉竹 Polygonatum prattii Baker 的根莖。

形態 多年生草本，高 30～50 cm。根狀莖圓柱形，橫生，直徑 3～5mm。莖直立，表面常被紫紅色斑點。單葉互生，間有對生，頂部常 3 葉輪生，橢圓形至矩圓狀披針形，長 2～6cm，寬 1～2cm，先端鋭尖。傘形花序腋生，花 2～3朵，下垂，花梗長 5～6mm；花被淡紅色，全長 6～8mm，筒裏面平滑或呈乳頭狀，喉部稍縊縮，裂片 6，長 1.5～2.5mm；雄蕊 6，花絲極短，着生於花被管上，花藥箭狀，長約 1.5mm；子房上位，球形，花柱與子房等長或稍短。漿果紫紅色或褐色。

分佈 生於林下、灌叢或山坡草地。分佈於四川、雲南。

採製 秋季採挖，除去鬚根，洗淨，曬乾。

性能 甘，平。養陰潤燥，生津止渴。

應用 用於肺熱咳嗽，熱病傷津，陰虛發熱。用量 9～15g。

文獻 《貴州中草藥名錄》，683。

3422 樹刁

來源 百合科植物點花黃精 Polygonatum punctatum Royle ex Kunth 的根莖。

形態 多年生附生草本，高 30～70cm。根狀莖呈連珠狀，直徑 1～1.5cm，密生肉質鬚根。葉互生，幼時稍肉質，老時厚紙質或近革質而橫脈常顯，有光澤，卵形、卵狀矩圓形至圓卵狀披針形，長 6～14cm，頂端尖至漸尖。花序腋生，具 2～6(8)花，略呈總狀，總花梗長 5～12cm，上舉，花後平展，花梗長 2～10mm，無苞片或微小苞片早落；花白色，合生略呈罈狀，長 7～9(13)mm，裂片 6；雄蕊 6；柱頭稍膨大。漿果球形，熟時紅色。

分佈 生於灌木林下巖石上或附生於樹上。分佈於中國西南及廣西。

採製 秋季採集，洗淨，曬乾。

性能 辛，平。解熱毒，搽瘡瘍。

應用 用於瘡毒，疱疹。外用適量。

文獻 《峨嵋山藥用植物研究》一，112；《中國高等植物圖鑒》五，505。

3423 湖北黃精

來源 百合科植物湖北黃精 Polygonatum zanlanscianense Pamp. 的根莖。

形態 多年生草本，高 80～170 cm。根狀莖連珠狀。莖直立或上部攀援。葉 3～6 輪生，葉形變異較大，矩圓形至披針形，長 8～15cm，寬 1.3～3.5cm，先端拳捲或稍彎曲。花序常具 2～6 花，近傘形，總花梗長 0.5～2cm，花梗長 0.4～0.7cm，苞片位於花梗基部；花被白色、淡黃綠色或淡紫色，長 0.6～0.9cm，花被筒近喉部稍縊縮；花絲長約 1mm，花藥長約 2mm；子房長約 2.5mm，花柱長約 2mm。漿果近球形，紫紅色或黑色。

分佈 生於林下、山坡陰濕地。分佈於江蘇、江西、河南、湖北、陝西、甘肅、四川、貴州。

採製 春、秋季採挖。除去鬚根，洗淨，置沸水中略燙至透心，曬乾或烘乾。

性能 甘，涼。潤肺生津，補益脾腎。

應用 用於肺虛咳嗽，腎虛腰痛，消渴症。用量 10～20g。

文獻 《貴州中草藥名錄》，684。

3424　金剛藤

來源　百合科植物西南菝葜 Smilax bockii Warb. 的根莖。

形態　攀援狀灌本，具根狀莖。葉紙質，稀近革質，長圓狀披針形或狹卵狀披針形，稀條狀披針形，長6～16cm，先端漸尖或長漸尖，基部寬楔形或近圓形，上面的中脈凹陷，主脈通常5條，常於先端近結合；葉柄旁具捲鬚。傘形花序腋生或生於苞片內；總花梗纖細，短於葉片；花黃綠色，有時為紫紅色；雄花花被片長圓形；雌花通常小於雄花，花被片與雄花相似，有時可見退化雄蕊。漿果藍黑色。

分佈　生於山間林下或叢中，分佈於甘肅、四川、湖南、貴州、廣西、雲南、西藏。

採製　夏、秋季採挖，洗淨，切片，曬乾。

性能　微苦，溫。祛風，活血，解毒。

應用　用於風濕腰腿痛，跌打損傷，瘰癧，無名腫毒，刀傷等。用量6～15g。

文獻　《大辭典》上，2870。

3425　黑果菝葜

來源　百合科植物黑果菝葜 Smilax glauco-china Wavb. 的根莖。

形態　落葉攀援灌木，具粗短的根狀莖。莖通常疏生刺。葉厚紙質，橢圓形，先端微凹，基部圓形或寬楔形，下面蒼白色；葉柄長7～15(25)mm，約佔全長的一半具鞘，有捲鬚，脫落點位於上部。傘形花序腋生，雌雄異株，花綠黃色；雄花花被片6，長橢圓形，雄蕊6；雌花具3枚退化雄蕊，柱頭3，反捲。漿果球形，熟時黑色，具粉霜。

分佈　生於山坡林下或灌叢林內。分佈於江蘇、安徽、浙江、福建、江西、湖南、湖北、湖北、四川、貴州、河南、陝西。

採製　秋季採挖，曬乾。

成分　含澱粉、粗蛋白、粗脂肪。

性能　甘，平。清熱，除風毒。

應用　用於崩帶，血淋，跌打損傷。用量15～30g。

文獻　《大辭典》上，2913。

3426 高山竹林消

來源 百合科植物小花扭柄花 Streptopus parviflorus Fr. 的根。

形態 多年生草本，高 20～60 cm。根狀莖粗短，具多數根。莖光滑無毛，上部常分枝。葉薄紙質，披針形或卵狀披針形，長 4～9cm，寬 2～4cm，先端漸尖，基部心形或近圓形，抱莖，邊緣全緣；無柄。花白色，1～2 朵腋生，扭轉花梗於葉下面，好似與葉對生，花梗長達 4cm；花被片披針形，長 7～8mm，寬 2～2.5mm，先端短尖；花藥近箭形；子房倒卵形。漿果直徑 5～8mm；種子矩圓形，彎曲。

分佈 生於高山草地或灌叢中，分佈於四川、雲南。

採製 夏、秋季採挖根，洗淨，曬乾。

性能 甘、淡，寒。清熱利濕，健脾和胃，解毒等。

應用 用於小便黃少，腹瀉，小兒疳積，消化不良，蛇蟲咬傷等。用量 6～15g。外用適量。

文獻 《峨嵋山藥用植物研究》一，113。

3427 峨嵋開口箭

來源 百合科植物峨嵋開口箭 Tupistra emeiensis Z.Y. Zhu 的全草。

形態 多年生草本，高 15～25 cm。根莖匍匐，節間長。葉橢圓形或卵形，長 5～6.5cm，先端漸尖，基部寬楔形；葉柄基部鞘狀包莖。穗狀花序側生於頂部，花6～9 朵，黃綠色；花被裂片 6，卵形；雄蕊 6，花絲極短；花柱極短，柱頭 3 裂。漿果近球形。

分佈 生於中山常綠與落葉混交林下。分佈於四川峨嵋山。

採製 秋季採挖。洗淨，曬乾。

性能 苦，涼。解毒，止咳，止血。

應用 用於蛇蟲咬傷，咳嗽痰喘，衄血。用量 5～10g。

文獻 《雲南植物研究》1982：3，272。

3428 小趕山鞭

來源 百合科植物碟花開口箭 Tupistra tui (Wanh et Tang) Wang et Liang 的全草。

形態 多年生草本，根狀莖長圓柱形，黃褐色。葉 4～6 枚，近兩列的套疊，條狀披針形，長 25～35 cm，寬 2～3.5cm，基部漸狹；鞘葉 2～4 枚。穗狀花序密生多花，長 2～4cm；總花梗長 5～15cm；苞片卵狀三角形，短於花，淡綠色，膜質；花被長 4～5.5mm，花被筒內具褐色斑點，喉部向內擴展成環狀體，環狀體表面密生乳頭狀突起；裂片 5，卵狀三角形，邊緣嚙蝕狀，雄蕊 5，着生於花被筒上，花絲短，花藥卵形；子房卵形，花柱短，柱頭微 3 裂。

分佈 生於林下或灌叢中。分佈於四川。

採製 秋季採挖全株，洗淨，曬乾。

性能 辛、微苦，寒。清肺熱，活血祛瘀，解毒。

應用 用於肺熱咳嗽，跌打損傷，勞傷，蛇蟲咬傷，無名腫毒等。用量 3～10g。

文獻 《峨嵋山藥用 植物研究》一，114。

3429 毛葉藜蘆

來源 百合科植物毛葉藜蘆 Veratrum puberulum Loes. f. 的根及根莖。

形態 多年生草本，高達 1.5m，基部具殘存的纖維。根近肉質，莖下部的葉較大，寬橢圓形至矩圓狀披針形，長15～28cm，寬 6～9（16）cm，先端鈍圓至漸尖，兩面密被短柔毛；莖上部漸變小。圓錐花序長 20～50cm；小苞片被短柔毛或變無毛；花綠白色；花被片寬圓形或橢圓形，長 11～17mm，先端鈍，基部漸狹，邊緣具嚙蝕狀牙齒，外花被片背面具短柔毛；雄蕊長為花被片長的 $\frac{3}{5}$；子房長圓錐形，密被短柔毛。蒴果橢圓形，長 1.5～2.5cm。

分佈 生於山坡林下或淺草叢中。分佈於江西、浙江、台灣、湖南、湖北、四川、雲南。

採製 5～6 月未抽花葶時採挖，除去莖葉、雜質，曬乾。

性能 苦、辛，寒。有毒。吐風痰，解瘡毒等。

應用 用於中風痰湧，風癇癲疾，黃疸，久瘧，泄痢，頭痛，喉痹，鼻瘜，疥癬，瘡瘍等。用量 0.5～1g。外用適量。

文獻 《大辭典》下，5652。

3430 石蒜

來源 石蒜科植物石蒜 Lycoris radiata (L' Her.) Herb. 的鱗莖。

形態 多年生草本，鱗莖廣橢圓形，外被紫褐色鱗皮，直徑 1.4～4cm。葉叢生，線形或帶形，長 14～30cm，肉質。花莖在葉前抽出，高約 30cm，傘形花序，小花 4～6 朵；苞片膜質，棕褐色，披針形；花被 6，狹倒披針形，紅色，長約 3.5cm，基部有短管；雄蕊 6；子房下位，3 室，花柱纖弱，柱頭頭狀。蒴果背裂，種子多數。

分佈 生於山地陰濕處。分佈於河南、陝西及華東、華南、西南各地。

採製 秋季採挖，洗淨，鮮用或陰乾。

成分 鱗莖中含高石蒜鹼 (homolycorine) 等多種生物鹼。

性能 辛，溫。有毒。祛痰，利尿，解毒，催吐。

應用 用於喉風，水腫，癰疽腫毒，疔瘡，瘰癧。用量 1.5～3g。外用鮮品適量。

文獻 《大辭典》上，1212。

3431　野鳶尾

來源　鳶尾科植物野鳶尾 Iris dichotoma Pall. 的根狀莖。

形態　多年生草本，高 40～60cm。根狀莖較粗壯，常呈不規則的塊狀，鬚根發達，黃白色。葉劍形，套折狀，長 15～35cm，寬 1.5～3cm。花莖實心，多二歧分枝，花 3～5 朵簇生；苞片乾膜質，寬卵形；花藍紫色或淺藍色，外輪花被裂片寬倒披針形，內花被裂片狹倒卵形；雄蕊 3；花柱 3 深裂。蒴果圓柱形或略彎曲，長 3.5～4.5cm；種子暗褐色，橢圓形，有小翅。

分佈　生於砂質草地、山坡石隙等向陽乾燥處。分佈於東北、華北和山東、江蘇。

採製　7～8 月採挖，晾乾。

成分　含鳶尾黃酮甙 (tectoridin)、鳶尾甙等。

性能　苦，寒。有小毒。清熱解毒，活血消腫。

應用　用於咽喉腫痛，扁桃體炎，肝炎，肝腫大，胃痛，乳腺炎。用量 3～9g，煎湯或搗汁。外用切片貼患處。

文獻　《大辭典》上，1489。

3432　矮紫苞鳶尾

來源　鳶尾科植物矮紫苞鳶尾 Iris ruthenica Ker. -Gawl var. nana Maxim. 的全草。

形態　多年生草本，植株基部圍有短的鞘狀葉。根狀莖斜伸，二歧分枝。葉條形，灰綠色，長 8～15 cm，寬 1.5～3mm。花莖高 5～5.5 cm；苞片 2，綠色，邊緣帶紅紫色，披針形；花淡藍色或藍紫色；花被管長 1～1.5cm，外花被裂片倒披針形，具深色條紋及斑點，內花被裂片直立，狹倒披針形；雄蕊長約 1.5cm，花藥乳白色；子房狹卵形，柱狀，長約 4mm。

分佈　生於向陽砂質地或山坡草地。分佈於東北、華北、華東、西北和西南等地。

採製　4～5 月採挖，晾乾。

功能　清熱解毒。

應用　用於瘡瘍腫毒。用量 5～10g。

文獻　《吉林省中藥資源名錄》，189。

3433　雄黃蘭

來源　鳶尾科植物觀音蘭 Crocosmia crocosmiflora (Nichols) N.E. Br. 的球莖。

形態　多年生草本。球莖扁圓形，直徑2～2.5cm，葉基生，2列，嵌迭狀排裂，劍形或條形，長15～25cm，寬0.5～1cm，基部鞘狀，頂端漸尖，中脈不明顯。蝎尾狀聚傘花序；每花下具苞片2枚，膜質，卵形，邊緣帶紅紫色；花橙黃色或粉紅色，直徑2.5～3cm；花被管長1～1.2cm，上部近漏斗狀，裂片6，倒卵形，長約2.5cm，頂端鈍圓；雄蕊長約2cm，花藥紫色，花絲粉紅；子房卵圓形，花柱絲狀，頂部三裂。蒴果卵球形。

分佈　原產非洲南部，中國各地有栽培，常逸為半野生。

採製　秋季採挖，去鬚根，洗淨，鮮用或曬乾。

性能　苦，微寒。有小毒。散瘀止痛，消炎，生肌。

應用　用於全身筋骨疼痛，各種瘡腫，跌打損傷，外傷出血及腮腺炎。用量1～3g。外用適量。

文獻　《新華本草綱要》一，525。

3434　芭蕉根

來源　芭蕉科植物芭蕉 Musa basjoo Sieb. et Zucc. 的根。

形態　多年生常綠草本。假莖高約4m。葉長2～3m，基部圓形或不對稱，先端鈍；葉柄粗壯。穗狀花序頂生，下垂；苞片佛燄苞狀，紅褐色或紫色，每苞片有多數小花；花單性，通常雄花生於花序上部，雌花在下部；花冠近唇形，上唇先端5齒裂，下唇較短，基部為上唇所包；雄花具雄蕊5，伸出花冠外；雌花子房下位，3室。漿果三稜狀長圓形，肉質。

分佈　多栽培於庭園及房舍附近。分佈長江以南各地。

採製　全年可採，洗淨鮮用。

成分　鹽酸可溶物、粗蛋白質、粗纖維素。

性能　甘，寒。清熱，止渴，利尿，解毒。

應用　用於天行熱病，煩悶，消渴，黃疸，水腫，腳氣，血淋，癰腫。用量15～30g。

文獻　《大辭典》上，2206。

附註　本種葉用治熱病，燙傷；花治胃病，嘔吐；莖中汁液治熱病煩渴，高血壓，燙火傷等。

3435 望秋子

來源 薑科植物峨嵋舞花薑 *Globba omeiensis* Z.Y. Zhu 的全株。

形態 多年生草本。根莖塊狀。莖高 0.8～1.2m，纖細。葉橢圓形或長圓狀披針形，長 10～25cm，兩面僅脈被疏柔毛或變無毛，葉舌，葉鞘被柔毛。圓錐花序長20～45cm，分枝具小苞片及珠芽；花黃色；花萼鐘狀，先端 3 齒裂；花冠筒彎曲，裂片反摺，側生退化雄蕊線狀披針形；唇瓣長圓狀倒披針形，反摺，2 淺裂；花絲彎向唇瓣，花藥兩側無翅。蒴果橢圓形，長 1～2cm，表面皺縮；種子紫紅色，被柔毛，具假種皮。

分佈 生於山間路旁或灌木叢中。分佈於四川。

採製 夏季採收，陰乾。

性能 辛，平。發汗解表，止痛，通經。

應用 用於外感風寒，頭痛，關節筋骨痛等。用量 10～15g。

文獻 《雲南植物研究》1984：4，391。

3436 洋薑笋

來源 薑科植物盤珠薑花 *Hedichium panzhuum* Z.Y. Zhu 的根莖及果。

形態 多年生草本，高 1.5～2m。葉矩圓狀披針形或披針形，長 48～74cm，上面無毛，背面被貼伏的長柔毛，葉舌及葉鞘被長柔毛。穗狀花序長 10～20cm；苞片覆瓦狀排列，被長柔毛；花黃色或黃白色；花萼管被長柔毛，一側開裂；花冠管長 8～8.5cm，裂片 3；側生退化雄蕊偏斜狀披針形；唇瓣寬卵形，長 3.5～5cm，中間具橙黃色斑塊，先端 2 淺裂；雄蕊 1，花絲較長，子房被長柔毛。蒴果橢圓形；種子紅色，具假種皮。

分佈 生於陰濕的溝邊、荒坡或疏林下。分佈於四川。

採製 秋季採挖根狀莖，洗淨，曬乾；秋末採摘果，陰乾。

性能 根狀莖辛，溫；解表散寒，利濕，消腫。果辛、微澀，平；溫胃，止嘔。

應用 根狀莖用於感冒頭痛，身痛，風濕關節腫痛，白帶，水腫等。果用於胃脘脹悶，寒滯作嘔，消化不良等。用量 3～9g。

文獻 《雲南植物研究》1984：2，63。

3437 地蓮花

來源 薑科植物匙苞薑 Zingiber cochleariforme D. Fang 的果序及果。

形態 多年生草本，高 0.8～2m。根莖肥厚，塊狀。葉橢圓狀披針形或長圓形，長 30～50cm，上面無毛，背面被貼伏疏長柔毛，兩面具褐色腺點；葉舌 2 裂，穗狀花序卵形；苞片淡紫色，長圓狀匙形，被疏柔毛；花萼膜質，一側淺裂；花冠筒長 3～4mm，裂片 3；唇瓣中裂片長圓狀舌形，除基部黃白色外，其餘為紫紅色，兩側裂片長圓形，先端 2 淺裂；花藥淡白色；子房被長柔毛。蒴果三瓣裂，鮮紅色；種子具白色假種皮。

分佈 生於山溝林下腐殖質土壤中。分佈於廣西、四川。

採製 秋季採收，曬乾。

性能 辛、微苦，溫。養心潤肺，止咳平喘，補血，鎮靜。

應用 用於心臟病，心累，心跳、肺癆咳嗽等。用量 10～15g。

文獻 《峨嵋山藥用植物研究》一，117；《川藥校刊》：1985：1，52。

3438 累心花

來源 薑科植物峨嵋薑 Zingiber omeiense Z.Y. Zhu 的果序及果。

形態 多年生草本，高 0.5～1.1 m。根莖橫走，細圓柱形。葉橢圓形或橢圓狀披針形，長 25～35cm，上面無毛，背面被貼伏的疏長柔毛，兩面具腺點。穗狀花序卵狀橢圓形；苞片紫紅色，被長柔毛；花萼膜質，被長柔毛，一側開裂近基部；花冠筒長 4.2～5cm，裂片 3，先端朱紅色；唇瓣藍紫紅色，中裂片近圓形或倒卵狀圓形，側裂片長圓形；雄蕊 1 枚；子房被長柔毛。蒴果紫紅色；種子具白色假種皮。

分佈 生於山間林下或荒坡灌叢中。分佈於四川。

採製 秋季採收，曬乾。

性能 辛、微苦，平。養心，補血，止咳，鎮靜。

應用 用於心累，心跳，咳嗽，神經衰弱等。用量 10～20g。

文獻 《雲南植物研究》1984：2，185。

3439 連珠三七

來源 蘭科植物蝦脊蘭 Calanthe discolor Lindl. 的根狀莖。

形態 多年生草本。莖不明顯。葉基生，2～3枚，卵狀狹長橢圓形，長 15～25cm，頂端銳尖或短尖，基部漸狹成柄。花莖高 30～50 cm，總狀花序生花 10 餘朵，花軸上部及子房具短毛；萼片狹卵形，暗褐綠色；唇瓣淡玫瑰色或白色，扇形，3 深裂，側裂片斧狀，中裂片頂端 2 淺裂，邊緣多少有齒，中具 3 條褶片。果橢圓形，長 3～4cm。

分佈 生於山坡林下陰濕草叢或溪溝邊。分佈於浙江、江蘇、貴州等地。

採製 全年可採，曬乾。

性能 辛、微苦，寒。清熱解毒，活血消腫。

應用 治白喉，扁桃體炎，跌打損傷等。用量 6～9g。

文獻 《浙藥誌》下，159。

3440 硬九子連環草

來源 蘭科植物叉唇蝦脊蘭 Calanthe hancockii Rolfe 的全草。

形態 多年生草本，陸生，高達 70cm。假莖短，外被 2～3枚鞘狀葉。葉片橢圓形或長卵形，長 20～40cm，寬 5～12cm，先端銳尖，邊緣波狀；葉柄鞘狀包莖。總狀花序從葉叢中抽出，花序軸和子房被毛，苞片卵狀披針形，花黃綠色，中萼片矩圓狀披針形，長 2.5～3.2cm；側萼片略狹；花瓣橢圓形，較側萼片短；唇瓣 3 裂，唇盤上有 3 條褶片；矩短小，矩口有毛。蒴果橢圓球形，3 裂。

分佈 生於山地林下陰濕處。分佈於四川、雲南、廣西。

採製 夏、秋季採挖，洗淨，曬乾或鮮用。

性能 苦，涼。活血化瘀，散結消腫。

應用 用於跌打損傷，癥瘕積結，淋巴結核，瘡腫。用量 15～25g。外用適量。

文獻 《四川省中藥資源普查名錄》，226。

3441 腎唇蝦脊蘭

來源 蘭科植物腎唇蝦脊蘭 Calanthe lamellosa Rolfe 的全草。

形態 多年生草本，陸生，高達 75cm。假莖長 4～10cm，外被鞘狀葉 2～3 枚。葉近基生，葉片倒卵形或橢圓形，長約 30cm，寬 5～10cm，先端銳尖，基部收窄為柄。花葶腋生，總狀花序，花序軸和子房被毛，苞片卵狀披針形，膜質；萼片和花瓣黃綠色，唇瓣紫紅色；中萼片矩圓形，長 1.5～2cm；側萼片斜矩圓形；花瓣披針形，比萼片短；唇瓣 3 裂，側裂片鐮狀，中裂片腎形，頂端微凹，並具小尖頭，唇盤具 3 條褶片；矩長約 2 mm 。蒴果，矩圓形。

分佈 生於山地林下陰濕處。分佈於湖北、四川、雲南、台灣。

採製 夏、秋季採挖，洗淨，曬乾或鮮用。

性能 苦，涼。活血化瘀，散結消腫。

應用 用於淋巴結核，瘡腫。用量15～25g。外用適量。

文獻 《四川省中藥資源普查名錄》，226。

3442 銀蘭

來源 蘭科植物銀蘭 Cephalantera erecta (Thunb.) Bl. 的全草。

形態 多年生草本，高 10～25 cm。莖直立，中部至基部具 3～4 枚鞘。葉互生，橢圓形或卵形，急尖或短漸尖，基部抱莖。總狀花序頂生，花 5～10 朵，花序軸有稜，苞片小，鱗片狀；花白色；萼片狹菱狀橢圓形，長 8～10mm；花瓣與萼相似，稍短；唇瓣長 5～6 mm，基部具囊，唇瓣的前部近心形，後部凹陷，側裂片卵狀三角形或披針形，抱蕊柱；囊明顯伸出側萼片之外，圓錐狀，長 3mm。蒴果卵球形，縱裂。

分佈 生於林下陰濕處。分佈於四川西部、陝西、湖北、廣西、廣東、江西。

採製 夏秋季採挖。洗淨，曬乾。

性能 甘，微寒。清熱，利尿。

應用 用於高燒不退，口乾，小便不通。用量 10～15g。

文獻 《滙編》下，851。

3443 山慈姑

來源 蘭科植物杜鵑蘭 Cremastra appendiculata (D. Don) Makino 的假球莖。

形態 多年生草本，高約 40cm。假球莖卵球形，肉質。葉單一，稀為 2，長橢圓形，長 20～30cm，寬 4～5cm，先端鈍尖，基部楔形。花先葉或與葉同時開放，花葶直立，下部有葉鞘 3 枚，花 10～20 朵組成總狀花序；花淡紫紅色，萼片及花瓣線狀倒披針形，唇瓣稍短，前部 3 裂，裂片反曲，蕊柱長約 2.5cm。蒴果長橢圓形，下垂。

分佈 生於山地林下陰濕處或草叢中。分佈於中國南部及西南部。

採製 秋季採挖，除去莖葉及鬚根，洗淨，曬乾。

成分 含甘露糖 (mannose) 及黏液汁等。

性能 甘、微辛，寒。消腫散結，化痰，解毒。

應用 用於癰疽疔腫，瘰癧及蛇蟲咬傷。用量 3～5g。

文獻 《大辭典》上，0402。

3444 二葉蘭

來源 蘭科植物對葉杓蘭 Cypripedium debile Rchb. f. 的全草。

形態 多年生草本，高 5～15cm。莖直立，不分枝。2 葉對生枝頂，闊卵形，先端鈍尖，基部圓形，全緣，皺波狀，無柄，三出脈明顯。花於二葉間單生，花梗長 3～4cm，彎垂，苞片綠色，線狀披針形，長約 1cm；花白色或綠白色，萼片披針形，花瓣長卵形，長約 1.2cm，唇瓣近球形，囊口具細齒；退化雄蕊基部有耳。蒴果長橢圓柱狀，稍彎曲。

分佈 生於混交林下陰濕處。分佈於四川、雲南。

採製 秋季採收，洗淨，曬乾。

性能 微苦，溫。活血祛瘀，行水。

應用 用於跌打腫痛，水腫。用量 5～10g。

文獻 《四川中藥資源普查名錄》，227。

3445 蜈蚣七

來源 蘭科植物大葉杓蘭 Cypripedium fasciculatum Fr. 的全草。

形態 多年生草本，高 35～40 cm。莖直立，上部及關節處具短毛。葉 3～4 枚，互生，寬橢圓形，長 15～20cm，寬 6～12cm，先端急尖。花苞片葉狀，花單生枝頂，淡黃色，具紫色條紋；中萼片闊卵形，長約 5cm；合萼片稍狹，頂端 2 齒；花瓣條狀披針形，內側紫色，具短毛；唇瓣球形，直徑 5cm，囊口具細齒；退化雄蕊基部有耳。蒴果長橢圓形。

分佈 生於林下。分佈於四川、湖北。

採製 夏、秋季採挖，洗淨，曬乾。

性能 苦、辛，溫。有小毒。活血，消腫，祛風濕。

應用 用於風濕疼痛，跌打損傷，水腫。用量 5～10g。

文獻 《大辭典》下，5158。

3446 牌樓七

來源 蘭科植物毛杓蘭 Cypripedium franchetii Wils. 的根及根莖。

形態 多年生草本，高 20～35 cm。莖直立，密被長柔毛。葉 3～4 枚，互生，卵形至橢圓形，長 8～14cm，寬 4～8cm，先端急尖，基部包莖，邊緣具長毛，葉面疏生長毛；苞片葉狀。花單生枝頂，花萼片和花瓣淺紅色，具紫色條紋和柔毛；唇瓣囊狀，球形，直經 3～4cm，密佈紫色斑點和條紋，囊口黃色。蒴果長橢圓形，常弧狀彎曲，被柔毛。

分佈 生於林下陰濕處。分佈於河南、山西、陝西、甘肅、湖北、四川。

採製 夏、秋季採挖，去除莖葉，洗淨，曬乾。

性能 微苦，寒。理氣，止痛，止咳。

應用 用於氣滯咳嗽，胸脅脹痛。用量 6～9g。

文獻 《秦嶺巴山天然藥物誌》，169。

3447 扇子七

來源 蘭科植物扇脈杓蘭 Cypripedium japonicum Thunb. 的全草。

形態 多年生草本，高 20～40cm。莖直立，被長柔毛。葉 2 枚，近對生於枝頂，扇形，長 14～16cm，寬 20～22 cm，邊緣有波狀齒，脈扇狀分佈。花單生枝頂，花梗長 10～15cm，苞片葉狀；中萼片橢圓形，長 5cm；合萼片稍寬，頂端 2 齒；花瓣半卵形，內側基部有毛；唇瓣白色或淺黃綠色，疏具紫色條紋，囊內基部有長毛；退化雄蕊寬橢圓形，基部具耳。蒴果長橢圓形，被柔毛。

分佈 生於灌叢及竹林下。分佈於華東、中南及西南地區。

採製 夏、秋季採挖，洗淨，曬乾。

性能 辛、澀，平。有小毒。祛風，活血，解毒。

應用 用於皮膚瘙癢，無名腫毒，月經不調。用量 1～3g。

文獻 《大辭典》下，4027。

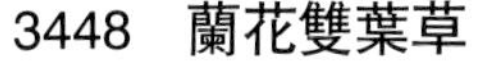

3448 蘭花雙葉草

來源 蘭科植物斑葉杓蘭 Cypripedium margaritaceum Fr. 的全草。

形態 多年生草本，高 8～12cm，陸生。根莖粗短，橫生；主莖高約 4cm，具膜質苞葉。葉 2 枚於莖頂近對生，無柄，葉片廣卵形或近圓形，長 10～14 cm，先端急尖，基部圓形，全緣，葉面有紫色圓斑。花單生莖頂，偏向一側開放，直徑約 5cm；萼片及花瓣黃綠色，有紫色斑點，邊緣有毛；唇瓣杓狀倒卵形，長 3.2cm，密佈紫斑和條紋；退化雄蕊紫紅色，基部有方形耳；子房三稜柱狀，彎曲。蒴果稜柱狀，稍彎曲。

分佈 生於混交林下陰濕處。分佈於四川、雲南。

採製 秋季採挖，洗淨，曬乾。

性能 苦，溫。有小毒。補肝腎，和氣血，利小便。

應用 用於夜盲，雲翳，氣虛水腫。用量 5～10g。

文獻 《大辭典》上，1549。

3449 敦盛草

來源 蘭科植物西藏杓蘭 *Cypripedium tibeticum* King ex Rolfe 的根及根莖。

形態 多年生草本，高 30～45cm。莖直立。3～5 葉互生，葉片橢圓形，先端短尖，兩面被細毛。花單生枝頂，萼片和花瓣粉紅色，具紫紅色條紋；唇瓣囊狀，球形，直徑 5～6cm，深紅色，密佈紫色斑點和條紋，蒴果長橢圓形。

分佈 生於林下陰濕處或林緣。分佈於西藏。

採製 夏秋季挖取，除去地上部分，洗淨，曬乾。

性能 苦，微溫。有小毒。利尿，消腫，活血，止痛。

應用 用於水腫，淋病，白帶，跌打損傷。用量 4～6g。

文獻 《大辭典》下，5033。

3450 石風丹

來源 蘭科植物高斑葉蘭 *Goodyera procera* (Ker-Gawl.) Hook. 的全株。

形態 多年生草本，高 30～90cm。葉厚，稍肉質，矩圓形，長 8～15cm，寬 3～8cm，先端漸尖，基部漸狹成長而厚的柄，最上部的葉退化為鞘狀苞片。穗狀花序稠密，長 7～15cm；苞片膜質，與花近等長；花小，白色而淡綠，直徑約 3mm；萼片卵形；花瓣較狹，匙形，唇瓣囊狀，內面有毛，先端鈍，內有硬凸體 2 枚。蒴果紡錘形。

分佈 生於溪澗濕地。分佈於四川、雲南、廣西。

採製 冬季採挖，洗淨，曬乾。

性能 辛、苦，溫。祛風除濕，養血舒筋。

應用 用於風寒濕痹，半身不遂。用量 10～15g。

文獻 《大辭典》上，1225。

3451 金線盤

來源 蘭科植物絨葉斑葉蘭 Goodyera velutina Maxim. 的全草。

形態 小草本，高 6～15cm。根狀莖橫走。莖直立，被疏柔毛。葉互生，有時密集於莖上部，肉質，長圓狀卵形至橢圓形，長 2～5cm，先端急尖或鈍，基部寬楔形，上面有時被絨毛，中脈白色或黃白色；葉柄鞘狀。總狀花序；苞片淡紅褐色，披針形，短於花；花小，淡紅色；中萼片與花瓣靠合成兜狀，側萼片近等長，卵形；花瓣倒披針形，與萼片等長；唇瓣囊狀，囊內有毛。蒴果長卵形；種子粉末狀。

分佈 生於林下腐殖質土壤中。分佈於四川、湖北、湖南、浙江、台灣、廣東。

採製 夏季採收，曬乾。

性能 甘、淡，平。清熱解毒，活血止痛。

應用 用於跌打損傷，紅腫疼痛，風濕麻木，蛇蟲咬傷，外傷出血等。用量 3～10g。

文獻 《峨嵋山藥用植物研究》一，119。

3452 石海椒

來源 蘭科植物鐮翅羊耳蒜 Liparis bootanensis Griff 的全草。

形態 多年生附生草本。假鱗莖狹矩圓形或卵狀圓錐形，具 1 葉。葉片近革質，狹矩圓形至倒披針形，長 11～20cm，寬(7～)18～20mm，急尖，基部漸狹為柄，有關節。花葶近等長於葉，稍具翅；總狀花序長約為花莖的一半，具多數花；花苞片狹披針形，短於花梗連子房，長 5～7mm；花淺褐色；花瓣絲狀，下彎，與萼片等長；唇瓣楔狀矩圓形，從中下部反摺，頂近截形，具齒；合蕊柱彎曲，近端的蕊柱翅下彎呈鐮刀狀。

分佈 附生於山谷巖上和林中樹上。分佈於福建、台灣、廣東、廣西、湖南、雲南、四川、貴州、西藏。

採製 春季採集，曬乾或鮮用。

性能 甘，溫。祛風除濕，活血調經。

應用 治風濕疼痛，跌打損傷，月經不調等。用量 15～30g。

文獻 《萬縣中草藥》，532。

3453 密苞石仙桃

來源 蘭科植物密苞石仙桃 Pholibota imbricata Lindl. 的全草。

形態 多年生草本，高 10～20cm。根莖橫生。假鱗莖長 1.5～3.5cm，綠色，肉質，頂端長葉 1 枚。葉片革質，長 5～10cm，寬約 2.5cm。夏季由假鱗莖頂部長出花莖，總狀花序；苞片多，密複瓦狀；花白色。果實近球形，具 6 縱稜。

分佈 生於深山陰濕石壁或大樹幹上。分佈於雲南、四川。

採製 四季可採，曬乾或鮮用。

性能 涼，甘微苦。滋陰清熱，潤肺止咳。

應用 用於肺熱咳嗽，咽喉腫痛，頭痛眩暈，風濕關節紅腫。用量 15～30g。

文獻 《西昌中草藥》二，1654。

3454 東北田螺

來源 田螺科動物東北田螺 Viviparus chui Yen 的全體。

形態 貝殼中等大小，略呈球形，殼質堅厚。有 5 個螺層，螺旋部低矮，體螺層極膨大，其高度約佔全部殼高的 ⅘。殼面呈黃綠色或褐色，並具有紅褐色色帶，在體螺層上有 3 條色帶。殼口卵圓形，上方有一銳角。臍孔不明顯。厴為角質黃褐色的卵圓形薄片，具有同心圓的生長線紋，厴核略靠近內唇中央處。

分佈 生活在湖、沼、緩流的小河及水田內。分佈於黑龍江、吉林。

採製 春至秋季捕捉，用清水洗淨，鮮用。

性能 苦，涼。清熱，利尿。

應用 用於小便赤澀，浮腫，痔瘡，中耳炎等。用量 3～5 個。

文獻 《中國藥用動物誌》一，15。

3455 擬棗貝

來源 寶貝科動物擬棗貝 Erronea erronea Linnaeus 的乾燥貝殼。

形態 貝殼小，殼質薄而堅固，近棗形。殼長 30mm，寬 17mm。螺旋部被琺瑯質遮蓋，背部膨圓，前端尖瘦，後端頂部向內凹陷。殼面淡藍灰色，佈有大小不等的黃褐色雀斑。殼口狹長，外唇齒約 15 枚，內唇齒約 14 枚。殼內面紫色。

分佈 多生活於潮間帶中區。分佈於台灣、廣東以南沿海。

採製 5～7 月間捕撈，去肉取貝殼，洗淨，曬乾，生用或煅用。

性能 鹹，寒。清熱解毒，清心安神，清肝明目，利尿消腫。

應用 用於熱痢，驚悸，心煩，頭暈頭痛，目翳，小便不利等。用量 15～25g。

文獻 《中藥誌》四，39。

3456 日本細焦掌貝

來源 寶貝科動物日本細焦掌貝 Dalmadusta gracilis japonica Schilder 的乾燥貝殼。

形態 貝殼小，呈長卵圓形，殼質堅固。殼長 19mm，寬 11mm，高 9mm。殼背膨圓，兩端微凸。殼面青灰色，佈滿大小不等的黃褐色雀斑，在背部中央通常具一塊較大的褐色斑。基部平，呈灰白色。殼口狹長，外唇齒約 15 枚，內唇齒約 14 枚。殼內面淡紫色。

分佈 生活於潮間帶的巖礁間。分佈於浙江以南沿海各地。

採製 5～7 月間捕撈，去肉，取貝殼洗淨，曬乾，生用或煅用。

性能 鹹，寒。清熱解毒，清心安神，清肝明目，消腫利尿。

應用 用於熱痢，驚悸，心煩，頭暈，頭痛，熱毒目翳，小便不利等。用量 15～25g。

文獻 《中國藥用動物名錄》，8；《廣西藥用動物》，19。

3457　褐雲瑪瑙螺

來源　瑪瑙螺科動物褐雲瑪瑙螺 Achatina fulica (Ferussae) 的軟體。

形態　中國最大的一種陸生貝類，殼高 130mm，寬 54mm。殼質稍厚，有光澤，呈長卵圓形，螺層 7～8，螺旋部呈圓錐形，體螺層膨大，殼頂尖，縫合線深。殼面深黃，帶有焦褐色霧狀花紋。生長線粗而明顯，殼內淡紫色或藍白色，殼口卵圓形，無臍孔。

分佈　生活在陰涼潮濕的地方或草叢中，以綠色植物為食。分佈於廣東、廣西、福建、台灣。

採製　春至秋捕捉，置沸水中略燙，取出軟體，曬乾。

成分　軟體部分含總粗蛋白 63.1%、糖原 22.4%、灰分 6.4%(總乾重)，其中鈣及磷的含量最高。多種氨酸中賴氨酸的含量最高。

性能　甘，溫。滋補強壯，降壓。

應用　用於高血壓，冠心病。用量10～25g。

文獻　《中國藥用動物誌》二，42。

3458　黃蛞蝓

來源　蛞蝓科動物黃蛞蝓 Limax fravus Linnaeus 的全體。

形態　身體裸露而柔軟，無外殼。頭部有兩對淡藍色的觸角。體背前端⅓處有一橢圓形的外套膜。呼吸孔位體右側外套膜邊緣上。生殖孔在右前觸角基部稍後方。體色為淡黃褐色或深橙色，並有零散的淺黃色斑點，靠近足部兩側的顏色較淺。

分佈　生活在陰暗潮濕的溫室、菜窖或住宅內。分佈於黑龍江、吉林、北京、河南、上海、江蘇、浙江、湖南、廣東、廣西、雲南。

採製　四季捕捉，洗淨，鮮用。

性能　鹹，寒。清熱祛風，消腫解毒，破瘀通經，平喘。

應用　用於中風喎僻，筋脈拘攣，驚癇，喘息，喉痹，癰腫，丹毒，經閉，癥瘕，蜈蚣咬傷等症。用量 5～10 條；外用搗敷，適量。

文獻　《中國藥用動物誌》一，19。

3459 淡菜

來源 貽貝科動物紫貽貝 Mytilus edulis Linnaeus 的乾燥軟體。

形態 貝殼呈楔狀，殼質薄。殼頂位於殼之最前端。背緣與腹緣的夾角超過 45°。後緣圓。鉸合部長，約有 3～5 枚乳頭狀鉸合齒。殼皮發達，黑褐色帶有光澤，殼皮脱落後殼質呈紫色。殼內面白色或淡紫色，具珍珠光澤。

分佈 多棲息於近岸、內灣淺海的巖礁底。分佈於渤海、黃海。

採製 春至秋捕捉。除去貝殼，將軟體曬乾即得。

成分 每 100g 軟體中含蛋白質 59.1g、脂肪 6.7g、碳水化合物 13g 及鈣、鐵、磷等。

性能 甘，溫。補血，益精，止痢，消癭。

應用 用於虛癆，陽痿，腎虛腰疼，貧血，久痢，癭氣等。用量 25～50g。

文獻 《中國藥用動物誌》一，24。

3460 櫛孔扇貝

來源 扇貝科動物櫛孔扇貝 Chlamys farreri (Jones et Preston) 的乾燥閉殼肌。

形態 貝殼扇形，殼質薄，兩殼略相等，側扁。左殼凸，右殼稍平。殼高略大於殼長。殼頂前後背緣稍向背側彎曲。由殼頂向前後伸出前耳和後耳。殼表具覆瓦狀突起。鉸合線平直，無齒，外韌帶薄，內韌帶黑褐色，三角形，極強大，嵌入三角形的韌帶槽中。殼表顏色變化甚大，由紫褐色至橙紅色。

分佈 生活在淺海水流較急的清水中。分佈於中國北部沿海。

採製 取閉殼肌鮮用或乾製後備用。

性能 甘、鹹，微溫。滋陰，補腎，調中。

應用 用於消渴，小便頻數，宿食不消症。用量 10～25g。

文獻 《大連海產軟體動物》，98。

3461 海月

來源 不等蛤科動物海月 Placuna placenta (Linnaeus) 的乾燥貝殼。

形態 貝殼圓形，極扁平。殼質薄脆，半透明，邊緣易破碎。殼表面白色，殼頂微紫色。殼內面白色，具雲母樣光澤。鉸合部大，右殼兩枚長度不等的鉸合齒呈"八"字形排列。左殼相應的部位形成 2 條凹陷。一般殼高為 93mm，殼長約 100mm，殼寬約 5.5mm。

分佈 棲息於潮間帶中、下區及淺海沙質或泥沙質海底的表面。分佈於東海、南海。

採製 四季捕捉，取殼曬乾。

成分 主含碳酸鈣、角殼硬蛋白。

性能 苦，涼。解瘡毒，消積滯。

應用 用於濕瘡，疳積，麻疹，消化不良等症。用量 5～15g。

文獻 《中國藥用動物誌》二，52。

3462 刻紋蜆

來源 蜆科動物刻紋蜆 Corbicula targillierti (Philippi) 的乾燥貝殼。

形態 貝殼中等大小，殼長約 31mm，殼高約 25mm，殼寬 17mm 左右。殼質堅固，兩殼膨脹，略呈正三角形。前緣與腹緣形成大的弱弧形，後緣上部呈截狀。表面棕褐色，具有細密的同心圓生長輪脈。鉸合部發達，左殼具 3 枚主齒，右殼 3 枚主齒，中間者小。

分佈 棲息於泥沙底、泥底的河流及湖泊內，以微小動物或植物碎屑為食。主要分佈於長江流域。

採製 全年採捕，取殼曬乾。

成分 殼含碳酸鈣、磷酸鈣、殼蛋白等。

性能 鹹，溫。止咳化痰，制酸止痛。

應用 用於痰喘咳嗽，反胃吞酸，濕瘡等。用量 5～15g。外用適量。

文獻 《中國藥用動物名錄》，14。

3463 海扇

來源 硨磲科動物鱗硨磲 Tridacna (Chamestrachea) sduamosa (Linnaeus) 的乾燥貝殼。

形態 貝殼卵圓形，殼質堅厚，一般殼長約 190mm，殼寬約 130mm。兩殼相等。殼頂位於背緣中央。殼頂前方有一長卵形的足絲孔。殼背緣稍平，腹緣呈波浪狀。殼表面黃白色，具有 4～6 條強大的放射脊，脊上有寬而大的鱗片。殼內面白色，具光澤。鉸合部長，右殼有 1 枚主齒和 2 枚併列的後側齒；右側僅 1 枚主齒。

分佈 生活在潮間帶珊瑚礁間。主要分佈在中國的南海。

採製 四季捕捉，取殼，洗淨，曬乾。

成分 貝殼主含碳酸鈣，貝殼硬蛋白。

性能 鹹，平。鎮靜，解毒。

應用 用於心神不安，蜂蠱螫傷。用量 5～15g。

文獻 《中國藥用動物誌》二，60。

3464 青蛤

來源 簾蛤科動物青蛤 Cyclina sinensis (Gmelin) 的乾燥貝殼。

形態 貝殼近圓形，殼長與殼高幾相等，為寬度的 1.5 倍。殼頂突出。無明顯的小月面。楯面披針形。韌帶黃褐色。鉸合部狹長，平坦，左右殼各具 3 枚主齒。活體殼表面深灰色，兩殼極膨脹。殼內面白色，邊緣具一排整齊小齒。

分佈 生活於潮間帶上、中、下區的泥沙海底。分佈於渤海、黃海、東海和南海。

採製 春至秋季捕捉，去肉，取貝殼洗淨曬乾。打碎生用或煅用。

性能 鹹，寒。軟堅散結，清熱化痰。

應用 用於癥瘕，咳嗽氣喘，胸脅滿痛，咯血，崩漏，帶下等症。用量 10～15g。

文獻 《中國藥用動物誌》一，37。

3465 餅乾鏡蛤

來源 簾蛤科動物餅乾鏡蛤 Dosinia (Phacosoma) biscocta (Reeve) 的乾燥貝殼。

形態 貝殼近圓形，殼質堅厚。殼高與殼長相等，殼寬超過殼長的½。殼頂尖，突出，兩殼頂不相接觸。小月面極凹，心臟形，楯面披針形。鉸合部寬大，左右殼各具 3 枚主齒。殼表面白色，極膨脹。殼內面白色，具珍珠光澤。

分佈 埋棲於潮間帶中下區。分佈於渤海、黃海、東海與南海。

採製 春至秋季捕捉，去肉，洗淨，將貝殼打碎，生用或煅用。

性能 鹹，寒。清熱解毒，軟堅散結。

應用 用於瘰癧，痰多咳嗽。用量 5～15g。外用治瘡腫，適量。

文獻 《中國藥用動物名錄》，14。

3466 長蛸

來源 蛸科動物長蛸 Octopus variabilis (Sasaki) 的全體。

形態 體中型，全長達 800mm，胴部長橢圓形，表面光滑，兩眼間無斑塊，兩眼也無金圈。漏斗器呈“VV”型。各腕頗長，其中第 1 對腕最長，約為第 4 對腕的 2 倍。雄性右側第 3 腕莖化，長度僅為左側第 3 腕的½，端器大而明顯，匙形，內殼退化。

分佈 為沿岸底棲類，善於挖穴棲居。中國沿海均有分佈。

採製 春季捕捉，除去內臟，鮮用或乾燥備用。

成分 含蛋白質和脂肪。

性能 甘、鹹，寒。養血益氣，收斂生肌。

應用 用於產婦乳汁不足，癰瘡腫毒等症。用量 31～62g。

文獻 《山東藥用動物》，80；《中國藥用動物誌》一，45。

3467 長竹蟶

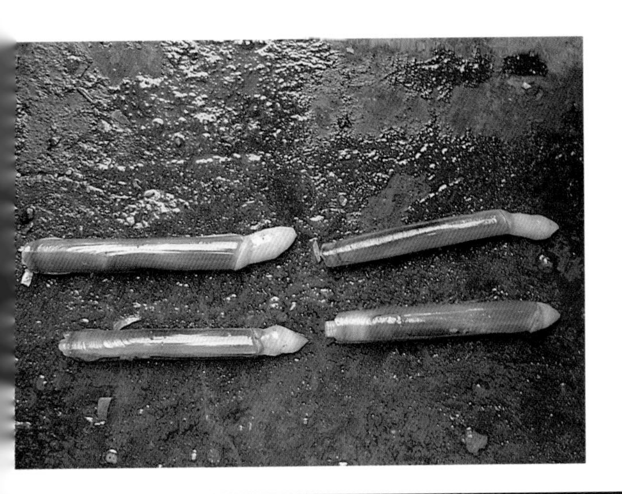

來源　竹蟶科動物長竹蟶 Solen gouldi Conrad 的乾燥貝殼。

形態　貝殼長，兩殼抱合呈竹筒狀。前端呈截形，後端稍圓。背腹緣平行。殼表面光滑，被有黃褐色外皮。生長線明顯，呈弧形。殼內面白色或淡黃色。鉸合部小，每殼各有一主齒。外套痕明顯，外套竇半圓形。

分佈　生活在潮間帶至淺海的沙質海底。從遼寧到廣東沿海都有分佈。

採製　夏季採集，去肉，取貝殼洗淨，曬乾，煅製用。

性能　鹹，涼。散結消痰，通淋。

應用　用於癭氣，赤白帶下，痰飲，淋病。用量 5～15g。

文獻　《大辭典》上，0576。

3468 蝲蛄石

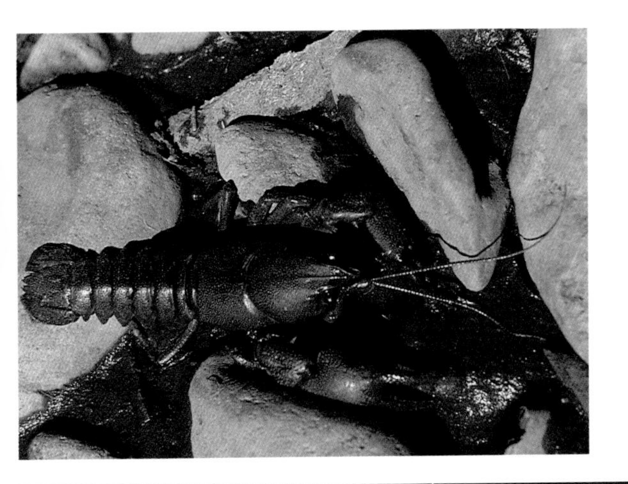

來源　河蝦科動物東北螯蝦 Cambaroides dauricus (Pallas) 的胃內磨石。

形態　雌性體長 70～84mm。分頭胸部和腹部，頭胸部由較堅硬的甲殼覆蓋，不能活動。全體分 20 節，頭部 5 節，胸部 8 節，腹部 7 節。除最後一節無附肢外，共有 19 對附肢。頭部有 1 對複眼。雄性的第 1 、2 對腹肢變成交接器官。

分佈　生活於山地溪流或山地的河流中，以小形甲殼或水生昆蟲為食。分佈於黑龍江、吉林、內蒙古。

採製　每年於 5 月中、下旬或 9 月中旬至 10 月上旬兩次脱皮前10～15 天捕捉，捕後將磨石取出，洗淨，曬乾。

成分　主含碳酸鈣。

性能　鹹，平。止血，止瀉，利尿。

應用　用於刀傷出血，小兒軟骨，瀉痢，心腹痛等。用量 3～6g。外用適量。

文獻　《中國動物藥》，85。

3469 蝦蛄

來源　蝦蛄科動物蝦蛄 Squilla oratoria de Haan 的全體。

形態　體軀平扁，頭胸甲短，最後的 4 個胸節露於外面，捕捉足指節具 6～7 個鋭齒，縱隆線在第 5～8 胸節 2 對，第 1～5 腹節 4 對，第 6 腹節 3 對，第 5～7 胸節側緣各具 2 齒狀突，其中第 5 胸節前方齒鋭。體長 150mm。

分佈　生活在沿岸泥底。分佈於黃海、渤海、東海、南海。

採製　春至秋捕捉，鮮用。

性能　甘、鹹，溫。補腎，澀尿。

應用　用於遺精，遺尿，小便頻數等症。用量 25～50g。

文獻　《中國藥用動物名錄》，28。

3470 壁錢

來源 壁錢科動物北壁錢 Uroctea limbata L. Koch. 的網巢及蟲體。

形態 成體 8～14mm，頭胸部黑褐色，腹部黑色。頭胸部寬圓形。螯肢弱小，無齒。步足粗短，約等長。腹部瓜子形，背面中央有 4 個小黃點，周圍有 7 個白斑。紡織器後突長大，兩節。肛丘大，兩節，末節周圍有一圈極濃密的黑色長毛。

分佈 多棲於屋角、窗門角和壁上。遍佈中國北方各地。

採製 四季皆可捕捉，捕捉蟲後用開水燙死，曬乾或鮮用。網巢生用或炒用。

性能 鹹，平。解毒，止血。

應用 用於扁桃體炎，口舌糜爛，牙疳，齲齒，鼻衄及外傷出血等。外用適量。

文獻 《中國藥用動物誌》一，61。

3471 少棘蜈蚣(蜈松)

來源 蜈蚣科動物少棘蜈蚣 Scoropendra subspinipes mutilans Koch 的乾燥全體。

形態 成體體長 110～140mm，有 21 個體節。頭板和第一背板金黃色，末背板有時近於黃褐色，胸板和步足均為淡黃色。背面約自 4～9 體節起，有兩條不顯著的縱溝。步足 21 對，最末步足最長，伸向後方呈尾狀。基側板後端有 2 尖棘，前腿節腹面外側有 2 棘，內側有 1 棘，背面內側有 1 棘和一隅棘。

分佈 喜棲於潮濕陰暗處所，捕食昆蟲。分佈於陝西、河南、江蘇、浙江。

採製 夏季捕捉，捕後燙死，用竹篾彈直，置陽光下曬乾。

成分 含組織胺 (histamine) 樣物質及溶血蛋白質；此外，尚含酪氨酸 (tyrosine)、亮氨酸 (leucine)、蟻酸、脂肪油、胆甾醇等。

性能 辛，溫。有毒。祛風、定驚、攻毒、散結。

應用 用於中風，驚癇，破傷風，百日咳，瘰癧，結核，癥瘕腫毒，風癬，痔漏及燙傷。

文獻 《大辭典》下，5157。

3472 東方後片蠊

來源 姬蠊科動物東方後片蠊 Opisthoplatia orientalis Burm. 的乾燥雌蟲全體。

形態 蟲體長卵形而扁，漆黑色而有光澤。雌蟲體長 35～45mm，頭部棕褐色，完全隱藏於前胸背板之下，大顎甚發達，棕黃色，上唇長，蓋過大顎，棕黃色。眼不發達。觸角細小，線狀。前胸背板甚發達，其前緣及側緣有黃色鑲邊。

分佈 喜棲於有機質豐富的陰暗場所。分佈於廣東、海南島及廣西。

採製 夏、秋季捕捉，捕後用沸水燙死，曬乾或烘乾。

性能 鹹，寒。破血逐瘀，續筋接骨，通經下乳。

應用 用於經閉，癥瘕，產後瘀滯腹痛，跌打損傷，瘀血腫痛，乳汁不下等。用量 3～9g。

文獻 《中國藥用動物誌》二，96。

3473 中華稻蝗

來源 蝗科動物中華稻蝗 Oxya chinensis Thun. 的乾燥成蟲。

形態 體較小，長 30～40mm，黃綠或綠色，有時黃褐色，有光澤。頭頂有圓形凹窩，顏面中部溝深。複眼灰色，橢圓形，觸角絲狀，褐色。前胸發達，中部有橫縫 3 條，前翅前緣部分呈綠色，餘部褐色，腹部黃褐色，雄體腹末端屈曲向上。

分佈 活動於堤岸、稻田附近，以禾本科植物為食。分佈於華北、西北及西南地區。

採製 夏、秋季捕捉，鮮用或沸水燙死，曬乾或烘乾備用。

性能 辛，溫。有毒。止咳平喘，滋補強壯，止痙，解毒，透疹。

應用 用於百日咳，支氣管炎，哮喘，小兒驚風，咽喉腫痛，疹出不暢，中耳炎等。用量 10～30 隻，外用適量。

文獻 《中國動物藥》，107。

3474 油葫蘆

來源 蟋蟀科動物油葫蘆 Gryllus teslaceus Walker 的乾燥成蟲。

形態 體較蟋蟀粗大，長可達 24mm，黑褐色，有光澤。頭寬大，複眼內緣和兩頰黃褐色，複眼黑褐色，觸角褐色，有兩個月牙形紋，前翅暗褐色，後翅隱翅下，呈尾狀。腹部長圓錐形，尾毛長，上有黑褐色毛，產卵管微彎。

分佈 喜生活於雜草叢生的枯枝葉下面。分佈於黑龍江、吉林、遼寧、內蒙古、河北、山西、浙江、湖南、廣東、台灣。

採製 秋季於柴草堆下捕捉，用沸水燙死，曬乾或烘乾。

成分 含蟋蟀吡吒 (grypyrin)。

性能 鹹，溫。退水消腫，解毒退熱。

應用 用於水腫，小便不利。外用治紅腫瘡毒等。用量 3～5 隻。焙乾研粉用，外用適量。

文獻 《中國藥用動物誌》一，76。

3475 華南蚱蟬

來源 蟬科動物華南蚱蟬 Cryptotympana mandrina Dist. 的若蟲羽化時脱落的皮殼。

形態 體粗壯，長約 45mm，黑色，披深黃色短毛。頭部黑色，觸角短，剛毛狀，額上有棕黃色圓形斑。頭部與胸部等寬。前胸、中胸背板均為黑色。翅透明，前翅基部 ½ 處有煙褐色斑，後翅基部大部分為煙黑色，翅端部半透明。前足股節中部褐黃色，前端部及基部黑色，脛節黑色；後足脛節中部棕褐色。腹瓣末端伸達腹部第四節。發音很響。

分佈 長江以南地區廣為分佈。產卵於樹枝上。

採製 夏季於樹上或地面上拾取，曬乾。

成分 含多量甲殼質、蛋白質，腺苷三磷酸酶、多種氨基酸。

性能 鹹、甘，涼。散風熱，利咽喉，透麻疹。

應用 治風熱感冒頭痛，咽喉腫痛，聲音嘶啞，小兒驚癇抽搐，麻疹不易透發，風疹瘙癢，目赤腫痛，雲翳障目等。用量 5～15g。

文獻 《中國藥用動物誌》二，110。

3476 蓖麻蠶

來源 天蠶蛾科動物蓖麻蠶 *Philosamia cynthia ricini* (Donoran) 的乾燥幼蟲。

形態 大型蛾類，展翅可達 125mm，觸角、頭、胸部褐色。頭小，複眼大，觸角羽狀。翅棕褐色，前翅翅頂向外突出，突出部有一橢圓形黑斑，翅面有圖案型美麗斑紋，縱貫前後翅有一條波狀紋，中部有半透明月牙形大白斑。其前緣有棕黑色邊，後緣呈黃色，中間白色。

分佈 小蠶喜歡躲在葉子後面。幼蟲以蓖麻葉為食。分佈於安徽、江蘇、浙江、江西、福建、台灣、廣東、海南島。

採製 春、夏季採集幼蟲，置沸水中燙死，曬乾。

成分 幼蟲含金合歡醇 (farnesol)、金合歡醛 (farnesal) 等。

性能 甘，溫。祛風濕，止痹痛。

應用 用於風濕性關節炎。用量 5～10g。

文獻 《中國藥用動物誌》二，124。

3477 鳳蝶

來源 鳳蝶科動物鳳蝶 *Papilio xuthus* (Linnaeus) 的新鮮幼蟲。

形態 夏形成蟲展翅達 107mm，體色暗黃或淡黃綠色。複眼黑褐，半球狀。觸角黑色，棒狀。前翅每一翅室基部各有黃斑 1 枚，後翅內緣成弓狀內彎，黑色，每一翅室基部各有黃斑 1 枚。肛角附近飾有橙黃色圓紋 1 枚。中心黑色。

分佈 成蟲飛翔力強，喜在高處飛舞。分佈於東北、華北、華南、山東、湖南、四川、台灣。

採製 夏季採集幼蟲置沸水中燙死，曬乾。

成分 翅含蝶色素 IIa、IIb、IIIa、IIIb (papilio chrome IIa、IIb、IIIa、IIIb) 蝶色素 II 可分解為 L-犬尿氨酸 (L-kynurenine)、兒茶酚胺 (catechol amine) 等。

性能 甘，溫。理氣，止痛。

應用 用於氣滯脘腹作痛。用量 1～3 隻。

文獻 《中國藥用動物誌》二，122。

3478 三星龍蝨

來源 龍蝨科動物三星龍蝨 *Cybister tripunctatus orientalis* Gschwendtner 的乾燥成蟲。

形態 體長 24～28mm，長圓形，前狹後寬。背面黑綠色，腹面黑色、黑紅或棕黃色，體翅周邊有黃帶。頭近扁平，中央微隆起，觸角黃褐色。複眼突出，黑色。前胸背板橫闊。腹下第 3～5 節兩側各有橫斑 1 個。足黃褐色，生有金色長毛，後足脛節短闊。

分佈 生於池沼、水田、河湖多水草處。分佈於東北、華北、華東、華西及西南。

採製 春、夏、秋三季均可捕捉，用沸水燙死，曬乾。

性能 甘，平。補腎，活血，縮尿。

應用 用於小便頻數，小兒疳積，遺尿等症。用量 10～15g。

文獻 《大辭典》上，1282。

3479 泥鰍

來源 鰍科動物泥鰍 Misgurnus anguillicaudatus (Cantor) 的肉。

形態 體細長，近圓筒形，後部側扁。頭較尖，稍側扁。吻尖長，眼小，被皮膜覆蓋。口小，下位，呈馬蹄形。觸鬚5對，咽齒1行，鰓孔小，鰓耙退化呈粒狀。鱗細小，深陷皮內。體背暗褐色，體側灰黑色，密佈黑色斑點，腹部灰白色或淡黃。

分佈 棲於靜水湖泊、溝渠、稻田內。分佈於全國各地。

採製 全年均可捕捉，除去內臟，鮮用或乾用。

成分 肉中含脂肪、蛋白、碳水化物及鈣、磷、鐵等。

性能 甘，平。補中，祛濕，止渴，退黃。

應用 用於消渴，陽痿，傳染性肝炎，瘡腫，小便不利等。用量5～10條。外用適量。

文獻 《常見藥用動物》，121。

3480 暗紋東方魨

來源 魨科動物暗紋東方魨 Fugu obscurus (Abe) 的肉。

形態 體色和條紋隨體長不同而有變異。幼體背部暗色寬紋上散佈有白色小點，較大個體的白點由不明顯而至消失，暗紋也較淡。胸鰭後上方有帶淺色邊緣的黑斑，背鰭基底也有一個大黑斑，頭部及體背、腹面均被小刺，前額骨略呈三角形，體背側有5～6條不明顯的寬橫帶。

分佈 為近海與河川食肉性中，下層洄游性魚類。分佈於中國黃海和東海。

採製 捕捉後取肉洗淨，鮮用。

性能 甘，溫。有劇毒。滋補強壯，解毒消腫，鎮痛。

應用 用於腰腿酸痛，淋巴結結核，癤腫，無名腫毒，癌腫等。外用適量。

文獻 《山東藥用動物》，271。

3481 海蛾

來源 海蛾魚科動物海蛾 Pegasus laternarius (Cuvier) 的乾燥全體。

形態 體平扁，被以骨板，軀幹部密接，不能活動。吻部突出，短粗，略呈小三角形。眼大而圓，側位。口小，下位。鰓蓋各骨愈合，鰓孔小。體無鱗，軀幹背部具4條隆嵴，尾呈四棱形，尾環11，各鰭無棘，鰭條不分枝。胸鰭發達呈翼狀，腹鰭位於肛門前方。

分佈 棲深海。為底層性生活小型魚類。分佈於中國東海和南海。

採製 捕後去內臟，用淡水洗淨，曬乾。

成分 含蛋白質、肽類、氨基酸、脂類。並含有N-酰基鞘氨醇辛糖 (ceramid octasaccharide)，其中含甘露糖-6-磷酸酯 (mannose-6-phosphate)、長鏈鹼以C18-18-鞘氨醇為主。

性能 鹹，溫。祛痰，解毒，止瀉。

應用 用於氣管炎痰多咳嗽，小兒麻疹，腹瀉等。用量7～8個。

文獻 《中國藥用動物誌》二，271。

3482 雨蛙

來源 雨蛙科動物無斑雨蛙 Hyla arborea immaculata Boettger 的全體。

形態 是一種小型蛙類。體長約 35mm，雌體可達 44mm。頭寬大於頭長，吻圓而高，吻稜明顯，眼間距大於鼻間距，鼓膜圓，舌圓厚。指端有吸盤，指扁。趾端與指端同。背面皮膚光滑，胸、腹部及股腹面密佈扁平疣。背部綠色，體側及腹面白色。

分佈 棲於近水的草叢或灌木林間。分佈於吉林、黑龍江、遼寧、河北、河南、陝西、內蒙古、貴州、湖北、安徽、江蘇、浙江。

採製 夏秋季捕捉，洗淨，鮮用。

性能 淡，平。解毒殺蟲。

應用 用於濕癬。外用適量。

文獻 《中國藥用動物誌》一，170。

3483 黑龍江林蛙

來源 蛙科動物黑龍江林蛙 Rana amurensis Baulenger 的乾燥輸卵管。

形態 雄性體長 63～66mm，雌性略大。頭較扁平，長寬幾相等。吻端尖圓，吻稜較明顯，鼻孔位於眼吻之間。鼓膜顯著。前肢短壯，指端圓，指較細長。後肢短，脛跗關節前達肩部，脛短，左右跟部稍重疊，足長於脛，趾端鈍圓而略尖。蹼發達。顏色變異頗大，腹面有紅色與深灰色花斑。

分佈 棲息在山坡、樹林、草叢中。分佈於黑龍江、吉林、遼寧。

採製 秋季捕捉雌體，處死，風乾，剝取輸卵管。

性能 甘、鹹，平。補腎益精，養陰潤肺。

應用 用於身體虛弱，病後失調，心悸失眠，盜汗，咳嗽。用量 5～15g。

文獻 《中國藥用動物誌》一，176。

3484 緬甸陸龜

來源 龜科動物緬甸陸龜 Testudo elongata Blyth 的腹甲。

形態 背甲穹起較高而脊部較平，頸角板長而狹，錐角板 5 塊，第一塊長寬相等，第二至第四塊寬大於長，肋角板每側 4 塊，緣角板每側 11 塊，臀角板較大。腹甲大。頤角板呈三角狀，肱角板較胸角板小，腹角板大，股角板較胸角板長，肛角板後緣深凹。四肢粗壯，具爪，指、趾間均無蹼。背腹面綠黃色。

分佈 生活於小山區低海拔處。分佈於廣西、雲南。

採製 夏秋季捕捉，處死取腹甲，去淨筋肉，漂洗淨，曬乾。

成分 腹甲含骨膠原 (Collagen)，其中含多種氨基酸，另含大量鈣及磷。

性能 甘、鹹，寒。滋陰潛陽，補腎壯骨。

應用 用於陰虛內熱，頭痛眩暈，遺精陽痿，崩漏帶下，腰膝酸軟等症。用量 10～30g。

文獻 《中國藥用動物誌》二，291。

3485 沙和尚

來源 鬣蜥科動物草原沙蜥 Phrynocephalus frontalis Strauch 的全體。

形態 體長 30～35mm，尾長 35～40 mm。頭吻覆有不對稱的小鱗斤，顱頂中央有一個透明的圓形頂眼；眼瞼有鋸齒狀緣，耳孔隱於皮下。趾的兩側有櫛突，末端帶爪。背部沙黃色，有複雜斑紋。腹部黃白色，尾下有黑白相間的色環。幼蜥尾基橘紅色。

分佈 棲息在荒漠、草原、沙丘、灌叢或農田附近沙地。以捕食金龜子、葉岬、金花蟲等昆蟲為生。分佈於內蒙古、寧夏、陝西北部。

採製 捕後捏死，除去內臟，串起風乾後焙燒存性，研細。

性能 甘、鹹，溫。活血，散瘀，鎮痙，壯陽。

應用 治淋巴結核，癲癇，腎虛陽萎等。用量 2～6g。

文獻 《內蒙古動物藥》，89。

附註 本種蒙醫用作滋補壯陽藥。並治牙痛，頭痛，鼻癢等。

3486 蚺蛇肉

來源 蟒蛇科動物蟒蛇 Python molurus bivittatus (Schlegel) 的肉。

形態 成蛇全長達 4～6m。頭小，吻扁平。上唇鱗 11～13，眼的前緣、下緣及後緣圍有 6～8 片眼鱗。眼小。頭背鱗片對稱。體鱗光滑無稜。在肛門兩側有距狀的後肢痕跡。體背及兩側均呈雲豹狀大斑紋，頭背黑色，喉下黃白色。

分佈 生活於熱帶及亞熱帶的森林中。分佈於廣東、廣西、雲南、福建。

採製 全年可採收。殺蛇取肉，鮮用。

成分 肌肉中含肌酸 (creatine)、甲(基)胍 (methylguanidine)、腺嘌呤 (adenine)、肌肽 (carnosine)、γ-丁酸甜菜鹼 (γ-butyrobetaine)、嘌呤鹼 (purine bases)、組氨酸 (histidine)、精氨酸 (arginine)、賴氨酸 (lysine) 等。

性能 甘、溫。有小毒。祛風，殺蟲。

應用 用於風痹，癱瘓，癘風，疥癬，惡瘡。內服適量。

文獻 《大辭典》下，4329；《中國藥用動物誌》二，316。

3487 紅點錦蛇蛻

來源 游蛇科動物紅點錦蛇 Elaphe rufodorsata (Cantor) 脱下的乾燥表皮膜。

形態 體長 500～750mm。體型纖長，頭略扁平，尾圓長。吻鱗略呈三角形，鼻間鱗比額鱗小，額鱗單枚。眶上鱗三角形，顱頂鱗最大。鼻孔圓形，開孔於兩鼻鱗間。眶上鱗單枚，眶後鱗兩枚。上唇鱗 7，下唇鱗 8。體鱗 21-19-17 行。頭部有"Λ"字形黑斑，背部淡紅褐色，體側各有暗黑褐色斑紋的縱走線 2 行。

分佈 棲息在近水的草叢裏，半水生性。分佈於黑龍江、吉林、遼寧、河北、山東、河南、山西、湖北、安徽、江蘇、浙江。

採製 全年皆可收集，去淨雜質。晾乾。

成分 含骨膠原。

性能 鹹、甘，平。祛風，定驚，解毒，退翳。

應用 用於小兒驚風，抽搐痙攣，角膜雲翳，疔腫，皮膚瘙癢等症。用量 1.5～3g。

文獻 《中國動物藥》，326。

3488 金錢白花蛇

來源 眼鏡蛇科動物銀環蛇 Bungarus multicinctus multicinctus Blyth 幼蛇除去內臟的乾燥全體。

形態 成蛇全長 1400mm 左右。頭部橢圓形，有前溝牙。眼小，鼻鱗 2，鼻孔位於兩鱗之間，頰鱗缺，上唇鱗 7，下唇鱗 7，眼前鱗 1，眼後鱗 2，顳鱗 1+2，背鱗光滑，通身 15 行，背鱗擴大呈六角形。體背黑白橫紋相間，軀幹部有 20～50 個白環，尾部有 7～17 個。

分佈 棲息於平原及丘陵地帶多水之處。分佈於安徽、浙江、江西、福建、台灣、湖北、湖南、廣東、海南島、廣西、四川、雲南等。

採製 夏秋捕捉，除去內臟，盤成圓形，竹簽固定，乾燥。

成分 毒液中含胆碱酯酶、蛋白酶、ATP 酶、5—核苷酶、磷酸二酯、磷酯酶 A 及透明質酸酶等酶。

性能 甘、鹹，溫。有毒。祛風，通絡，止痙。

應用 用於風濕頑痹，麻木拘攣，中風口眼喎斜，半身不遂，抽搐痙攣，破傷風，麻風疥癬，惡瘡瘰癧等症。用量 3～4.5g。

文獻 《藥典》一，185。

3489 蘄蛇

來源 蝰科動物五步蛇 Agkistrodon acutus (Guenther) 除去內臟的乾燥全體。

形態 全長 1200～1500mm。頭大，三角形，吻端有一翹起的吻突，覆以延長的吻鱗及鼻間鱗。背鱗 21-21-17 行，起強稜。尾下鱗前段約 20 枚為單行，後段均為雙行。頭背棕黑，頭側土黃，體側棕褐色為主，背面有 20 個左右規則的大方形斑。腹面乳白色。

分佈 生活在丘陵或樹木繁茂的山區。以鼠、鳥、蜥蜴等為食。分佈於貴州、湖北、安徽、浙江、江西、湖南、福建、台灣。

採製 夏季捕捉，剖除內臟，盤成圓盤，用竹片撐開，烘乾。

成分 肉含蛋白質及脂肪。頭部毒腺中含有多量的出血性毒及少量的神經毒，微量的溶血成分及促進血液凝固成分。

性能 甘、鹹，溫。有毒。祛風，通絡，止痙。

應用 用於風濕頑痹，小兒驚風，破傷風，麻風，疥癩，瘰癧惡瘡等。用量 3～9g。

文獻 《藥典》一，330；《中國動物藥》，320。

3490　鸕鷀肉

來源　鸕鷀科動物鸕鷀 Phalacrocorax carbo (Linneus) 的肉。

形態　體長約 80cm，重約 1900g。頰、頦及上喉處白色帶棕褐色。頭頸黑色並有白色絲狀羽，後頭部有一不明顯的羽冠。肩羽和大覆羽暗棕色，羽邊黑色，呈鱗片狀。肩、翼部有青銅色金屬反光。下體藍黑色。尾羽硬直。

分佈　常棲於河川、溝谷、池塘、水庫及沼澤中，善潛水捕魚。全國大部分省區有分佈或飼養。

採製　捕殺後，去內臟、毛，曬乾搗碎或燒存性。

性能　酸、鹹，涼。微毒。利水，止咳。

應用　治水腫，腹水。用量 6～12g。孕婦忌服。

文獻　《大辭典》下，3759；《內蒙古動物藥》105。

附註　骨和翅羽治鯁，口涎止咳。

3491　鷺肉

來源　鷺科動物白鷺 Egretta garzetta Linnaeus 的肉。

形態　小型鷺類，雌雄同色。全身乳白，枕部有二條狀如雙辮的長羽。肩部着生蓑羽，向後的覆蓋着背部，直伸到尾部。前頸也着生矛狀羽，狀似羽冠，向下披至胸前。嘴黑色，嘴裂處及下嘴基部淡角黃色。腳黑色，趾呈角黃綠色。

分佈　棲息於稻田、沼澤或池塘間。分佈於長江以南各省。

採製　四季捕捉，去羽毛及內臟取肉鮮用。

性能　鹹，平。補脾益氣。

應用　用於脾虛泄瀉，消化不良，食慾不振，崩漏，脫肛。用量 10～25g。

文獻　《大辭典》下，5668。

3492 灰雁

來源 鴨科動物灰雁 Anser anser (Linnaeus) 的脂肪。

形態 雌雄兩性全身灰褐色，嘴基周圍有狹長白紋。下背及腰部為較深灰鼠色；頸、胸和腹部淡灰色，腹部有黑色橫斑。眼棕色，嘴橙黃色，或略帶紅色，嘴甲呈象牙色或白色。腿和腳肉紅色，或略帶灰色。

分佈 白天遠離河旁而集居於大形的沙洲，早晨或黃昏出來覓食。分佈於東北、內蒙古、新疆。在華中、華南、西南過冬。

採製 春冬季獵捕，去羽毛及內臟，剝取脂肪，煉油備用。

性能 甘，溫。舒筋活血，益氣解毒。

應用 用於氣血不足，筋攣拘急，腎虛脱髮，癰腫瘡毒等症。用量 5～10g。

文獻 《中國動物藥》，338。

3493 雁肉

來源 鴨科動物鴻雁 Anser cygnoides (Linnaeus) 的肉。

形態 羽色與其他雁類大致相同，雌雄二性均為棕灰色，但於冠部、頸背和後頸部有一條紅棕色長紋。嘴黑色，較頭為長，雄雁嘴基有膨大而成冠狀的瘤，但在雌性並不發達。眼棕色，腿和腳橙黃色，爪黑色。

分佈 棲息在河川或沼澤地帶，有時亦可見於林中。分佈於東北及內蒙古。秋後遷至長江下游過冬。

採製 春冬二季獵捕。去羽毛取肉鮮用。

性能 甘，平。祛風濕，壯筋骨。

應用 用於風濕痹痛，麻木不仁，筋攣。用量 10～20g。

文獻 《大辭典》下，4856。

3494　竹雞

來源　雉科動物竹雞 Bambusicola thoracica (Temminck) 的肉。

形態　上體大都黃橄欖褐色，各羽或顯或微地綴以黑褐色蟲蠹狀斑。頭頂雜以少數棕點，背部栗斑甚著，並有較小的白斑，背以後微綴以栗色細點。額與上背沾灰，頭、頸兩側、頦、喉等均栗色，胸藍灰。眼淡褐色，嘴亦褐，腳和趾黃褐色，雄者具長距。

分佈　棲息山丘或叢林間。分佈於長江以南各地。

採製　四季捕捉，除去羽毛及內臟，取肉鮮用。

性能　甘，溫。補中益氣，殺蟲。

應用　用於脾胃虛弱，消化不良，便溏等症。內服適量。

文獻　《中國動物藥》，355；《大辭典》上，1799。

3495　鷸肉

來源　鷸科動物紅腳鷸 Tringa totanus (Linnaeus) 的肉。

形態　上體灰褐色，雜以黑褐色縱紋和橫斑。下背和腰白色。尾白而有黑斑，雙翅均具白色斑塊。下體白色，滿佈以褐色斑，嘴端部黑，上嘴基部褐，下嘴基部角黃，腳和趾橙紅色，爪黑色。

分佈　棲息於海岸、沼澤、池溏、河口等地。分佈於全國各地。

採製　四季捕捉，去羽毛及內臟，取肉鮮用。

性能　甘，溫。滋養補虛，強胃健脾，益精明目。

應用　用於久病虛弱無力，肝腎不足，視物不清。用量 20～30g。

文獻　《大辭典》下，5642；《中國藥用動物誌》二，381。

3496 布穀鳥

來源 杜鵑科動物大杜鵑 Cuculus canorus Linnaeus 去內臟的全體。

形態 體大似鴿，上體大都暗灰色，腰和尾上覆羽染有藍色，頦、喉、上胸以及頭和頸的兩側均淡灰色，在灰色其間有白色斑點；下體大都白色，其間有多數黑褐色不規則的橫斑。嘴黑褐，腳黃色，爪褐色。

分佈 多棲於近水的開闊林地，性孤獨。以昆蟲為食。分佈於全國各地。

採製 春至秋獵捕，殺死去內臟，燒存性，研末。

性能 甘，平。消瘰，通便，鎮咳。

應用 用於淋巴結結核，腸燥便秘，百日咳等。用量3～5g。

文獻 《中國動物藥》，381。

3497 綠啄木鳥

來源 啄木鳥科動物綠啄木鳥 Picus canus Gmelin 的肉。

形態 通體暗綠色，無羽冠。雄鳥額至頭頂前半部鮮紅，眼先和顴紋黑色，頭和頸的餘部暗灰色，翕和下背淡綠黃色。腰和尾上覆羽綠黃色。尾羽的羽幹堅硬，呈黑褐色；中央尾羽綠灰，而具多數呈暗褐色橫斑。外側尾羽轉為純褐色。雌鳥額至頭頂均為灰色綴以黑色縱斑。

分佈 棲於山地密林。分佈於全國各地。

採製 四季獵捕，去淨羽毛和內臟，取肉焙乾，研末。

成分 肉含蛋白質、氨基酸、肽類、脂肪、甾類、維生素等。

性能 甘，平。補虛，開鬱，平肝。

應用 用於虛癆，疳積，噎膈，癇疾，痔瘻等症。用量1隻。

文獻 《大辭典》下，4324；《中國藥用動物誌》二，394。

3498 大耳猬

來源 刺猬科動物大耳猬 Hemiechianus auritus Gmelin 的皮刺、膽囊。

形態 體形較刺猬小，體長 170～230mm。吻部尖，耳朵長大長 40～50mm，前折可超過眼部。軀體背面覆有硬刺構成的甲胄，由頭部耳後方開始，往後至尾基部之前。尾極短，棕褐色。

分佈 棲於荒漠、半荒漠地帶的草原、莊園、農田、灌叢等處。以昆蟲及其他小動物為食，也吃植物性食物。分佈於內蒙古、新疆、甘肅、寧夏、陝西。

採製 捕獲後，宰殺剖腹剝皮，陰乾；膽囊用線扎住，陰乾或鮮用。

性能 皮：收斂，止血，解毒，鎮痛；膽：消炎清熱。

應用 皮：治胃病，小兒遺尿，痔瘡便血，陽萎，前列腺炎等，用量 3～9g。膽：治眼瞼赤爛，鮮汁滴入。

文獻 《藥動誌》一，250；《內蒙古動物藥》148。

3499 峨嵋藏猴

來源 猴科動物峨嵋藏猴 Macaca thibetana Milne-Edwares 的骨骼。

形態 體形粗大，體長可達 660 mm，四肢粗壯，肌肉發達。尾短，不超過 90mm。臉部及下頦周圍長有厚而長的密毛，像絡腮鬚。有頰囊。顏面皮膚肉色或淡褐色。軀體背面深褐色，有的毛尖為黑色，頭頂和頸毛褐色，有棕色環節。四肢外側褐色，幼體毛色淺褐。

分佈 棲息於多巖石的稀樹山坡。分佈於四川、陝西、湖北、雲南、廣西、江西、浙江、福建。

採製 捕獲後處死，取骨骼，剔淨筋肉，曬乾。

性能 酸，平。祛風，除濕，定驚。

應用 用於風寒濕痹，四肢麻木，小兒驚癇，瘴瘧發熱等症。用量 3～6g。

文獻 《中國藥用動物誌》二，423。

附註 峨嵋藏猴過去誤定為短尾猴 Macaca speciosa F. Cuvier。

3500 海狗腎

來源 海狗科動物海狗 Callorhinus ursinus (L.) 的雄性外生殖器。

形態 體肥壯，形圓而長，至後部漸收削。雄獸身長達 2.5m，雌者身長僅及其半。頭略圓，額骨高，眼大，耳殼甚小，口吻短，旁有長鬚。四肢均具 5 趾，趾間有蹼，形成鰭足。尾甚短小，體深灰褐色，腹部黃褐色。

分佈 生活於寒帶或溫帶海洋中，常隨水溫而洄游，以魚類或烏賊為食。偶見於中國的黃海及東海。

採製 春季捕捉雄獸，割取陰莖及睾丸，置陰涼處風乾。

性能 鹹，熱。暖腎壯陽，益精補髓。

應用 用於虛損勞傷，陽痿精衰，腰膝痿弱。用量 3～9g。

文獻 《大辭典》下，3987。

參考書目

一、中文

三畫

《大辭典》——《中藥大辭典》(上、下冊及附編)，江蘇新醫學院編。上海：上海人民出版社，1977。

《上海園林植物圖說》——上海植物園編。上海：上海科學技術出版社，1980。

《川藥校刊》——四川省中藥學校，峨嵋。

《山東經濟植物》——山東經濟植物編寫組編。濟南：山東人民出版社，1978。

《山東藥用動物》——紀加義、趙玉清編著。濟南：山東科學技術出版社，1979。

四畫

《中國藥用真菌圖鑒》——應建浙、卯曉嵐等。北京：科學出版社，1987。

《中國藥用動物名錄》——高士賢、鄧明魯編。長春：長春中醫學院學報，1987。

《中國動物藥》——鄧明魯、高士賢編著。長春：吉林人民出版社，1981。

《中國樹木誌》(1～2卷)——中國樹木誌編輯委員會編。北京：中國林業出版社，1983～1985。

《中國有毒植物》——陳冀勝、鄭碩主編。北京：科學出版社，1987。

《中國藥用孢子植物》——丁恒山編。上海：上海科學技術出版社，1982。

《中國民族藥誌》(一卷)——衞生部藥品生物製品檢驗所等編。北京：人民衞生出版社，1984。

《中國高等植物圖鑒》(1～5卷)——中國科學院植物研究所主編。北京：科學出版社，1972～1976。

《中國主要植物圖說》(蕨類植物門)——傅書遐編。北京：科學出版社，1959。

《中藥誌》(1～4冊)——中國醫學科學院藥物研究所等編著。北京：人民衞生出版社，1979～1988。

《中草藥》——國家醫藥管理局中草藥情報中心站，天津。

《內蒙古動物藥》——趙肯堂等編。呼和浩特：內蒙古人民出版社，1981。

五畫

《四川珍稀瀕危保護植物》(一卷)——高寶蒓、鄔家林主編。成都：四川人民出版社，1989。

《四川省中藥材標準》——四川省衞生廳編，1987。

《四川省中藥資源普查名錄》——四川省中藥資源普查領導小組編，1986。

《四川常用中草藥》——四川省中藥研究所編著。成都：四川人民出版社，1977。

《四川植物誌》(1～6卷)——四川植物誌編輯委員會編。成都：四川人民出版社，1981～1989。

六畫

《江蘇植物誌》——江蘇植物研究所。南京：江蘇科學技術出版社，1982。

《成都中醫學院學報》——成都中醫學院，成都。

《吉林省長白山區野生經濟植物名錄》——吉林省農業區劃委員會辦公室編，1985。

《吉林省中藥資源名錄》——吉林省中藥資源普查辦公室編，1988。

《吉林省有用有害真菌》——李茹光編著，長春：吉林人民出版社，1980。

《吉林省藥用植物名錄》——鄧明魯等編。《特產科學實驗》(中草藥專輯)，1980。

《西昌中草藥》(上、下冊)——四川省西昌地區衞生局編，1972。

七畫

《佘山藥植名錄》——《上海佘山地區藥用植物名錄及其功效》，鄭漢臣等編。上海第二軍醫大學，1985。

八畫

《長白山植物藥誌》——吉林省中醫中藥研究所等編。長春：吉林人民出版社，1982。

《長島縣中藥資源普查綜合報告》——謝東佩等編，1988。

《東北草本植物誌》(1～7冊)——中國科學院瀋陽林業土壤研究所編。北京：科學出版社，1975～1981。

《浙藥誌》——《浙江藥用植物誌》(上、下冊)，浙江藥用植物誌編寫組編。杭州：浙江科學技術出版社，1980。

《秦嶺巴山天然藥物誌》——李世全主編。西安：陝西科學技術出版社，1987。

《峨嵋山藥用植物研究》(一)——四川省中藥學校編，1981。

十一畫

《貴州中草藥名錄》——陳德媛、陳家明主編。貴陽：貴州人民出版社，1988。

《常見藥用動物》——高士賢等。上海：上海科學技術出版社，1987。

十二畫

《植物誌》——《中國植物誌》，中國科學院中國植物誌編委會。北京：科學出版社，1978～1989。

《植物分類學報》——中國植物學會，北京。

《植物研究》——植物研究編委會，哈爾濱。

《雲南植物研究》——雲南植物研究編委會，昆明。

十三畫

《新華本草綱要》——江蘇省植物研究所等編著。上海：上海科學技術出版社，1988。

《滙編》——《全國中草藥滙編》(上、下冊)，全國中草藥滙編編寫組。北京：人民衛生出版社，1976。

《新疆藥用植物誌》——中國科學院新疆生物土壤沙漠研究所編。烏魯木齊：新疆人民出版社，1981～1984。

《新疆植物檢索表》——新疆八一農學院編著。烏魯木齊：新疆人民出版社，1983。

《萬縣中草藥》——萬縣中草藥編寫組編，1977。

十五畫

《廣西藥用動物》——林呂柯編著。南寧：廣西人民出版社，1987。

《廣西藥用植物名錄》——廣西壯族自治區中醫藥研究所編。南寧：廣西人民出版社，1986。

十九畫

《藥用動物誌》——《中國藥用動物誌》(一、二冊)，中國藥用動物誌協作組編著。天津：天津科學技術出版社，1979、1982。

《藥典》——《中華人民共和國藥典一九八五年版》，衛生部藥典委員會編。北京：人民衛生出版社，1985。

《藥檢工作通訊》——衛生部藥品生物製品檢定所，北京。

二、俄文

(Н. В. Цицин: *АТЛАС ЛЕКАРСТВЕННЫХ РАСТЕНИЙ СССР* ГОСУДАРСТВЕННОЕ ИЗДАТЕЛЬСТВО МЕДИЦИНСКОЙ ЛИТЕРАТУРЫ МОСКВА 1962)

拉丁學名索引

中文名稱索引

一畫

二畫

三畫

四畫

五畫

六畫

七畫

八畫

九畫

十畫

十一畫

十二畫

十三畫

十四畫

十五畫

十六畫

十七畫

十八畫

十九畫

二十畫

二十一畫

二十二畫

二十三畫

二十五畫

二十六畫

二十七畫